모든 그리스도인을 위한
영적 전쟁

모든 그리스도인을 위한

영적 전쟁

딘 셔만 지음
이상신 옮김

예수전도단

균형있는 삶과 인내의 본이 되어 주신
나의 아버지, 바이런 셔만과
하나님을 사랑하는 것과
마귀를 대적하는 법을 가르쳐 주신
어머니, 바이올라 셔만께
이 책을 드립니다.

〔감사의 글〕

다양한 경험을 통해 영적 전쟁의 원리를 배우고 사역할 수 있도록 은혜를 베푸신 하나님께 감사드린다. 23년간 나를 격려해 주고 신뢰해 준 로렌 커닝햄과 국제 예수전도단의 형제들에게 나는 사랑을 빚진 자다.

이러한 가르침이 도움이 된다고 말해 준 그리스도의 몸의 모든 분들과 이 책을 출판하도록 격려해 주신 분들께 감사의 말을 전하고 싶다.

빌 페인은 구어체를 문어체로 만들기 위해 정성을 다해 문장을 다듬어 주었다. 또 이 기간 동안에 빌을 지원해 준 마리오 샷시 목사님과 캐나다 온타리오 런던의 새언약교회에 특별히 감사드린다.

그 밖에도 많은 시간을 들여 내 강의 테이프를 녹취하고 풀어 타자를 쳐준 워렌 키프로드, 편집을 맡아 수고한 제니스 로저스, 프론트라인 커뮤니케이션의 짐 로저스와 짐 쇼, 교정·교열과 이력에 수고한 텍사스의 편집부 직원들에게 감사드린다.

또한 주어니타 바톤, 빌 이톤, 판도라 패톤, 미어디스 푸흐, 패트리시아 루프레크트, 그리고 팜 워렌에게도 감사드린다.

마지막으로 나와 함께 영적 전쟁의 길을 걸어온 내 아내 미쉘과 두 아이, 트로이와 체리에게 깊은 사랑과 감사의 마음을 전한다.

딘 셔만

딘 셔만의 영적 전쟁 강의를 처음 접하게 된 것은 1983년 4월, 홍콩에서 3개월간 있었던 선교사 훈련학교에서였다. 딘의 강의는 나에게 영적 전쟁에 대한 성경적인 이해를 갖도록 도움을 주었다. 당시에 한국에 널리 알려진 귀신론은 사람에게 병을 주고 괴롭게 하는 영역에 한정된 가르침이었다. 그러나 딘을 통하여 말씀하시는 성경적인 영적 전쟁은 이보다 훨씬 광범위하고 영광스러운 것이다.

영적 전쟁은 모든 그리스도인이 반드시 알아야 할 영적인 하나님의 원리 원칙이다. 이는 우리의 삶에 있어서 그리스도의 권세 있는 이름으로 승리를 맛보는 것만을 말하는 것이 아니다. 영적 전쟁은 우리로 지역과 도시, 사회의 각 영역, 그리고 나라의 방향에까지 영향을 미치며 어둠의 나라가 물러가고 하나님의 나라가 이 땅 가운데 이루어지게 하는 것을 말한다. 하나님은 우리를 통하여 이 세상에 하나님이 나라가 임하기를 원하신다. 그래서 하나님은 우리에게 영적인 능력과 권세를 주셔서 어둠의 왕국을 파하며 하나님 나라가 이루어 지도록 하시는 것이다. 이는 마치 여호수아를 앞세워 약속의 땅 가나안을 정복하여 가는 과정과 같다.

C.S. 루이스는 사탄의 정책에 대해 이렇게 말한 바 있다. "악마와 관련해 사람은 두 가지의 오류에 빠질 가능성이 있다. 이 두 가지가 모두 잘못이며, 또 서로 반대되는 것이다. 하나는 악마의 존재를 믿지 못하게 하는 것이고, 다른 하나는 악마를 믿고 건전하지 못한 지나친 흥미를 느끼는 일이다. 악마들은 이 두 가지를 좋아한다."

사탄의 대표적인 성품은 거짓말이다. 그는 거짓의 아비다. 그는 에덴동산에서부터 늘 거짓말을 일삼았다. 나는 이렇게 말하고 싶다. "사탄의 존재는 인정하되 그 능력은 부인하라." 하나님은 우리에게 예수 그리스도로 말미암아 사탄의 모든 활동을 제어할 권세를 주셔서 우리로 승리하도록 하셨다.

딘 셔만의 영적 전쟁의 가르침은 단지 학문적인 탐구에 있는 것이 아니다. 딘 셔만은 오랜 시간 영적으로 가장 어려운 선교지에서 사역을 했다. 그리고 선교지에서의 사역을 통해 성령으로부터 영적 세계에 대한 이해와 통찰력을 가지게 되었다. 이것은 그의 선교 사역에 큰 영향을 주었다. 선교사로서 어둠의 세계와 그 영향력과 활동을 이해할 때 비로소 선교는 활발하게 진행이 되고 하나님 나라는 확장되는 것이다. 또 하나님께서 그리스도의 십자가와 보혈로 우리에게 주신 능력과 권세를 이해할 때에 승리를 맛보는 영적 생활을 하게 되는 것이다. 그의 가르침은 실제적이다.

우리 주 예수께서는 "내가 너희에게 뱀과 전갈을 밟으며 원수의 모든 능력을 제어할 권세를 주었으니 너희를 해할 자가 결단코 없으리라"(눅 10:19)고 말씀하신다. 교회는 항상 이기는 것이다. 사탄의 왕국은 교회로 말미암아 항상 패할 수밖에 없다.

나는 당신이 이 책을 읽으면서 영적 전쟁에 능한 자로 서서 항상 이기는 자가 되기를 바란다. 그래서 당신을 통하여 이 땅에 하나님의 나라가 임하기를 바란다.

함께 동역자 된, 홍성건

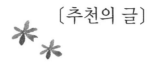

[추천의 글]

이 책을 읽고 나서 나는 무릎을 꿇고 하나님께 감사드렸다. 그때 나의 영혼은 사랑의 아버지 하나님께 대한 경외심으로 충만해졌다. 하나님의 성품은 비할 데 없으며 그분의 계획은 완전하다.

이 책에서 딘 셔만은 영적 전쟁에 대해 균형 잡힌 가르침을 주고 있으며, 간간이 유머를 곁들여 읽기 쉽게 하였다. 이 책에 담겨져 있는 진리는 그리스도인의 삶의 기초가 된다. 나는 주저하지 않고 나의 가족과 친구들에게 이 책을 권하였다.

딘은 나의 가장 가까운 친구다. 그의 메시지는 나에게 친근하다. 왜냐하면 자신이 가르치는 대로 살고 있는 딘의 모습을 늘 보고 있기 때문이다.

이 책에 나타나는 계시는 그저 쉽게 나온 것이 아니다. 23년간의 눈물과 승리의 선교 사역이 마치 향수병의 향기와 같이 이 안에 담겨져 있다.

우리는 이런 책이 필요했다. 이 책은 그리스도인들의 모든 생활 영역에서 몇 안 되는 참으로 중요한 책으로서 책꽂이에 꽂아두고 정기적으로 읽을 만한 가치가 있는 책이다.

존 도우슨

〔차례〕

*

제 1 장
〔생사를 건 투쟁〕

나는 파푸아뉴기니(Papua New Guinea)의 포트 모레스비(Port Moresby)에 위치한 우리집의 맨 마룻바닥에 누워 있었다. 그해는 1970년이었다. 나는 어떤 응답을 받아야 했으므로 7일 동안 금식하며 기도하고 있었다.

우리 예수전도단(Youth With A Mission) 팀은 그곳에서 3개월 동안 미무르면서 말씀을 증기히며 집회를 가졌지만 아무런 열매도 얻지 못했다. 그러던 중에 실제로 나를 괴롭히는 무언가가 있다는 것을 알게 되었다. 그 도시의 교회들은 거듭났다고 말하는 사람들로 차고 넘쳤지만 죄의 사슬에 묶여 있는 사람들이 대부분이었다. 소위 크리스천이라고 하는 사람들이 계속해서 주술을 행하고 있었다. 우리가 그것을 대적하여 설교를 했지만 변화는커녕 강퍅함만이 더해질 뿐이었다. 무언가 잘못돼도 단단히 잘못되었나. 그래서 나는 하나님께 어떤 응답을 구하며 금식하면시 기도하기 시작했던 것이다.

거친 마루 위에 누워 기도하고 있던 어느 날, 하나님의 음성이 마음속에 들려왔다. 그분의 응답은 예기치 못했던, 전혀 새로운 말씀이었다. 그렇지만 그 말씀은 이제까지 들었던 여느 말씀처럼 분명한 하나님의 말씀이었다.

"창세로부터 지금까지, 이 도시를 지배해온 어둠의 세력을 이기는 방법이 있다면, 그것은 찬양이다. 이 어둠의 세력들은 지금까지 한번도 도전을 받아본 적이 없다."

나는 어안이 벙벙하여 그냥 누워 있었다. 나는 그곳을 지배하는 영적 세력에 대하여 한번도 생각한 적이 없었던 것이다. 내가 알기로 그 당시에 도시들을 지배하는 어둠의 세력들에 대해 가르치는 사람은 한 사람도 없었다. 나는 영적 전쟁에 대하여 가르치는 것을 들어본 적이 없었다. 다만 '전문적으로' 구마를 행하는 사람만 몇 명 알고 있었을 뿐이다.

그때 나는 거기 누워서 하나님이 말씀하신 것을 곰곰이 생각하면서 무언가 새로운 것을 깨닫게 되었다.

뉴기니의 교회는 훌륭하게 세워져 있었는데, 어느 정도 성장한 교회들이었다. 선교사들은 여러 해에 걸쳐 예수 그리스도의 교회를 세웠다. 그들의 교리는 올바른 것이었으며, 그들은 성경적인 신앙 생활을 하였다. 그런데도 하나님께서는 파푸아뉴기니를 지배하는 영적 세력들이 "한번도 도전을 받지 않았다"고 말씀하신 것이다. 그렇다면, 교회가 어둠의 세력들에게 정면으로 도전하지 않고도 어느 정도는 성공적인 교회가 될 수 있다는 말이 아닌가! 그럴 수가 있다니, 나는 마음을 진정시킬 수가 없었다.

나는 내가 들은 말씀이 나의 상상이 아니라 하나님의 음성이라는 것을 확인시켜 달라고 기도했다. 그리고 우리 팀에 있는 다른 지도자들인 톰 할라스(Tom Hallas)와 칼라피 모알라(Kalafi

Moala)에게 말했더니 그들도 그것이 주께로부터 온 것이라고 확신하는 것이었다. 그래도 그것은 새로운 일이었으므로 나는 하나님께 또 다른 방법으로 확인시켜 달라고 기도하였다.

며칠 후 어떤 차가 우리집 앞에 멈춰서더니 호리호리하게 생긴 미국인 한 명이 땀에 흠뻑 젖은 채 차에서 내렸다.

"할렐루야! 저는 그리스도인을 찾아다니는 중입니다."

뉴기니의 교회는 훌륭하게 세워져 있었는데, 어느 정도 성장한 교회들이었다. 선교사들은 여러 해에 걸쳐 예수 그리스도의 교회를 세웠다. 그들의 교리는 올바른 것이었으며, 그들은 성경적인 신앙 생활을 하였다. 그런데도 하나님께서는 파푸아뉴기니를 지배하는 영적 세력들이 "한번도 도전을 받지 않았다"고 말씀하신 것이다. 그렇다면 교회가 어둠의 세력들에게 정면으로 도전하지 않고도 어느 정도는 성공적인 교회가 될 수 있다는 말이 아닌가!

그는 우리의 팔을 붙잡고는 흔들어대며 환성을 질렀다.

"도시 일대를 다니면서 내가 찾는 사람을 설명했더니 모두들 이 집을 가리키더군요. 할렐루야!"

나는 톰과 칼라피를 번갈아보면서 침을 꿀꺽 삼켰다. 그렇다면 이곳 사람들은 이 극성맞은 복음 선노자를 우리와 같은 부류라고 생각하고 있는 것인가? 하지만 우리는 그를 반갑게 맞아들였고 우리집에서 모임을 시작하였다.

그는 산에 오르는 몇 안 되는 사람들에게 전도하였으며 찬양할 때는 탬버린을 치며 열광적으로 노래했다. 또한 사람들의 구원과 치유를 위해 기도하며, 성신(Holy Ghost)으로 충만게 해달라고 간구하면서 소리지르며 기도하였다. 성령(Holy Spirit)을 말할 때는 꼭 성신(Holy Ghost)이라고 하였다. 그렇게 유별나게 행동했음에도 불구하고 그를 신뢰할 수 있는 무언가가 있었는데, 두 번째 밤 모임 때 있었던 일은 정말로 극적이었다. 그 전도자는 우리 앞에 서서 두 눈을 꼭 감은 채 선지자적인 목소리로 선포했다. "주께서는 찬양이 이 도시를 지배하는 어둠의 세력을 깨뜨리는 비결이라고 말씀하십니다!"

아, 내가 금식하고 기도할 때 하나님께서 내게 말씀하신 것과 똑같은 말씀이 아닌가!

몇 주 뒤에 한 네덜란드인 전도자가 우리에게 왔다. 그 또한 하나님께 직접 받은 말씀을 우리에게 전하였는데 그것은 "찬양이 어둠의 세력을 깨뜨리는 비결이다!"라는 것이었다.

세 번째 증거는 뉴질랜드 전도자로부터, 그리고 네 번째 증거는 오스트레일리아 전도자로부터 왔는데 모두가 동일한 말씀이었다. 몇 주도 채 안되어 국적이 서로 다른 네 사람이 각자 하나님의 말씀이라며, 주께서 내게 하신 말씀과 동일한 말씀을 하였던 것이다.

로켓 과학자라면 하나님께서 말씀하신 것을 이해하는 데 마음을 쏟지 않을 것이다. 그러나 우리는 정열적으로 '찬양하는 사람들'이 되어 하나님 말씀을 실천에 옮겼다. 때때로 우리는 자그마한 선교 본부에서 아침 내내 하나님을 찬양하였는데, 방을 빙글빙글 돌면서 소리 높여 큰소리로 찬양하는가 하면, 무릎을 꿇거나 일어서서 찬양하기도 하고 고개 숙여 경배하며 찬양하기도 하였다. 마침내 변화가 일어나기 시작하였는데 사람들이 구원을 얻고 죄의 굴레에서 벗어나며 성령충만을 받는 등 놀라운 일이 벌어지기 시작한 것이었다.

우리가 복음을 전하러 나갔을 때 변화는 뚜렷하게 나타났다. 마음이 굳어져 회개하지 않는 사람들 대신, 우리는 사람들 앞에서 눈물을 흘리며 자신들이 행한 주술을 고백하는 사람들을 보게 되었다. 회개의 눈물은 차고 넘쳐 급기야 우리 집회에는 5천 명이나 되는 사람들이 참석하게 되었다. 우리는 매주 바닷가에서 주님을 영접한 사람들에게 세례를 주었는데, 이것은 3년이나 계속되었다. 앉은뱅이가 일어나 걷고 눈먼 자가 눈을 뜨게 되었다. 6개월 동안 우리는 포트 모레스비에서 성령충만한 결신자 중 아홉 명의 동역자를 얻게 되었다. 우리는 신나게 파도를 타고 있었다.

그러나 우리는 곧 영적 전쟁의 무시무시한 현장을 실제로 보게 되었다. 사탄의 공격은 갑작스럽고 포악스러운 것이었다.

20대 초반인 뉴질랜드인 청년 데이빗 월리스(David Wallis)가 우리 팀에 있었다. 이 영적인 부흥이 한층 고조되고 있을 때 그 형제는 몇몇 젊은이들과 함께 시내에서 멀리 떨어진 부락으로 전도를 하러 나가게 되었다. 그들은 그곳에서 무당들의 맹렬한 반대에 부딪혔는데 떠나기를 거부하자 무당들은 형제들에게 저주를 퍼부었다.

6주 후에 그 팀은 포트 모레스비로 돌아왔다. 데이빗은 그 저주에 개의치 않았고 우리도 마찬가지였다. 무당들은 계속해서 우리에게 저주를 퍼부었고, 우리들의 사역에도 신하게 저주를 퍼부었지만 아무런 효력도 없었다.

그런데 데이빗은 그 부락에 머무는 동안 열이 오르내리는 고통을 겪었다고 보고했다. 열은 이제 내렸지만 그는 약해져 있었다. 의사에게 보이라고 권했으나 그는 많이 좋아졌다면서 좀 쉬면 된다고 하였다. 이틀간을 침대에 누워서 휴식을 취했지만 그는 쇠약해져만 갔다. 그리고 열이 다시 올랐다. 그 후 그 부락에서 돌아온 사흘째 되던 날 그가 누워 있는 방으로 들어갔을 때, 그는 높은 열로 의식불명 상태에 있었고 헛소리까지 하고 있었다. 우리는 서둘러 병원으로 데려갔다. 그러나 우리는 그때 절망적인 소식을 미처 들을 만한 준비가 되어 있지 못했다. 데이빗은 이미 뇌성말라리아가 진전된 단계에 와 있다는 것이었다. "아니 어떻게 그럴 수가 있는가? 파푸아뉴기니에는 말라리아가 없는 것으로 알고 있는데…"라고 반문했다. 그러나 진단은 확실했으며, 더 이상 좋아질 수 없다는 것이 확실했다. 의사는 우리에게 치사율이 가장 높은 말라리아라고 알려주었다. 그는 살아날 가망이 거의 없었고 설사 살아난다 해도 뇌가 손상되어 식물 인간으로 살아갈 수밖에 없는 상황이었다.

우리 팀은 본부로 돌아와서 온 힘을 다해 철야 금식기도를 하기 시작했다. 밤새워 기도하는 것은 우리에게 견디기 어려운 투쟁이었다. 거기에는 굉장한 중압감이 있었다. 네 시간밖에 기도하지 않았는데도 얼마나 피곤이 몰려왔는지 이루 말할 수 없었다. 기도는 입에서 나와서 가슴 위로 그냥 떨어지는 것만 같았다. 마치 지옥의 모든 세력들이 우리에게 총공격을 가하는 것 같았고, 데이빗의 몸을 단단히 옭아매는 것 같았다.

아침이 되자 나는 영적인 진전이 있으리라 믿고 오직 데이빗이 건강한 모습으로 앉아 있는 것을 보기 위해 병원으로 달려갔다. 그러나 그는 거기에 없었다. 수간호사를 부르자 그녀는 데이빗이 중환자실에 있다고 딱 잘라 말하였다. "당신의 실수 때문에 죽어가고 있어요. 당신의 알량한 종교적 신앙 때문에 생명까지 위태롭게 되었어요! 산다 해도 식물 인간밖에는 되지 않을 겁니다!" 그녀는 말했다.

나는 더 일찍 데려오려고 힘썼다고 얘기하고 우리는 의사를 믿지 않는 그런 종교집단은 아니라고 설명하였지만 들으려 하지 않았다. 병원 의료진들은 우리를 광신자들로 보는 것 같았고 이 젊은이에 대해 법적인 책임을 져야 된다고 믿는 것 같았다.

나는 맥없이 본부로 돌아갔다. 데이빗이 죽으면 어떻게 되는가? 병원에서 우리를 기소할까? 설사 그렇게 하지 않는다 하더라도 이 조그만 도시에서 우리의 신망이 크게 무너진다면 우리 사역은 과연 지속될 수 있겠는가? 또 젊은 회심자들에게는 어떤 영향이 있을까? 그들이 믿음을 버리는 것은 아닐까? 우리는 하나님께서 오늘날에도 기적을 베푸시며 예수 그리스도로 말미암아 어둠의 세력들을 이기는 권세를 주셨다고 그들에게 말하지 않았던가?

병원에서 뉴질랜드에 있는 데이빗의 가족에게 전화를 하자 그의 아버지가 급히 달려왔다. 처음에는 우리를 만나도 별 말을 하지 않았지만, 나에게는 데이빗에게 함께 가지 말라고 말렸다는 이야기를 해주었다. "너는 그 아이에게 당신들은 무책임한 사람들이라고 말했었소!"

이틀이 거의 지날 무렵 의료진은 다시 나에게 데이빗은 가망이 없다고 말해주었다. 병실로 들어가자 데이빗은 태아처럼 구부리고 버터 조각처럼 누렇게 떠서 의식을 회복하지 못한 채 누워있었다. 호스들이 복잡하게 연결되어 있었고 쉭쉭거리는 호흡기계들이 그의 가슴을 조금씩 움직여주고 있었다. 그는 달리 살아 있을 방도가 없었던 것이다.

나는 함께 있는 팀원들을 모두 모아놓고 결사적이면서도 나직한 목소리로 하나님께 호소하였다. 그때 나는 어떤 충동을 느껴 침상 옆으로 다가가 무릎을 꿇고 데이빗의 귀에 대고 외쳤다.

"너 죽음의 악한 세력아! 예수님의 이름으로 꾸짖는다. 이 사람의 몸에서 물러나라."

그 말을 마치자 그의 입에서 꾸르륵거리는 소리가 크게 들렸는데, 그것이 전부였다. 본부로 돌아온 우리는 모두 기도하며 온 밤을 지새웠다.

다음 날 아침 병원을 찾은 나는 서둘러 중환자실로 갔는데 데이빗은 일어나 앉아 있었다! 입에는 호흡 호스를 꽂지도 않았고 혈관주사관들만 남아있었다.

그의 아버지는 돌아서서 절망적인 얼굴로 나를 쳐다보았다. 데이빗의 눈을 보니 멍한 시선을 하고 있었다.

"아침 내내 여기서 그애 이름을 불렀지만," 그의 아버지는 지친 듯이 말했다. "아무런… 아무런 대답도 없었어요."

나는 수간호사를 찾아서 데이빗의 상태가 어떠냐고 물었다. "악화되었어요." 그녀는 확고하게 말했다.

"그렇지만 어제는 태아처럼 구부리고 누워 있었잖아요." 나는 반발했다. "그리고 오늘은 산소호스도 없이 일어나 앉아 있구요! 좋아졌단 말이에요. 당연히 그렇게 되어야 하고 말고요."

그러나 그녀는 요지부동이었다. 좋아지지도 않았으며 다시는 정상으로 돌아오지 않으리라는 것이었다. 이 젊은이에게 일어난 것은 모두 우리의 과실 때문이라고 했다.

내가 병실로 돌아오자 그의 아버지는 나를 두고 나가 버렸다. 내가 그의 침상 끝으로 걸어갔을 때 나는 그의 무표정한 시선이 따라오고 있음을 느꼈다. 나는 "데이빗, 우리는 너를 위해 기도했는데, 예수님께서 승리하셨어!"라고 말했다. 그러자 믿을 수 없는 일이 일어났다. 내 자신이 보고 듣지 않았더라면 믿기 어려웠을 것이다. 입을 움직이지도 않고 그저 멍한 시선으로 있던 그의 목에서 "할렐루야"라는 말이 흘러 나왔다. 나는 거기를 떠나 돌아가서 팀에 보고했다. 확실히 하나님께서는 우리의 기도를 들으신 것이다.

다음 날 병원에 와보니 데이빗은 중환자실에서 옮겨져 있었다. 극도로 쇠약해져 있었으나 그는 분별 있게 말하였고 약간의 도움을 받아 걷고 있었다. 나는 펄쩍펄쩍 뛰며 병원 전체가 들을 수 있

을 만큼 큰 목소리로 "주님을 찬양
합니다" 하고 외쳤다. 하나님께서
는 우리에게 승리를 주셨다!

이것은 20년 전 일이다. 그때 이
후 데이빗은 남부 인도에서 선교
활동을 하고 있다. 지금도 이 체험
은 나에게는 중병에 걸린 어느 젊
은이의 경이적인 치유 그 이상이

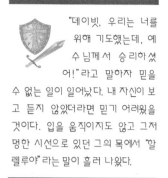

"데이빗, 우리는 너를
위해 기도했는데, 예
수님께서 승리하셨
어!"라고 말하자 믿을
수 없는 일이 일어났다. 내 자신이 보
고 듣지 않았더라면 믿기 어려웠을
것이다. 입을 움직이지도 않고 그저
멍한 시선으로 있던 그의 목에서 "할
렐루야"라는 말이 흘러 나왔다.

다. 우리의 결사적인 기도와 금식을 통해 하나님께서는 우리로 하
여금 7만 5천의 영혼들이 살고 있는 포트 모레스비가 변화하는
데 일익을 담당하게 하셨다. 우리들만이 아니라 하나님께서는 다
른 중보자들도 사용하셨다고 믿는다. 그러나 우리의 기도는 그 지
역의 복음화를 훼방하는 어둠의 세력들을 몰아내는 데 큰 몫을 한
것이다. 당시만 해도 그 지역에서 성령충만을 외치는 사람은 겨우
다섯 명뿐이었지만 지금은 로마 가톨릭, 성공회, 미국 교회 등의
생명력 있는 부흥 운동뿐 아니라 다섯 개의 커다란 은사 모임도
있다.

우리는 하마트면 한 생명을 잃을 뻔하였다. 그러나 예수님께서
는 우리에게 승리를 주셨고 이를 계기로 나의 관심이 영적 전쟁에
맞춰지게 하셨다. 이것이 나의 탐구의 시작이 되었다. 나는 기도
하며 성경을 찾아보기 시작하였다. 그때 선교 여행을 하고 있었기
때문에 나는 선교사들과 지도자들에게 이 사실을 말할 수 있었다.
나는 가는 모든 지역마다 어떤 뚜렷한 차이들을 느끼게 되었다.
영적으로 부흥하는 지역에 바로 인접한 어떤 지역은 아주 완고하
고 냉랭한 곳이 있었다. 예를 들어, 우리는 발가락은 케냐에 두고
발꿈치는 소말리아에 둔 채 두 나라 간의 경계선 위에 서 있을 수

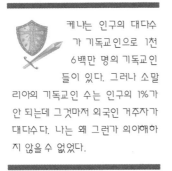

케냐는 인구의 대다수가 기독교인으로 1천 6백만 명의 기독교인들이 있다. 그러나 소말리아의 기독교인 수는 인구의 1%가 안 되는데 그것마저 외국인 거주자가 대다수다. 나는 왜 그런가 의아해하지 않을 수 없었다.

있다. 케냐는 인구의 대다수가 기독교인으로 1천 6백만 명의 기독교인들이 있다. 그러나 소말리아의 기독교인 수는 인구의 1%도 안 되는데 그것마저 외국인 거주자가 대다수다. 나는 왜 그런가 의아해하지 않을 수 없었다.

나는 이와 비슷한 차이를 도시, 이웃, 심지어 기독교 가정과 개인들에게서 보았고 승리하는 삶 가운데 있는 그들의 능력 속에서도 보게 되었다. 우리가 놓치고 있는 아주 크고 강한 것은 도대체 무엇인가?

해답이 보이기 시작했다. 모든 그리스도인들이 가지고 있는 권세에 대하여 알기 시작했을 때 나는 매우 흥분하였다. 그 권세는 개인을 승리로 이끌고, 나아가 공동체와 민족들을 사탄의 속박으로부터 해방시키는 것으로서 이는 부차적인 것이 아니다. 나는 우리 모두가 군사로 부름 받았으며, 우리 모두가 싸우는 법을 배워야 한다고 깨닫기 시작했다.

제 2 장
〔가장 큰 모험〕

  멋진 영화나 재미있는 TV 프로그램을 보고 즐기거나, 손을 놓지 못하게 하는 책에 빠져들지 않을 사람이 과연 있을까? 막상막하로 벌어지는 스포츠 경기를 관람할 때 열광하는 것은 무엇인가? 대부분의 사람들은 흥미진진한 이야기나 숨막히는 도전을 매우 즐긴다. 배우들이 실제와는 다른 상황을 연기하는 것을 보기 위해 우리는 대단히 많은 시간과 비용을 들인다. 우리는 악당들이 착한 사람을 억압하면 분노를 터뜨리게 되고, 훌륭한 사람이 나타나면 안도의 한숨을 쉬며, 영웅이 악당을 무찌를 때 갈채를 보낸다. 또한 우리 팀이 결승점을 기록하고 다른 팀에게 우승하게 되면 환호하며 성원을 보낸다.
  이야기를 통해서든 스포츠를 통해서든 서로 싸우는 두 세력을 봄으로써 간접적인 경험으로 얻는 즐거움 속에는 어떤 것이 존재한다. 어째서 우리는 이런 식의 오락을 즐기며 기뻐하는가? 투쟁이나 모험, 그리고 흥분을 찾아다니며 열광하는 이유는 우리가 궁

극적으로 싸움에 능동적으로 참여하도록 창조되었기 때문이다. 이 투쟁은 선과 악의 싸움이다. 우리의 본성은 어떤 싸움이든 편을 가르고 한쪽을 성원하도록 되어 있다.

하나님께서는 우리를 의의 싸움에 참여시키기로 작정하셨다. 우리에게 주어진 임무는 하나님의 나라를 훼방하거나 더럽히는 것들을 적극적으로 격파시키고 어둠의 세력들을 몰아내는 것이다. 우리는 가장 거대한 싸움, 가장 위대한 모험에 참여할 수 있다. 우리는 선이 악을 이기는 것과 갇힌 자들이 해방되는 것을 볼 수 있다. 이것은 책의 줄거리나 영화의 주제가 아니다. 이것은 정확히 하나님께서 우리를 통해 계획하시는 일이다. 우리가 어떻게 영적 전쟁에 참여하는가를 배울 때 비로소 이것은 실제가 될 수 있다.

하지만 불행하게도 대부분의 사람들은 자신도 의식하지 못한 채 이 싸움에 참여하게 된다. 이 세상에 태어난 모든 사람들이 영적 전쟁 속에 있다. 우리는 이를 모면하거나 중립적인 입장에 서지 못한다. 우리는 영적 전쟁을 통해 사악한 세력을 짓밟거나 승리를 거둠으로써 영혼들을 얻고 사회를 변화시키며 역사를 바꾸고 하나님 나라를 건설하는 데 이바지할 수 있는 것이다.

사람들은 자주 나에게 이렇게 말한다. "당신이 영적 전쟁에 대하여 가르치기 때문에 마귀가 틀림없이 당신을 따라다닐 거예요!" 그러나 나 자신을 특별한 사람이라고 생각한다면 적의 공격이나 영적 교만 모두에게 길을 터놓는 셈이 된다. 나는 사탄이 다른 어떤 그리스도인보다 나에게 더 관심이 많다고 생각지는 않는다. 우리는 누구나 승리하거나 패배할 수 있는 가능성이 있다. 그리스도의 승리를 견지하고 항상 영적 전쟁의 원칙들을 행하는 모든 그리스도인들은 마귀의 위협을 동일하게 받고 있으며 또한 모두 마귀를 패배시킬 수 있다.

나는 자주 영적 전쟁을 가르치는 이유에 대해 질문을 받는다. 그러면 나는 내가 특별한 계시나 권위를 받았기 때문이라고 대답하지 않는다. 또한 하나님이 메시지를 전하라고 나를 따로 불러 세우셨기 때문도 아니다. 또 내가 이 분야의 전문가라든가 이 주제에 대하여 평생을 바쳐 연구해 왔기 때문도 아니다. 나는 영적 전쟁의 원리들을 가르치는 특별한 은사나 소명을 받지 않았다. 나는 수많은 다른 주제들을 동일한 열정을 가지고 가르친다. 나는 모든 고통스런 상황이나 사람들의 성격적인 결함을 마귀의 탓으로 돌리는 그런 마귀 사냥꾼도 아니다.

내가 영적 전쟁에 대하여 가르치는 이유는 무엇보다도 이 주제가 오늘날 세계를 복음화하려는 노력 가운데 간과되고 있는 중요한 요소기 때문이다. 우리는 어둠의 세력들을 언급할 때 우리가 그리스도의 교회로서 예수 그리스도 이름의 승리와 성령의 능력 안에서 살아야 한다는 정도까지만 다루어왔지 그 이상은 하지 않았다.

영적 전쟁에 대하여 가르치는 두 번째 이유는 나의 상담 경험으로부터 온 것이다. 나는 대부분의 그리스도인들이 그리스도께서 그들을 위해 십자가 위에서 거두신 승리를 이미 패배한 원수들이 그냥 빼앗아가도록 내버려두는 경향이 있음을 발견하였다.

마지막으로 나는 하나님께서 역사를 통해 영적 전쟁을 강조하셨기 때문에 이 주제를 다루는 것이다. 그분은 지금도 그것을 강조하고 계신다. 그분은 당신의 백성이 온 세계에 영향력을 행사하며 어둠의 세력들을 몰아내는 군대가 되기를 원하신다.

준비가 되었든 안 되었든 당신은 전투 가운데 있다

많은 사람들이 영적 전쟁에 대한 이야기를 듣는 것에 전혀 관심을 기울이지 않는다. 그들은 세미나에 참석하거나 강의 테이프를 들으려 하지 않고, 적에 대한 것을 다룬 이런 책이나 또는 다른 어떤 책도 읽으려 하지 않는다. 어떤 이들은 영적 전쟁이 단지 극소수의 그리스도인들이 가지는 특별한 은사이거나 소명이라고 생각한다. 나는 오스트레일리아의 한 아가씨가 "글쎄요, 저는 그렇게 호전적인 사람이 아닌 걸요"라고 한 말을 기억한다.

그렇지만 영적 전쟁은 개성이나 은사, 소명, 배경과는 아무 상관도 없다. 우리가 그리스도인이 되기로 했을 때 우리는 자동적으로 전쟁에 돌입한 것이다. 이것은 선택 사항이 아니다. 영적 전쟁은 우리가 이미 전쟁의 한가운데 있다는 것을 깨닫는 것으로 시작된다.

대부분의 그리스도인들은 예수님이 갈보리 십자가 위에서 원수 마귀를 이기셨다고 쉽게 고백한다. 하지만 예수님께서 마귀를 이기셨으며 그래서 우리도 마귀를 이기는 권세를 갖고 있다는 그런 관념적인 지식만으로는 충분하지 않다. 우리는 패망한 것으로 알고 있는 사탄이 우리를 지배하고 기만하도록 계속 허용하고 있다. 우리는 승리자가 아니라 도리어 포로처럼 행동할 때가 많다.

하나님의 자녀인 우리가 포로가 되어야 할 이유는 없다. 영적 전쟁의 성경적 원리들과 마귀의 궤계가 어떠한가를 이해하고 마귀를 대항한다면 우리는 승리를 거두게 될 것이다.

"마귀가 그렇게 하게 했어요!"

기독교의 다른 많은 영역들과 마찬가지로 영적 전쟁은 균형을 매우 필요로 한다. 영적 전쟁이 있게 되면 사람들은 두 가지 극단적인 태도를 보이는데, 그것은 지나친 강조와 불충분한 강조다.

당신은 영적 전쟁에 대하여 과도하게 강조하는 사람을 보아왔을 것이다. 그들은 어디서나 귀신을 보는데, 만일 당신의 아내가 화를 잘 낸다면 그것은 귀신 때문이다. 만일 자동차가 시동이 걸리지 않는다

> 영적 전쟁은 개성이나 은사, 소명, 배경과는 아무 상관도 없다. 우리가 그리스도인이 되기로 했을 때 우리는 자동적으로 전쟁에 돌입한 것이다. 이것은 선택 사항이 아니다. 영적 전쟁은 우리가 이미 전쟁의 한가운데 있다는 것을 깨닫는 것으로 시작된다.

면 그것도 귀신 때문이고, 모든 충돌과 긁힘과 사소한 사고들 역시 귀신의 역사다. 그들이 아는 모든 이들이 귀신에 들린 것처럼 보인다. 그들은 거기에 얼마나 많은 귀신이 있는지를 분별할 수 있고, 대개의 경우 귀신들의 이름까지도 알고 있다. 모든 문제는 귀신을 내쫓음으로써 해결되기에 그들은 기회가 닿는 대로 귀신들을 내쫓는다.

이와 같은 성향을 가진 사람들은 모든 잘못된 선택과 이기적이고 악한 행위들을 마귀와 그 무리들의 짓이라고 단정지음으로써 개인적인 책임을 전적으로 제거시킨다. 귀신들을 지나치게 강조하는 사람들은 능력 있는 승리의 삶을 도외시한다. 그들은 항상 귀신과의 싸움 속에 살고 있으며 또 그런 일에 열중한 나머지 다른 많은 사람들과 갈등을 빚는다. 모든 그리스도인들은 예수 그리스도로 말미암아 승리하는 삶을 살도록 되어 있다. 우리는 이 사실을 확신해야 하며, 따라서 모든 상황과 행위 속에서 귀신을 본다고 말해선 안 된다.

어떤 사역이든 우리는 성공에 집착하는 경향이 있다. 성공적인 치유나 구마 사역을 하였을 때, 혹은 새롭고 고무적인 가르침을 받았을 때, 우리는 그와 같은 성공, 가르침, 방식, 그와 같은 사역

에만 몰리는 경향이 있다. 우리는 한 가지 생각이나 방법만 고수하면서 다른 모든 것을 배제할 수도 있다. 우리는 "나에게 해답이 있다. 오직 나만이 열쇠를 가지고 있다"고 주장하며 독단적인 사람이 되는 것이다. 이것이 영적 교만이다.

영적 교만에 대한 면역을 가지고 있는 사람은 아무도 없다. 우리 모두는 권력과 지배, 인정에 대한 욕구로 치우치기 쉬운 사람들이다.

몇 년 전 뉴기니에서 일어난 일이다. 어느 날 내가 어떤 사람의 머리에 손을 대고 그를 위해 기도하자 그는 몸부림을 치며 입에 거품을 물고 마루에 쓰러졌다. 그것은 매우 극적인 일이었다. 나는 계속해서 그의 안에 있는 귀신에게 떠나라고 명령했고 그것은 이루어졌다. 나는 크게 놀라 내 손을 바라보았다. 얼마나 굉장한 힘인가! 나는 내가 새로운 영적 수준을 돌파하고 들어간 것이 틀림없다고 생각했다. 나도 할 수 있었다!

당시에는 깨달을 수 없었지만, 나는 그때 결과보다는 과정에 더 매료되어갔다. 그리고 사탄은 나에게 편의를 제공했다. 그 후 몇 개월간 내가 다닌 곳은 어디나 사람들 안에 귀신의 징표가 있었다. 그러나 마침내 나는 내가 기도해 주었던 사람들이 자유케 되지 못하였다는 것을—때때로 그 결과라고 하는 것은 삶을 변화시키는 데 있어 영구적인 것이 아니었다는 것을—깨닫기 시작했다.

나는 속아왔었다. 문득 나는 내가 아무것도 하지 않았는데도 어떤 사람이 즉시 자유케 되었을 때는 종종 실망감에 사로잡힌 나 자신을 발견하곤 했다. 그리고 그것은 잘못된 것이었다.

우리는 조심해야만 한다. 만일 우리가 초자연적인 역사를 보고자 하는 소원 때문에 균형을 잃게 된다면, 사탄은 우리에게 구경거리를 보여주며 즐거워할 것이다. 그러나 하나님께서는 우리의 이기적인 관심을 만족시키는 데 관심이 없으시다.

나는 마귀의 굴레로부터 사람들을 해방시키는 데 믿음이 강한 사람이다. 그러나 영적 전쟁은 그 자체가 목적이 되어서는 안 되며, 목적을 위한 수단이 되어야 한다. 우리는 예수님께서 지상에 계셨을 때 하신 것처럼 하나님의 우선 순위에 우리의 초점을 맞추어야 한다. 하나님께서는 항상 두 가지 일을 하고 계신다. 하나님께서는 그의 아들 예수 그리스도를 통하여 잃어버린 자들을 그분 자신과 화해시키시며(세계 선교), 그의 몸인 교회를 하나 되게 하시고 성숙하게 하셔서 온전함에 이르게 하신다.

이러한 두 가지 목적을 위해 일하게 될 때 우리는 사슬에 묶인 채 구원을 필요로 하는 사람들을 만나게 될 것이다. 물론 우리는 손을 뻗어 그들을 구해내야 한다. 그러나 우리는 계속 움직이면서 우리의 초점을 하나님의 목적에 맞추어야 한다. 예수님께서는 마가복음 16장 15절에서 모든 사람들에게 복음을 전하라고 하셨는데 17절과 18절에 우리 또한 병든 자를 고치고 마귀를 내쫓으리라는 말씀을 덧붙이셨다. 예수 그리스도의 초점은 초자연적인 역사의 광채에 있지 않았고 궁핍한 사람들에게 있었다.

마귀의 존재를 믿지 않는다고 그가 떠나가는 것은 아니다!

영적 전쟁의 원리들에 대한 불충분한 강조는 지나친 강조와 마찬가지로 균형을 잃은 것이다. '지나치게 강조하는 집단'이 있는 곳 어디에나 또 다른 극단적인 집단이 존재한다. 그들은 마을의 도처에서 마귀를 쫓아내는 이들에 대하여 무관심하며 심지어는 혐오감마저 갖고 있다. 이러한 혐오감은 이해할 수 있는 것이긴 하지만 도리어 이와 같은 혐오감으로 인해 더욱 부정적으로 빠질 수 있다.

한 친구는 귀신의 활동과 주술이 범람하는 아시아의 비기독교 국가를 대상으로 선교하는 단체에 가입하였는데, 그는 그 단체의 목사가 자기 교회에서는 사람들과 기도할 때 '마귀'나 '귀신'이 라는 단어를 쓰지 못하게 한다고 말하는 것을 듣고 매우 놀랐다고 한다. "여러분들이 마귀에 대하여 말하면 갖가지 일들이 잘못되기 시작합니다"라고 오순절 교회의 목사는 설명하였다. "또 우리는 무엇이든 마귀로 보는 사람들처럼 되고 싶지 않습니다!"

이것은 드문 일이 아니다. 많은 사람들은 마치 사탄을 인정하기 만 해도 마귀의 역사가 일어나는 것처럼 생각하거나 말하기 때문 에 마귀의 공격을 쉽게 받는다. 혹 사탄에 대하여 언급하는 것이 있다면 얼른 우리는 승리한 사람들이라고 선포하는 것밖에는 더 이상의 다른 이야기는 하지 않는다. 그들은 이렇게 노련하게 표현 한다.

"하나님을 찬양합시다! 우리는 승리하였습니다. 믿습니까?" 또 는 "예수께서는 2,000년 전에 마귀를 패배시키셨습니다." 그리고 "마귀는 우는 사자지만 이빨이 뽑힌 사자입니다."

아니면 전에 하던 방식대로, "성경에 적혀 있는 대로 우리는 이 깁니다"라고 말한다. 그들은 다른 어떤 사람들만큼이나 확신하려 고 노력하는 것처럼 말한다.

우리의 승리는 문제에 처한 적이 없으며 승리는 확고한 것이다. 그리스도께서 십자가 위에서 이루신 것을 우리가 믿고 붙잡는 한 모든 시대, 모든 이에게 승리는 유효한 것이다. 우리는 지식을 두 려워할 필요가 없으며, 우리의 대적에 대해서도 마찬가지다. 적군 을 너무 많이 알고 있어서 고통을 당하는 군대는 없다. 우리는 확 고한 승리 가운데 평안을 누리는 한편 마귀와 마귀의 궤계와 궤술 에 대한 진실을 알 필요가 있는 것이다.

마귀가 떠나기를 바라면서 아예 묵살해 버리거나 존재하지 않는 것처럼 여겨서는 안 된다. 이는 마치 자기 눈을 가리고 "나는 보지 못하지! 못 찾겠지!"라고 외치는 어린아이와 같은 것이다. 우리가 마귀의 존재를 믿지 않는다고 그가 떠나가는 것은 아니다. 우리가 마귀를 내버려 둔다고 해서 그가 우리를 내버려두지는 않는다.

영적 전쟁에 있어서 무지는 상책이 아니다. 마귀는 어둠 속에서 활동한다. 우리가 마귀에 대하여 무지할 때, 우리 또한 어둠 속에 있는 것이고 마귀는 마음대로 활약할 것이다. 그러나 우리가 마귀의 활동에 빛을 비추면 비출수록 마귀의 활동은 제약을 받는다. 사탄은 자신의 적들이 누구인가를 알고 있으며 우리에 대한 정보를 가지고 지속적으로 무장한다. 우리가 예수님의 권능을 지닌 사람이라면 마귀는 우리가 누구인지 파악하고 있을 것이다. 사도행전 19장 15절에서 귀신들린 사람이 자기에게 힘을 행사하려고 온 사람들을 덮치기 직전에 "예수도 내가 알고 바울도 내가 알거니와 너희는 누구냐?"라고 말했다. 사탄은 하나님께 받은 권세와 영적 전쟁의 성경적 원리들을 지속적으로 일관성 있게 실행하는 사람들을 알고 있는 것이다. 그는 또한 승리에 대한 확신이 없으면서 공허한 말로 자신을 포장하는 사람들도 잘 알고 있다. 우리는 우리 눈에서 손을 떼고 진실을 직시할 필요가 있다.

요한복음 8장에서는 "진리를 알지니 진리가 너희를 자유케 하리라"고 말한다. 진정으로 진리가 우리를 자유케 한다는 사실을 믿고 있는가? 그렇다면 어떤 진리가 우리를 자유케 하는가? 모든 진리가 그러한가? 어둠의 세력에 대한 진실은 어떤가? 그러한 진리가 우리를 자유케 하는가?

우리가 적에 대하여 알 수 있는 모든 것은 하나님에 대하여 배

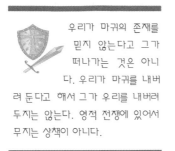
우리가 마귀의 존재를 믿지 않는다고 그가 떠나가는 것은 아니다. 우리가 마귀를 내버려 둔다고 해서 그가 우리를 내버려 두지는 않는다. 영적 전쟁에 있어서 무지는 상책이 아니다.

우는 것과 마찬가지로 동일한 원천, 곧 성령으로 영감을 받은 하나님의 말씀인 성경으로부터 나온다. 성경의 모든 말씀이 우리의 유익을 위한 것이라고 하는데, 마귀에 대해서 너무 공공연하게 많은 것을 언급한다고 해서 염려할 것까지는 없다. 하나님의 말씀이 마귀를 인정하고 마귀의 궤계들을 드러내는 데 시간을 할애한다면, 우리 역시 다른 성경적인 진리와 함께 같은 비중으로 시간과 열정을 기울여야 할 것이다. 대적 마귀에 대한 진실을 안다면 그것은 우리를 자유케 할 것이다. 성경이 우리에게 마귀에 대해 가르치는 말씀들을 모두 안다고 해서 위험에 빠지는 일은 결코 존재하지 않는다. 위험한 것이 있다면 성경이 말하는 것에 대해 무지한 채로 남아있는 것이다.

어둠의 세력에 대해 믿을 만한 정보를 찾는다고 할 때, 그 원천이 되는 것은 바로 성경이다. 마귀에 대한 우리의 확신이나 교리가 사사로운 체험이나 마귀의 증거에서 비롯된 것이어서는 안 된다. 구마 사역을 하면서 얻은 체험이나 귀신들린 자와의 대화로부터 얻은 지극히 개인적이고 독선적인 지식들을 주장하는 사람들이 있다. 영적 전쟁에 임했을 때, 그것이 성경에 없는 것이라면 주의해야 한다.

마귀는 알되 하나님께 감동 되라
많은 사람들이 마귀에 대한 두려움 속에서 살아간다. 그들은 마귀가 자신과 자신의 가족, 또 자신의 교회에 행하려는 일에 지레 겁을 먹는다. 한번은 내가 자주 강연을 나가는 어느 곳의 목사님이 나에게 이렇게 말했다. "선생님께서 많은 사람들이 영적 전쟁 가운데 있다고 말씀하시는데 저는 걱정이 됩니다. 자신들도 모르게 빠져들어가고 있는데도 의식하지 못하고 있으니까요?" 그는 계속해서 자기 교회가 기존의 미신과 점술을 퇴치하는 데 집중해 왔다고 말했다. 그런데 갑작스레 장로들 중 한 분은 이혼하고, 다른 한 분은 심장 마비에 걸리고, 또 다른 한 분은 신경 쇠약에 걸렸다는 것이다. "당신은 사람들이 매우 위험한 지경에 빠지도록 자극하고 있어요." 그는 경고했다.

나는 그 목사님을 매우 존경하고 있었기 때문에 그의 말을 가슴에 묻고 기도하기 시작했고 다시 성경을 찾아보았다. 그렇지만 이런 두려움이 성경 어디에 나와 있는가? 나는 하나님의 말씀 중 우리가 영적 전쟁을 두려워해야 한다든가, 마귀를 대적하면 악의 세력의 지배에 놓이게 된다든가 하는 말씀을 찾을 수 없었다. 대신 성경은 300번도 넘게 "두려워 말라!"고 말씀하고 있으며, 시편 23편 4절은 "내가 해를 두려워하지 않을 것은 주께서 나와 함께 하심이라"고 말한다(히 2:14-15).

사탄은 사람들에게 두려움을 가져다 주는 것을 즐거워한다. 두려움은 하나님이 어떠하신 분인가에 대한 지식이 없는 가운데서 싹튼다. 영적 전쟁에서 승리하기 위하여, 또 능력을 받고 두려움으로부터 자유롭게 되기 위하여 우리는 대적에 대하여 알아야 하며, 하나님께 감동되어야 한다. 다른 길이 있을 수 없다. 우리는 사탄에 감동되어서는 안 되며, 하나님을 알기만 해서도 안 된다. 조심하지 않으면 우리의 대화는 어둠의 세력의 능력과 마귀의 역사에 초점이 맞춰질 수 있다.

한 젊은 여자가 크게 떠들면서, 자기가 사는 조그만 마을에 30명이나 되는 무당들이 여러 모임을 갖는다고 나에게 말했다. 나는

가장 큰 모험 35

대답했다. "31명이 있는 것보다는 낫군요."

우리는 대적들의 활동을 두려워해서는 안 되지만, 동시에 마귀가 우리의 삶 가운데서 어떻게 활동하는지는 배워야 한다. 우리는 "이것은 적의 활동이군" 혹은 "마귀가 이 일의 배후에 있군" 하고 말할 수 있을 정도는 되어야 한다. 만일 마귀가 우리를 방해하고 있다는 것과 우리 근처에 와서 활동하고 있다는 것을 인식할 수 있다면 우리는 언제, 어디서, 어떻게 행동해야 할지 알게 될 것이다.

그러면 어떤 것이 마귀의 짓이며 환경 때문이 아닌지 어떻게 알수 있는가? 어떻게 하면 모든 잘못 되어가는 배후에 귀신들이 있다고 보는 극단적인 사고 방식을 피할 수 있을까? 그 답은 단순하다. 하나님께 묻는 것이다. 마귀의 역사라고 단정짓지 말라. 그러나 마귀의 소행이라고 인정하는 것 또한 거부하지 말라. 벌어지는 사태에 대해서 그저 하나님께서 알려주시도록 구하라. 하나님께서는 우리를 인도하신다고 약속하셨다. 고린도전서 12장 10절에서 약속하신 말씀과 같이 영들을 분별하는 은사는 주어진 어느 때든지 영적인 영역에서 일어나고 있는 일을 하나님께서 우리에게 보여주신다고 말씀하신 것이다(히 5:14).

한편, 하나님께 감동된다는 것은 동전의 또 다른 면이다. 우리는 하나님에 대해 우리가 알고 있는 모든 지식보다 한층 더 그분을 알려고 열정적으로 노력해야 한다. 만일 우리가 마귀에 대해서는 많이 알고 하나님께 대해서는 조금밖에 알지 못한다면 우리는 영적 전쟁에서 뿐만 아니라, 우리 삶의 모든 영역에서 능력을 발휘하지 못하게 될 것이다.

만일 우리가 대적에 대해 알고자 한다면 우리는 먼저 하나님에 대한 진리를 알아야 한다. 하나님께서는 왕이시며, 측량할 수 없을 만큼 위대하고 강하시며, 또한 인자하시고 온유하시며, 우리에 대한 그분의 사랑과 약속이 확실하다. 우리가 이러한 하나님을 안다면 우리는 결코 마귀를 두려워하지 않게 될 것이다.

우리가 알고 있어야 하는 또 다른 진리는 우리가 그리스도 안에서 어떤 사람들인가 하는 것이다. 사탄은 그리스도 안에서 자기의 지위를 모르는 사람들이나 하나님과의 관계를 모르는 사람들을 획책한다. 우리가 그리스도인이라고 말하는 것만으로는 충분치 않다. 우리는 우리에 대해 하나님께서 선포하신 말씀 속에서 그분을 신뢰해야 한다. 우리가 그와 같은 실재를 누리고 살고 또 권세 있는 자로서 행동하기 원한다면, 성경이 우리에 대하여 말씀하시는 바를 알고 있어야 할 뿐 아니라 확실히 믿어야 한다.

우리가 우리 자신이 누구인지 알게 될 때 대적 마귀는 살아 계신 하나님의 믿음의 자녀인 우리들에게서 물러설 수밖에 없다. 수천 명의 그리스도인들이 환경의 희생물로, 사람의 희생물로, 잘못된 사상의 희생물로 날마다 마귀에게 시달리고 있다. 그들은 확신을 가지고 "나는 내가 누구인지 알고 있다. 사탄아, 너는 어떤 일들을 나에게 행할 수 없다"라고 믿음으로 선포하며 자신들이 그리스도 안에서 갖는 정체성에 대한 지식을 확고히 함으로써 흔들림 없이 걸어 나가야 한다.

나는 영적 전쟁에 대한 하나님의 말씀을 찾았을 때 다음 구절을 보게 되었다. 다음 말씀을 깊이 묵상해보자.

> "종말로 너희가 주 안에서와 그 힘의 능력으로 강건하여지고 마귀의 궤계를 능히 대적하기 위하여 하나님의 전신갑주를 입으라 우리의 씨름은 혈과 육에 대한 것이 아니요 정사와 권세와 이 어두움의 세상 주관자들과 하늘에 있는 악의 영들에게 대함이라 그러므로 하나님의 전신갑주를 취하라 이는 악한 날에 너희가 능히 대

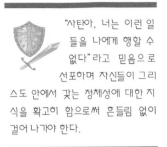

"사탄아, 너는 이런 일들을 나에게 행할 수 없다"라고 믿음으로 선포하며 자신들이 그리스도 안에서 갖는 정체성에 대한 지식을 확고히 함으로써 흔들림 없이 걸어 나가야 한다.

적하고 모든 일을 행한 후에 서기 위함이라 그런즉 서서 진리로 너희 허리띠를 띠고 의의 흉배를 붙이고 평안의 복음의 예비한 것으로 신을 신고 모든 것 위에 믿음의 방패를 가지고 이로써 능히 악한 자의 모든 화전을 소멸하고 구원의 투구와 성령의 검 곧 하나님의 말씀을 가지라. 모든 기도와 간구로 하되 무시로 성령 안에서 기도하고 이를 위하여 깨어 구하기를 항상 힘쓰며 여러 성도를 위하여 구하고 또 나를 위하여 구할 것은 내게 말씀을 주사 나로 입을 벌려 복음의 비밀을 담대히 알리게 하옵소서 할 것이니 이 일을 위하여 내가 쇠사슬에 매인 사신이 된 것은 나로 이 일에 당연히 할 말을 담대히 하게 하려 하심이니라"(엡 6:10-20).

에베소서 6장 10절은 "종말로, 주 안에서 강건하여지라"고 씌어 있다. '종말로'라는 말은 주 안에서 강건하여지는 것이 영적 전쟁의 중요한 원리들 가운데 마지막 요소임을 나타낸다. '종말로'라는 말 앞에 나오는 말씀들은 에베소서에서 매우 중요한 원리들을 다루고 있다. 바울은 우리에게 우리가 앞에 나온 모든 것을 갖추기까지는 주 안에서 강건할 수 없다는 것을 상기시키고 있다.

따라서 '종말로'라는 말을 이해하기 위해, 그리고 '강건하여지는 것'이 무엇을 의미하는지를 이해하기 위해, 우리는 에베소서에서 설명하고 있는 원리들이 무엇인지 알 필요가 있다.

워치만 니(Watchman Nee)는 「앉기, 걷기, 서기」(생명의 말씀사 역간)라 불리는 에베소서의 주석을 썼다. 나는 에베소서의 세 가지 주요 메시지를 설명하기 위해 그가 적절하게 붙인 제목을 빌리고자 한다. 바울은 그리스도인의 생활에 대한 기본적 기초를 세

가지로 구분하여 놓았는데, 그것은 앉기, 걷기, 서기다.

앉기

에베소서 1장부터 3장은 그리스도 안에서 우리의 지위와 하나님과 우리의 관계에 초점을 맞춘다. 이는 하나님께서 우리를 용서하심으로써 우리와 화해를 이루셨다는 이야기다. 이 장들은 하나님께서 행하신 것에 근거하여 우리가 누구인가를 공표하는 내용으로 가득 차 있다. 하나님께서는 "모든 영적인 복으로 우리를 축복하셨다." 그는 "창세 전에 우리를 그리스도 안에서 택하셨다." 그는 "우리를 예정하셔서 예수 그리스도로 말미암아 자기의 아들들이 되게 하셨다." 그는 "넘치는 은총을 우리에게 주셨다." 그리스도 안에서 우리는 "그의 피로 말미암아 구속, 곧 죄사함을 받았다." "그는 그의 뜻의 비밀을 우리에게 알리셨다." "우리는 기업을 얻었다." 우리는 "그리스도 안에서 인치심을 받았다." 우리는 죽었지만 하나님께서는 우리를 "그리스도와 함께 살리셨다." "그는 우리를 씻기시고 용서하셨다." 우리는 "은혜로 말미암아 구원을 얻은 것이고, 우리 자신의 능력이나 행함으로 구원을 얻은 것이 아니기 때문에 누구든 자랑해서는 안 된다." 전에는 떨어져서 멀리 있던 우리가 "그리스도의 피로 가까워졌다." 그리스도는 "우리의 평화"이신지라, 그를 통하여 우리는 "한 성령 안에서 아버지께로 나아감을 얻었다." 우리는 "더 이상 외인과 손이 아니요", "성도들과 동일한 시민이요 하나님의 권속이다."

우리는 이런 사람들이다. 우리는 하나님께로부터 오는 이 모든 놀라운 도움의 수혜자다. 그리고 이것은 하나님께서 우리를 "하늘의 처소에 그와 함께 앉히신다는 것"에서 정점에 이른다. 이는 너무나 큰 것이어서 거의 믿기 어렵지만, 하나님의 말씀이 이것을 선포하셨다. 그렇지만 이러한 성경 구절들을 읽는 것만으로는 충분하지 않다. 기독교는 일차원적인 것이 아니다. 종이에 기록된 일련의 교리들을 단순히 믿는 것만으로 충분했던 적은 없다. 우리가 무엇을 믿으면 또한 그대로 살아야 한다. 우리는 이러한 진리들을 받아들이고 그것을 믿으며 하나님과 함께 앉는 것을 배워야 한다.

앉아 있다는 것은 세 가지 사실을 말해 주는데, 첫째로 그것은 다스린다는 것을 의미한다. "은혜와 의의 선물을 넘치게 받는 자들이 한 분 예수 그리스도로 말미암아 생명 안에서 왕노릇하리로다"(롬 5:17). 우리는 생명 안에서 다스리도록 의도되었다. 우리는 스스로에게 물어보아야 한다. 우리가 다스리고 있는가, 아니면 우리의 상황과 마귀의 공격에 지배당하고 있는가?

앉아 있다는 것은 또한 완결된 작업을 말한다. 우리는 작업이 끝난 뒤에야 앉을 수 있다. 에베소서를 통하여 하나님께서는 그분의 의도하신 모습으로 우리를 지으시는 일들을 이미 다 이루셨다고 말씀하신다. 이것은 완결된 일이다. 예수님은 대가를 완전히 치르시고, 마귀를 멸하시고, 모든 능력과 권세들을 취하시고, 모든 주권을 가진 만왕의 왕으로 세우심을 받은 후, 자신의 정당한 지위를 찾아 앉으셨다. 우리 역시 우리의 영광스런 주와 구세주께서 이미 우리를 위해 이루어 놓으신 우리의 정당한 자리를 찾아 앉을 필요가 있다. 우리의 구원은 완성되었으며 우리는 대적에 대한 권세를 얻었다(골 2:10).

마지막으로, 앉아 있다는 것은 편히 쉬는 자리에 있다는 것을 말한다. 휴식은 일이 끝났을 때 자연스레 오는 것이다. 아무것도 완성된 일을 손상시킬 수 없다는 것을 확신할 때, 우리는 편히 쉴 수 있다. 더 많은 그리스도인들이 자신이 하나님의 능력으로 보호되고 있다는 것과 그리스도 안에서 구원 받아 안전하다는 것, 그와 함께 하늘의 처소에 앉는 사실을 알 필요가 있다.

걷기

이 편지의 두 번째로 중요한 부분은 에베소서 4장 1절부터 9절까지다. 여기서 바울은 믿는 사람들이 하나님의 뜻과 말씀에 따라 행동해야 할 책임들을 설명한다.

앉는다는 것은 그리스도인의 생활의 한 가지 차원일 뿐이다. 일단 그리스도 안에서 앉는 것—그리스도께서 이루신 위대한 일로 인하여 그분 안에 있는 우리를 아는 것—을 배웠으면 이제 우리는 걷는 것을 배워야 한다.

우리의 삶은 정지된 것이 아니라 생명과 끊임없는 활동으로 역동하는 삶이다. 우리 모두는 시간의 연속선 상에서 살아간다. 매일 아침 자리에서 일어나 일을 계획하고 목표를 세우고 하루하루, 매순간 결정해야 하는 일과 행위마다 열매가 있는 삶이 될 것을 소망하며 생활한다. 그리스도인으로서 우리는 구원을 받고 성화되었지만 월요일, 화요일, 수요일, 목요일, 그리고 금요일을 지내며 살아가야 한다.

성경은 "행위에서 난 것이 아니니 이는 누구든지 자랑치 못하게 함이니라"고 말하고 있지만, 또한 이렇게 말씀한다.

"부르심을 입은 부름에 합당하게 행하라." "옛사람을 벗어버리고 … 새사람을 입으라." "해가 지도록 분을 품지 말라." "더러운 말은 입 밖에도 내지 말라." "모든 악독을 … 버리라."(엡 2:9, 4:1, 22, 24, 26, 29, 31)

수세기에 걸쳐 그리스도인들은 오늘날까지 신학적인 싸움을 계속해왔다. 어느 한쪽이 반대쪽 사람에게 "당신들은 행위에 빠져 있다. 당신의 모든 노력은 오직 그리스도만이 주실 수 있는 것을 성취하려는 시도다"라고 말하면, 반대쪽 사람은 "당신들은 무책임하다. 매일매일의 일에 무관심하다"라고 응답한다.

우리는 논쟁을 그치고 두 입장이 모두 옳다는 것을 깨달아야 한다. 그들은 바로 그리스도인의 삶의 두 가지 차원을 반영하고 있는 것이다. 용서와 구원의 선물을 받기 위해 우리들이 할 수 있는 일은 아무것도 없다. 그리스도께서 십자가 위에서 이루신 일에는 어떠한 것도 더해질 수 없다. 그리스도께서 이루셔야 하는 일은 다 이루셨고, 우리는 단지 그것을 받아들이거나 거부하는 것뿐이다. 우리는 우리의 노력의 토대 위에서 의롭다고 인정되거나 용납될 수 없다. 우리는 하나님의 역사를 보다 완전하게 만들 수 없다. 우리는 단지 그와 함께 앉을 뿐이다.

그러나 일단 우리가 그리스도 안에 있는 우리의 지위를 받아들이면 우리는 그리스도께서 놓으신 기초에 어울리도록 행해야 한다. 우리의 책임은 그를 섬기기 위해 우리의 능력으로 할 수 있는 모든 일, 곧 순종 가운데 행하며, 빛 가운데 행하며, 성령 가운데 행하는 것이다. 우리는 비록 하나님께서 행하신 일로 말미암아 하늘 처소에 앉아 있다 해도 그리스도 안에서 우리의 지위에 합당하게 행하고 처신해야 한다. 우리는 걸어야만 한다.

서기

이로 인해 우리는 에베소서 6장 10-20절의 '서는 것'에 대한 구절들에 이르게 된다. 우리가 '종말로' 대적 마귀에 맞서도록 가르침을 받는 것이 이 부분이다. 우리가 먼저 구원에 있어 확고하지 않다면 어둠의 세력들에 대해 단호하게 맞설 수 없을 것이다. 그리스도 안에서 우리가 누구인지에 대한 지식과 우리를 멸망으로부터 지킬 수 있는 하나님의 놀라운 은혜에 대한 믿음을 가지고 주 앞에 머무르지 않는다면, 그리고 깨끗한 양심과 함께 걷지 않는다면 우리는 대적들 앞에 맞설 수 없을 것이다.

안타깝게도 우리는 종종 반대로 살아간다. 구원을 지키는 데 맞서서 저항하며 어둠의 세력이 닥쳐올 땐 앉아서 편히 쉰다. 만일 당신에게 구원의 확신이 없다면, 하나님께서 하신 모든 것들을 확증하는—에베소서 1-3장 같은—성경 구절들로 당신의 생각과 마음을 일깨우라. 오직 하나님의 진리가 당신의 삶에 새겨지고 당신의 삶 속에서 확고한 거처를 발견할 때 당신은 구원 안에 앉아 편히 쉴 수 있게 될 것이다.

한편, 만일 당신이 날마다 부르심에 합당하게 행할 필요에 대해 생각해 본 적이 없다면, 에베소서 3-4장과 하나님의 뜻에 따라 올바른 선택을 하는 데 있어 당신의 책임을 강조하는 말씀들에 마음을 둘 필요가 있다.

하나님께서는 우리에게 '옛사람을 벗을 것'과 '새사람을 입을 것'을 요구하신다. 이것은 옷을 입고 벗는 것만큼이나 이해하기 쉬운 일이다. 이것은 책임이 따르는 행동이다. 우리 모두는 세속적인 문제들에 있어 적절하게 선택하고 행동하는 데 익숙해 있다. 우리는 규칙적으로 이를 닦고 필요할 때 차에 오일을 갈아 준다. 새사람을 입는 것은 또 하나의 일상적인 책임이며 올바른 선택이다. 이것은 행위가 아니다. 이것은 하나님께 응답해야 하는 우리의 반응이며, 우리를 위해 이루신 모든 일에 대한 마땅한 응답인 것이다.

우리는 우리의 구원을 위해 아무것도 할 수 없다. 구원은 하나님의 값없는 선물이다. 그러나 일단 이와 같은 선물을 받았으면 우리는 하나님 앞에서 깨끗한 양심을 지켜야 한다. 요한일서 3장 21-22절은 "만일 우리 마음이 우리를 책망할 것이 없으면 하나님 앞에서 담대함을 얻고 … 이는 우리가 그의 계명들을 지키고 그 앞에서 기뻐하시는 것을 행함이라"고 말씀한다. 바로 그때야 비로소 우리는 적과 맞설 준비가 끝나는 것이다.

우리는 전적인 쉼 가운데서 구원을 확신하고, '부르신 부름에 합당하게' 행할 때 비로소 대적 마귀 앞에 늘 맞설 수 있을 것이다. 이것이 서 있는 상태다.

마치 곡예사의 곡예처럼 황당하게 들릴지 모르겠지만 우리는 동시에 서고, 앉고, 걸어야 한다. 그럴 때만이 우리는 전진하며 어둠의 세력을 무너뜨릴 태세를 갖추게 되는 것이다. "종말로 주 안에서와 그 힘의 능력 안에서 강건하여지고." 우리는 이처럼 될 수 있다. 이렇게 함으로써 우리는 영적 전쟁에 임하는 것이다.

제 3 장
〔적을 아는 것〕

"우리의 씨름은 혈과 육에 대한 것이 아니요 정사와 권세와 이 어두움의 세상 주관자들과 하늘에 있는 악의 영들에게 대함이라" (엡 6:12). 훌륭한 병사는 준비를 잘 갖추고 전투에 임한다. 그는 적을 무찌르기 위하여 알맞게 무장할 뿐 아니라 전투에 투입되었을 때 벌어질 상황을 미리 대비하고 있어야 한다. 그러나 보다 중요한 것은 자기의 적과 그 전쟁의 성격을 파악하는 것이다.

흠정역 성경은 에베소서 6장 12절에서 '싸움'(struggle)이라는 말 대신 '씨름'(wrestle)이라는 단어를 사용하고 있다. 바울의 시대에는 씨름이 대중적인 스포츠였기 때문에 바울은 영적 전쟁에 대한 비유로 그것을 사용했다. 씨름 경기와 영적 전쟁 사이에는 중대한 유사성이 있다.

대부분의 스포츠들과는 달리 씨름은 조금이라도 쉬거나 숨돌릴 틈을 주지 않는다. 경기가 시작될 때마다 끊임없는 집중을 요구하는데, 모든 생각을 모으고 모든 근육을 긴장시키고 있어야 한다.

한순간이라도 긴장을 풀게 되면 적이 승리하든지 아니면 적어도 우위의 상실을 가져온다.

씨름과 마찬가지로 영적 전쟁도 쉴 틈을 주지 않는다. 한 가지 명심할 것은, 우리의 영적 전투는 계속되고 있다는 점이다. 전쟁은 하루에 24시간, 일주일에 7일, 일년에 52주 동안 계속된다. 사탄은 토요일 밤이나 월요일 아침에 휴가를 가지 않으며, 아파서 후퇴하는 일도 없다. 마귀는 우리를 통해 하시는 하나님의 일을 훼방하려는 시도를 누그러뜨리는 법이 없다.

전투가 계속되고 있다고 하는 것은 우리가 하나님께서 하신 일들을 유지하기 위해 싸워야 한다는 말이 아니다. 우리는 구원을 성취하기 위해 싸울 필요가 없다. 하나님의 은혜로 말미암아 우리는 구원으로 옮겨졌기 때문이다.

앞서 말한 대로 우리는 대적이 하는 일을 앎으로써 영적 전쟁에서 승리한다. 문제는 항상 싸우고 있어야 한다는 것이 아니라 우리들의 삶 속에서 매순간 전투가 진행되고 있다는 것을 의식하는 것이다.

우리는 디즈니랜드에서 살 수 없다

아마도 하나님의 자녀들에 대해 사탄이 점유하고 있는 가장 큰 우위라고 한다면, 우리는 끈기있게 지속시키는 일관성을 가지지 못한 반면 사탄은 그와 같은 끈기를 가지고 있다는 것이다. 그리스도인들은 부끄럽게도 지속적이지 못하다. 우리는 하나님께 헌신하며 열정적으로 나서는 기간이 있는 한편, 하나님을 떠나 자기기만적인 생활을 하기도 하는 기복이 심한 사람들이다.

마귀는 예전부터 우리가 지속적이지 않다는 것을 보고 있었다. 마귀는 사람들이 "나는 진실로 주를 알고자 한다. 나는 하나님을 위해 세계를 변화시키고 위대한 일을 하려고 한다"고 단언하는 것을 들었다. 그러나 사탄은 우리의 순간적인 헌신의 열정에 그리 감복하지 않는다. 사탄은 얼마나 많은 사람들이, 정월 초하루에 결심한 규칙적인 기도와 성경 읽기를 2월 중

우리의 영적 전투는 하루에 24시간, 일주일에 7일, 일년에 52주 동안 계속된다. 사탄은 토요일 밤이나 월요일 아침에 휴가를 가지 않으며, 아파서 후퇴하는 일도 없다.

순이 되기도 전에 까맣게 잊어버리고 마는지 알고 있다. 우리가 강해지고 하나님께 진지하게 헌신하는 동안 마귀는 우리의 수비가 느슨해질 때까지 끈기 있게 기다릴 수 있다. 필요하다면 몇 주, 몇 달, 몇 년이라도 기다릴 것이다.

그리스도인들은 흔히 이렇게 말한다.

"지금은 그런 일을 알지 못하겠어요." "나는 아주 혼란스러워요." "지도자가 나를 실망시켰어요. 친구한테 실망했어요. 하나님께서 나를 저버리셨어요." "나는 지금이라도 정말이지 그만두고 싶어요." "나는 잠깐 물러나고 싶어요. 머리를 식힐 필요가 있어요."

우리는 정의와 불의의 싸움에서 벗어나 다른 세계—디즈니랜드와 같은 세계—에서 살았으면 하고 바란다. 그러나 우리는 그렇게 할 수 없다. 우리는 하나님 혹은 사탄을 붙들어 매어 놓을 수가 없는 것이다. "하나님께서는 내가 잠시 미끄러져도 이해하시겠지. 나의 비극적인 일이나 나의 형편, 나의 상처를 알고 계시니까 말이야. 나의 상처가 아물 만한 약간의 시간은 허락하실 거야"라고 말해서는 안 된다. 하나님께서는 참으로 우리의 투쟁, 고통, 그리고 슬픔을 이해하고 계시지만, 우리가 승리하는 삶을 원하시지 결코 패배하는 삶을 원치 않으신다. 그분은 우리에게 승리자가 되

는 것 이상으로 은혜를 주신다. 비록 하나님께서 이해하신다 해도 우리를 결코 관대히 보아주지 않을 자가 도사리고 있다. 그는 사탄이다.

마귀는 과연 얼마나 악한가?

우리가 고통의 시간들을 지날 때 마귀가 우리를 내버려둔다면 얼마나 좋을까 하고 생각한다. 그렇게 되기를 바라지만 한 가지 알려주고 싶은 것은 마귀는 그렇게 하지 않는다는 것이다. 마귀는 언제나 비열하게 싸운다. 그는 우리가 낙심했을 때를 포착한다. 마귀의 본성에 맞게 그는 우리가 가장 약할 때 공격하는데, 아주 더럽고 치사할 정도다. 우리는 대적에게서 이보다 나은 어떤 것을 기대할 수 없다. 우리는 사탄이 얼마나 악하며 우리를 향한 궤계가 얼마나 잔인한 것인지를 과소 평가해서는 안 된다.

사탄은 우리를 극히 미워하기 때문에 무자비하게 공격을 퍼붓는다. 그는 우리의 완전한 파멸을 원한다. 사탄에겐 선함이란 조금도 없다. 덕성과 긍휼을 전적으로 회피하는 것이 사탄의 본성이며, 그는 그 본성을 바꾸지 않는다.

사람들이 서로에게 행할 수 있는 가장 악한 일들을 생각해보라. 나치 강제수용소의 가마솥들과 인간의 피부로 만든 램프 차양을 생각해 보라. 나무 말뚝 위에 사람을 묶어 놓고 불태우고 그것을 지켜보며, 사방으로 달리는 네 마리 말에 사람의 팔과 다리를 묶어서 찢어 죽이는 등 얼마나 잔인하게 서로를 고문하고 죽이는지 생각해 보라. 굴락(Gulag)수용소 군도나, 가장 멋진 주일에 어린 소녀들을 살해했던 남아프리카 공화국에서 발생한 흑인교회 폭파 사건 등을 생각해 보라. 부모들이 어떻게 4개월 된 아기를 강간할 수 있는가. 또 그들의 자녀에게 어떻게 끓는 물을 부을 수 있는가 생각해 보라. 사람들은 서로에게 말할 수 없이 추잡하고 극악무도한 폭력을 자행한다. 무속적인 사교 집단들 안에서는 아기들을 살해하고 먹는다. 나는 타이(Thailand)의 난민촌에서 어떤 사람들을 만났는데, 그들은 군인들이 고통으로 절규하는 가족들 앞에서 임신한 여자의 배를 갈라서 아직 태어나지도 않은 아기를 꺼내 진흙 속에 처넣었다고 하는 끔찍한 이야기를 들려주었다.

우리는 인간들이 서로에게 저지르는 이런 끔찍스러운 일에 전율하며 뒷걸음질친다. 대개 우리는 이런 공포로 가득 찬 현실들을 기피하며 숨어버리지만 이런 일들은 언제나 우리의 대적 마귀에 의해 생겨나는 일들이다. 이 세상에 존재하는 혹은 상상할 수 있는 그 어떤 것보다 사탄은 훨씬 더 잔학하다. 우리는 우리 대적의 정체를 폭로해야만 한다. 우리는 하나님의 선하심과 자비, 그리고 사랑에 대한 하나님의 계시를 필요로 하는 것과 마찬가지로 사탄의 악함과 파괴적인 힘에 대한 진상도 자세히 알아야만 한다.

마귀는 결코 정정당당하게 싸우지 않는다. 그에게 자비심이란 없으며, 우리가 풀이 죽어 있을 때 그는 우리를 걷어찬다. 상어와도 같이 피냄새를 맡으면 가차없이 죽이기 위해 습격한다. 그는 증오로 가득 차 있으며 고통을 먹음으로 자라난다. 비참한 일이 생겼을 때—학업에서 낙제했을 때, 실직했을 때, 남편이나 아내가 당신을 속였을 때, 가족이 교통 사고로 죽었을 때—마귀는 기다렸다는 듯이 야수처럼 맹렬하게 공격한다.

오직 인간만이 비극적인 일을 당하거나 마음의 상처를 입었을 때 피폐해진다. 그러나 우리는 이럴 때일수록 적의 공격을 의식하고 지켜보아야 한다.

사탄은 그것이 정욕이든, 의심이든, 억압이든 우리의 약함을 주시하고 있다. 그는 완벽한 기회를 참을성 있게 기다렸다가 그때를 포착해서 우리의 삶에 파멸의 씨앗을 뿌린다. 사탄이 파멸의 뿌리가 내리는 것을 지켜보는 동안 우리는 너무 늦었다는 것을 발견하거나 아무것도 인식하지 못한다.

그렇다면 우리의 임무는 적의 끈기를 파악하는 것이고 과거에 우리가 좌절했던 우리의 연약한 부분을 살펴봄으로써 마귀를 놀라게 하는 것이다. 만일 당신이 고속도로나 특정 교차로에서 교통사고를 당했다면 당신은 아무렇지도 않게 거기를 통과할 수 없을 것이다. 당신이 다른 곳을 통과하는 것이 아니고 바로 그 지점을 통과하는 것이라면 당신은 보다 조심스럽게 운전하며 지나가야 한다. 똑같은 방식으로 우리는 우리가 과거에 실패했던 곳에서 강하게 될 수 있고 극복할 수 있다.

사탄은 당신의 삶에 대하여 무서운 계획을 꾸미고 있다

"도적이 오는 것은 도적질하고 죽이고 멸망시키려는 것뿐이요 내가 온 것은 양으로 생명을 얻게 하고 더 풍성히 얻게 하려는 것이라"(요 10:10).

이 구절은 마귀의 본성과 활동들을 묘사한 것이다. 사탄이 하는 것은 도적질하고 죽이고 멸망시키는 것이다.

그는 우리로부터 빼앗을 수 있는 모든 것을 빼앗고자 하는 도적이다. 그는 우리의 건강과 생명을 빼앗으려고 한다. 그는 우리의 생산력, 우리의 인간 관계, 우리의 기쁨, 우리의 평화, 그리고 우리의 믿음을 빼앗고자 한다.

흔히들 이런 말을 자주 한다. "하여간 끔찍한 날이야", "이번 주 손해가 막심한데", "이번 달은 아무런 생산적인 일도 없었다네!" 이러한 것은 분명히 마귀가 원하는 것이다. 그는 우리에게 주어진 하루의 삶을 통째로 빼앗으려고 한다. 마귀가 만들어 놓은

'재수 나쁜 날'에 빠져듦으로써 우리는 마귀의 도적질을 돕는다. 우리는 깨어 있어야 한다. 마귀가 우리의 날들을 차지하도록 내버려두어선 안 된다. 만일 그렇게 된다면 우리는 서서히 자살하고 있는 것이다.

상황이 우리를 위협할 때 우리는 "사탄아, 나는 네가 오늘과 이 순간을 차지하지 않도록 하겠다. 그리고 나는 네가 나의 기쁨을 앗아가지 못하게 하겠다"라고 말해야 한다.

사탄은 또한 살인자다. 그는 죽이는 것을 즐긴다. 사망과 관계된 모든 것은 전적으로 사탄이 조장하고 자극하는 것이다. 사탄은 "나는 태어나지 말았어야 했어"라든가 "죽어버렸으면…" 하는 말 따위의 배후에서 가장 큰 영향을 끼치고 있는 존재다. 그는 우리 모두를 자살과 살인으로 몰아넣으려 한다.

많은 사람들, 심지어 그리스도인들조차 모든 것을 끝장낸다는 생각을 마음에 품지만 모든 자살에 관한 근본적인 생각은 사탄이 주는 살인자의 마음으로부터 온다. 모든 것을 마귀의 탓으로 돌리고 싶은 마음은 없지만 자살은 사탄의 역사다. 우리를 파멸시키려는 것은 마귀의 본성이다. 우리가 자기 파괴적인 행동을 하는 것은 자연스러운 것이 아니다. 하나님께서는 가장 강한 본능인 생존의 본능을 지닌 사람으로 우리를 창조하셨다. 어둠의 세력은 핍절하고 절망한 사람의 마음속에 자살에 대한 충동을 심어준다.

또한 자살이라는 즉각적인 자기 파괴를 보장할 수 없을 때, 마귀는 완만한 형식의 자살, 곧 삶으로부터 자기 파괴적인 도피로 향하도록 영향력을 행사한다. 천천히 자살하는 가장 명백한 형태는 마약과 알코올이다. 우리가 "나는 삶을 꾸려나갈 수가 없고, 그래서 이렇게 해서라도 벗어나려고 해요"라고 말할 때마다 우리는 자살로 가는 길에 서 있는 것이다. 이것도 자살과 동일한 원리

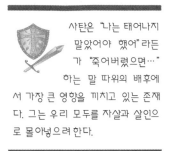

사탄은 "나는 태어나지 말았어야 했어"라든 가 "죽어버렸으면…" 하는 말 따위의 배후에서 가장 큰 영향을 끼치고 있는 존재다. 그는 우리 모두를 자살과 살인으로 몰아넣으려 한다.

며 동일한 영 아래 있는 것이다. 이것은 음식, 섹스, 텔레비전, 혹은 쇼핑에 대한 중독 등 다양한 형태로 나타날 수 있고, 심지어 전혀 무해한 것으로 보일 수도 있다. 그러나 우리가 만일 삶으로부터 도피하기 위해 현실을 외면하는 무언가를 사용하고 있다면 그것은 자살이며 죽음이다.

사탄은 또한 죄로 우리를 파멸시키려고 한다. 사탄은 충족에 대한 매혹적인 약속을 하면서 우리를 죄 가운데로 유혹한다. 예를 들어, 만일 우리의 결혼 생활이 만족스럽지 못한다면 우리는 다른 사람의 품안에서는 만족을 찾을 수 있다고 생각한다. 그러나 원수는 결코 우리에게 만족을 주는 일이 없다. 우리가 진리와 또 올바른 방법으로 충족시키는 데서 이탈할 때 우리는 어둠의 세력의 지배 아래 들어가는 것이다. 죄에 가담하는 것은 어둠의 세력이 우리의 삶에서 활동하도록 허용하는 것이며, 그렇게 하도록 기회를 주는 것이다. 우리는 우리의 삶을 황폐하게 하려는 사탄의 목적을 이루는 데 협력자가 되고 만다.

사탄은 실재한다. 악한 본성, 사탄의 의도, 우리의 일에서 사탄의 역사는 실재하는 것이다. 우리가 사탄의 영역으로 들어갈 때 우리는 양심 없는 도둑, 악마적인 파괴자, 그리고 극악무도한 살인자를 친구로 삼는 것이다.

그가 전적으로 바라는 것은 우리의 마음과 우리의 육체, 우리의 성품, 우리의 명예, 우리의 인간 관계를 파괴하는 것이다. 그는 정의롭고 선한 모든 것을 근절시키기를 갈망한다. 그럼에도 불구하고 자기들은 죄와 더불어 놀아날 수 있으며 어둠의 세력 속에서

철버덕거릴 수 있다고 생각하는 많은 사람들이 있다. "하나님께서는 다 이해하신다", "나를 용서하실 것이다"라고 그들은 말한다. 그러나 하나님의 이해나 용서가 문제가 아니다. 우리는 우주에서 가장 사악하고, 가장 가증스럽고, 가장 독살맞은 피조물과 빈둥거리며 도망다닐 수 없다. 선택은 우리에게 달려있다. 죄가 다가올 때 적과 맞설 것인가, 아니면 마귀와 함께 설 것인가?

사탄은 우리의 삶에 대해 궤계를 가지고 있다

"그 아들이나 딸을 불 가운데로 지나게 하는 자나, 복술자나, 길흉을 말하는 자나, 요술하는 자나, 무당이나, 진언자나, 신접자나, 박수나, 초혼자를 너의 중에 용납하지 말라 무릇 이런 일을 행하는 자는 여호와께서 가증히 여기시나니"(신 18:10-12).

파멸로 이끄는 사탄의 미끼는 매우 매혹적이고 그만큼 기만적이다. 그의 계획은 정교하며 모든 살아 있는 존재에까지 미친다. 그것들은 때때로 숨겨지는가 하면, 어떤 시대에는 뉴에이지 운동(New Age Movement)에서와 같이 노골적으로 나타나기도 한다.

지난 20년간 점술의 확산과 그 전파는 믿을 수 없을 만큼 빠르게 일어났으며, 다양한 방식으로 확산되어 우리에게 영향을 미쳤다. 수백만의 사람들이 매일 아침 커피를 마시며 그들의 하루가 어떠할지 신문에 나와 있는 '오늘의 운세' 난을 훑어본다. 조금 더 부자라면 개인용 점성술 지도를 갖고 있거나 그 지도를 조작하는 사람을 고용할 것이다. 모든 백화점의 선반, 책상서랍, 그리고 수백만의 어린이들의 장난감 궤짝에는 점치는 카드, 지하 감옥과 용 게임, 그리고 악마적인 성격의 만화책들이 놓여 있다. 지방 박람회에서는 종려나무 잎으로 점을 치고, 미래를 알기 위해 찻잔을

뚫어지게 쳐다본다.

　이런 행동을 하는 사람들의 생각은 단지 재수 좋은 날과 재수 나쁜 날이 있다는 것이며, 우리는 언제가 그날인지 알 수 있다는 것이다. 존 레논(John Lennon)이 뉴욕에서 살해된 뒤, 소위 전문가라는 몇몇 사람들은 만약 존이 그날을 점을 쳐보기만 했더라도 날이 재수 나쁜 날이었다는 것을 알았을 것이라고 주장했다. 그들은 그가 집에서 한 발짝도 나오지 말았어야 했다고 말한다.

　많은 사람들은 이것이 무해한 일이며 그저 재미삼아 해보는 것이라고 생각한다. 나는 많은 잡지나 신문의 운세난이 다만 신기한 것을 즐기고자 하는 사람들의 엉뚱한 추측에 불과하다고 생각한다. 조간 신문에 실리는 그와 같은 근거 없는 예측에는 악마적인 것이란 없다. 그럼에도 불구하고 그것은 하나님께는 몹시 가증스런 일이다. 그 이유는 그 내용 때문이 아니라, 사람들이 그들의 삶을 사탄의 궤계에 열어 놓는 것을 허용하기 때문이다.

　사탄은 참으로 우리의 삶에 대해 궤계를 가지고 있다. 그리스도인들은 이것을 알 필요가 있다. 알되 놀라서는 안 된다. 우리가 만일 정보를 얻기 위해 초자연적인 원천으로부터 조언을 구한다면, 우리는 우리 자신을 어둠의 세력에게 노출시키는 것이라는 사실을 알아야 한다. 하나님이 아닌 다른 이에게 가서 미래를 보고자 한다면 위험에 빠지는 것이다. 우리가 미래를 보고자 할 때, 우리는 사탄이 실제로 가지고 있는 우리에 대한 멸망의 궤계에 우리를 열어 놓는 것이다.

　구약 성경에서는 점술에 대한 활동에 참여하는 것을 절대 금지시켰다. 마술과 길흉을 말하는 것, 혹은 접신하는 자들은 백성들 밖으로 끌어내어져 돌로 죽임을 당했다. 그런 일들에 대한 하나님의 선고는 엄격하다.

금지된 활동들의 목록을 기억하는 대신 우리는 한 가지 원리를 알아야 한다. 어떤 초자연적인 정보나 활동도 하나님이 아니면 사탄으로부터 오는 것이다. 하나님께로부터 오는 것은 하나님의 말씀에 따라, 예수 그리스도의 이름으로, 성령을 통해서 온다. 그 밖에 다른 초자연적인 일들은 하나님께서 가증히 여기시는 것들이다. 그것들이 가증스러운 이유는 사탄의 일이 선한 것처럼 보일지라도 멸망과 속박으로 이끄는 것이기 때문이다. 하나님은 우리를 이끄시고 지도하시고 알려주시기를 원하신다. 그 밖의 것들은 부당한 행위다. 우리 하나님만이 우리를 인도하시므로 우리는 그 앞에서 다른 신들을 두지 말아야 한다(출 20:3).

누가 가장 잘 알려줄 수 있는가?

교회가 세계에 대한 초자연적인 이해를 줄곧 갖고 있었음에도 불구하고 심령술사와 주술사들이 그러한 초자연적 이해를 끌어다 다시 도입했다는 사실은 부끄러운 일이 아닐 수 없다. 안타깝게도 교회는 아직도 하나님께서 오늘날에도 초자연적인 일들을 행하시는지 의아해하며 신학책에서 그것을 논쟁하고 있다. 심령사들이 범인들을 찾을 수 있을 것이라고 경찰서에 제보까지 해 주고 있을 때, 나는 경찰이 교회를 찾아와서 "당신들 하나님께 좀 알려달라고 기도하지 않겠어요?" 하고 말할 때까지 마냥 기다리고 있는 것이다.

하나님께서 우리가 다른 초자연적인 원천들을 참고하기를 원하지 않으시는 주된 이유는 하나님만이 우리의 초자연적인 활동의 유일한 원천이 되기를 원하시기 때문이다. 살아 계신 하나님은 우리를 사랑하시며 우리를 인도하기를 원하신다. 하나님은 시편 32편에서 "내가 너를 인도하리라"고 약속하셨다. 요한복음 10장에서 예수님은 "나의 양은 나의 음성을 듣는다"고 말씀하셨다. 성경은 인도와 도움과 훈계에 대한 하나님의 약속으로 가득 차 있다. 우리는 다만 하나님께 나아가면 된다. 하나님은 우리에 대한 계획을 갖고 계신다. 그분은 그러한 계획들을 성취하는 데 있어 우리가 원하는 모든 초자연적인 정보와 활동들을 제공하실 것이다. 때로 우리가 이해하지 못할 때라도, 심지어 우리가 얼마 동안 그분의 음성을 듣는 데 어려움을 겪을지라도 우리는 여전히 그분의 성품을 신뢰할 수 있다. 그분은 흠잡을 데 없는 경력을 갖고 계신다. 그분은 신실하시고, 공의로우시고, 친절하지 않으신 적이 없다. 확실히 우리는 그분을 신뢰할 수 있다.

고양과 침체

우리는 누구나 정서적으로나 심리적으로 기복을 가지고 있는데, 그것은 매우 자연스러운 것이다. 여성의 월경 주기가 그 한 예다. 이러한 상승과 하강은 본성상 악마적인 것이 아니다. 그러나 마귀는 이런 자연적인 주기까지 이용하려 든다. 따라서 우리는 항상 경계하고 있어야 하며 이런 주기들을 마귀가 파괴시키도록 내버려두어서는 안 된다.

데이빗은 아침에 일어날 때마다 근심과 우울에 빠진다. 그러나 데이빗은 자신의 영혼에게 외친다. "내 영혼아 네가 어찌하여 낙망하며 어찌하여 내 속에서 불안하여 하는고. 너는 하나님을 바라라!"(시 42:11). 데이빗은 주 안에서 계속해서 자신을 격려한다.

하나님께서는 우리가 언제나 정서적으로 고양되기를 바라지는 않으신다. 때때로 의기소침해지고 우울해지고 슬픔을 느끼는 것은 정상적인 것이다. 나는 영적으로 성숙해지면 더 이상 정서적으로 기복이 없어질 것이라고 생각해왔다. 그 후 나는 텔레비전에서 사람의 마음에 관한 한 프로그램을 보고서 정서적인 기복이 있는 것이야말로 살아 있는 징표라는 것을 깨달았다. 삶이 밋밋하게 이어진다면 죽은 것을 의미한다! 그리스도인의 성숙이라는 것은 우리가 전혀 침체를 겪지 않는다는 것을 의미하지 않는다. 그리스도인으로 성숙된다는 것은 우리의 기복을 다루는 법을 배우는 것이다. 우리가 취약할 때 적이 자주 공격한다는 것을 우리는 기억해야 한다. 우리는 자신을 격려하는 법과 서로를 격려하는 법을 배울 필요가 있다.

영적 레이더

영적 전쟁은 경계—적의 활동들에 대한 쉴 새 없는 경계—를 요구한다. 당신은 얼마나 자주 "마귀에 대하여 생각하거나 말하지 말고 오직 너의 눈을 주께 고정시키라"는 훈계를 들어 왔는가? 그런데 문자 그대로 하면 우리의 눈을 주께 고정시키기란 불가능한 일이다. 이 말이 의미하는 것은 우리가 하나님께 민감한 상태로 있어야 한다는 것이다. 그분은 우리를 사랑하시고 능력으로 우리를 지키고 계시기 때문에 우리 안에서 우리를 통하여 역사하실 수 있다. 그분이 누구시며 그분이 하시는 일이 무엇인지를 기억하고 있으면 그분에 대하여 알게 된다는 말이다.

이 충고에는 아무런 잘못도 없다. 그러나 동시에 그리스도의 몸은 다른 하나를 더 채택한다. "마귀를 주시하라." 우리 대부분에게 이것은 기대하기 어려운 점이다. 아무튼 우리는 마귀를 주시하면서 하나님을 주목할 수는 없다고 믿는다. 그러나 우리 모두는 끊임없이 하나님을 의식하면서 동시에 적들이 활동하는 것 또한 의식할 수 있다.

만일 내가 포탄이 작열하는 전투의 한가운데 있다면 나는 연대

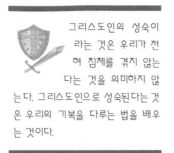

그리스도인의 성숙이라는 것은 우리가 전혀 침체를 겪지 않는다는 것을 의미하지 않는다. 그리스도인으로 성숙된다는 것은 우리의 기복을 다루는 법을 배우는 것이다.

장에게 가서 말할 것이다. "전투가 진행되고 있습니다. 당신은 누구와 싸우고 있습니까? 얼마나 많은 적이 거기에 있습니까? 적의 목표는 무엇입니까? 적은 어디로 이동합니까? 적들은 어떤 대포를 사용합니까?" 그런데 그가 이렇게 대답한다면 어쩔 것인가? "글쎄, 우리는 적에 대해 아무 걱정도 하지 않는다. 우리는 적에 대해 너무 많이 토론하는 것을 좋아하지 않는다. 우리는 적들이 어디 있는지 무얼 하는지 모른다. 우리는 그저 대포를 쏘고 손을 들어 수류탄을 던지면 되는 거야. 아무튼 우리는 오늘 17,000번이나 대포를 쐈어. 굉장하지? 우리는 잘 해 나가고 있지 않아?"

이렇게 무리하게 싸우는 전쟁은 분명히 합리적이지 않다. 그럼에도 나는 어둠의 세력으로부터 자신들을 방어하고자 하는 선의의 그리스도인들이 이러한 방법으로 영적 전쟁에 접근하고 있다는 말을 자주 들었다. 우리는 적을 주목해야 한다! 한편 우리가 마귀만 주시하고 하나님은 주목하지 않는다면 또한 문제에 빠진다. 우리는 하나님을 주목해야 하며, 또한 두려움없이 적도 주시해야 한다. 우리는 그가 어디에 있는지, 무엇을 하고 있는지 알아야 한다.

이러한 경계는 마치 레이더와 같은 것이다. 조금이라도 가치가 있는 것을 얻기 위해 레이더는 항상 가동되어야 한다. 만일 레이더가 어느 예측 가능한 기간 중에—저녁 때나 주말, 크리스마스, 휴일, 월별 보수점검일, 혹은 조작자의 기분이 좋지 않을 때 등—돌아가는 것을 멈춘다면 이 시스템은 쓸모없는 것이다. 우리가 6개월간 어둠의 세력에 대하여 경계하다가 단 하루만이라도 수비

태세를 갖추는 것을 소홀히 한다면, 마귀는 그날 반드시 공격을 감행할 것이다. 마귀는 우리가 지속적인 경계를 유지하는 데 실패하기를 고대한다.

단지 레이더가 존재하는 것만으로도 적의 공격 계획을 좌절시킬 때가 자주 있다. 마찬가지로 우리의 지속적인 경계와 파악은 사탄이 우리를 훼방하고자 하는 시도를 포기하도록 할 수 있는 것이다. 마귀가 우리의 레이더 화면에 보여지면, 우리 안에 갑자기 빨간 불이 켜지고 사이렌이 울려서 공격 태세를 갖추게 하고, 또 대개의 경우 공격 자체를 완전히 피할 수 있게 된다.

제 4 장
〔세 가지 싸움터〕

　교각, 도로, 공항, 텔레비전과 라디오 방송국 등 전략적인 지역은 어느 전쟁에서나 적들로부터 보호되기 위하여 경계가 매우 강화된다. 전략적 요충지를 확보하고 있는 사람이 전투에서도 이기는 것처럼, 우리의 삶에는 공격에 대항하여 강화되어야만 할 세가지 전략적 요충지가 있다. 그것은 생각과 마음과 입술이다. 군사적으로 중요한 위치와 같이 우리는 호흡이 다할 때까지 그것들을 지키기 위해 싸워야 한다.

생각: 첫 번째 전략 지역

　우리들의 마음에 들어오는 모든 생각에는 세 가지 원천이 있다. 첫째, 생각은 우리 자체 내에서 생길 수 있다. 하나님께서는 다른 피조물들과는 달리 인간에게는 생각할 수 있는 능력을 주셨다. 그것은 우리들의 생각이다. 둘째, 생각은 하나님께로부터 올 수 있다. 하나님께서는 우리들의 생각에 말씀하실 수 있다. 우리가 하나님의 계시나 인도하심을 구하고, 그분의 음성을 구하며, 지식과 말씀의 은사를 구할 때 그분은 우리들의 생각에 직접 말씀하신다. 세 번째 원천은 적이다. 어둠의 세력 역시 우리에게 말을 한다. 불행하게도 많은 그리스도인들이 적의 말을 듣고 영향을 받아 고통스러워한다.

마귀는 무소부재하지 않다. 만일 무소부재하다면 왜 "마귀를 대적하라 그리하면 너희를 피하리라"(약 4:7)는 말씀을 하셨겠는가? 성경에서 사탄이나 마귀에 대해 말할 때 그것들은 종종 하나의 개체, 즉 루시퍼 자신을 가리키기보다는 그의 악한 제국을 가리킨다. 마귀는 동시에 사람들을 유혹하고 그들의 생각 속에 침투하며 수없이 많은 장소에 동시에 나타날 수가 없다. 마귀에게는 타락한 천사들이 있는데(성경은 우리에게 그들이 얼마나 많은지 알려주지 않는다) 이들은 사탄의 명령을 수행하는 자들이다. 아마 우리들 대부분은 루시퍼의 직접적인 관심을 받지는 않을 것이다. 하나님께서 마귀를 대적하라고 말씀하실 때, 그 말씀은 루시퍼에 속한 영적 존재들을 대적하라고 말씀하시는 것으로 생각된다. 나는 이 책에서 어떤 한 존재 혹은 그의 타락한 무리들 모두를 가리키는 포괄적인 의미로 사탄이라는 말을 쓸 것이다.

어둠의 세력들은 우리의 생각을 통찰할 수는 없지만—하나님께서만이 그같은 일을 하실 수 있다(시 7:9)—생각에는 제안을 할 수 있다. 예수님께서 죽었다가 사흘 만에 다시 살아나야 할 것이라고 말씀하셨을 때 베드로가 만류했던 것을 기억하는가? 그때 예수님께서는 베드로에게 "사단아, 내 뒤로 물러가라!"고 말씀하셨다(마 16:23). 예수님께서는 베드로가 갑자기 마귀에 들렸다고 말씀하시는 것은 아니다. 사탄이 그의 생각 속에 막 불어넣은 어떤 착상을 말하고 있는 것이었다.

대부분의 영적 전쟁은 인간의 생각 속에서 일어난다. 그것은 옳지 않은 생각이 떠오를 때나 하나님의 진리의 말씀을 따르지 않은 때가 언제인지 깨닫는 것도 포함된다. 모든 악한 생각들이 사탄으로부터 오는 것은 아니지만, 사탄이 촉발시키고 거기에 악한 생각들을 더한다.

언젠가 집회를 끝내고 차를 몰고 집으로 오는 중에, 나는 나의 생각이 내가 만났던 영적 지도자들에 대한 공박과 비판으로 가득차 있는 것을 발견했다. 그러한 생각은 아주 갑작스레 일어났다. 참으로 비판적인 의식이 있었거나 미워하기로 마음먹었던 것은 아니었다. 그럼에도 나의 생각은 친구들에 대한 부정적인 생각으로 발전되어 갔다. 나는 이런 생각들이 적으로부터 온 것이라는 사실을 깨달았다.

적은 사람들을 신뢰하지 못하게 하고 인간 관계를 파괴시킨다. 사탄이 즐기는 것은 우리의 생각을 남편이나 아내, 지도자들, 친구들, 특정한 나라나 도시로부터 온 사람들, 혹은 하나님에 대해 비판 정신으로 가득 차게 하는 것이다. 그는 "거짓의 아비"(요 8:44)며 "우리 형제들을 참소하던 자"(계 12:10)다.

어둠에 대한 두려움

하나님은 창조자시다. 그분은 무(無)에서 우주 안에 있는 모든 것을 창조하셨다. 어떤 원료를 가지고 계셨던 것도 아니며, 하나님의 마음속에서 구상되기 전에는 아무것도 없었다. 하나님의 형상으로 창조된 우리 역시 창조자다. 하나님께서는 우리에게 활발한 상상력을 주셨다. 비록 우리가 살고 있는 세계는 하나님이 창조하셨지만, 우리는 거기에 콘크리트, 등불, 자동차, 마이크로칩, 조각품, 그리고 교향곡 같은 것들을 더한다. 우리는 생각을 하고 만들어낼 수 있는 하나님께서 주신 창조적인 능력을 가지고 있다.

이런 놀라운 능력 또한 어둠의 세력들의 표적이 될 수 있다. 마귀는 우리의 상상력에 계속해서 거짓된 것과 바르지 못한 것을 주입시킨다. 우리는 우리가 상상하는 일이 일어날까봐 걱정하고 두려워한다. 그런 나쁜 일들이 거의 일어나지 않는다 해도 말이다. 많은 사람들이 어둠을 두려워하는데, 이것은 문자 그대로 어둠에 대한 공포 때문이다. 시야가 차단되고 상상의 화면에 끔찍스러운 장면이 떠오를 때—비현실적인 것—어둠의 공포는 몰려온다.

우리가 마귀의 접근을 허용하면 그는 우리의 창조성을 왜곡시키기 위해 여러가지 상상들을 제공하는 것을 무척이나 즐긴다. 일례로, 1989년 플로리다에서 처형된 테드 번디(Ted Bundy)는 18명을 살해한 살인광이었는데, 그는 죽기 전 제임스 돕슨(James Dobson) 박사에게 그가 읽은 모든 폭력, 음란물에서 얼마나 많은 영향을 받았는지 말해주었다.

하나님께서는 우리의 상상력이 거룩지 못한 악한 생각으로 더럽혀지기를 원치 않으신다. 그분은 우리에게 믿음을 갖게 하기 위한 상상력을 주신다. 믿음이란 이미 하나님의 말씀으로 이루어진 것이지만 그 말씀을 상상하는 것이다. 우리의 생각 속에서 그것이 이루어진 것을 보았다면 우리는 믿음을 가진 것이다. 이것이 "믿음은…실상이요"라는 말씀이 의미하는 바다(히 11:1).

> "우리가 육체에 있어 행하나 육체대로 싸우지 아니하노니 우리의 싸우는 병기는 육체에 속한 것이 아니요 오직 하나님 앞에서 견고한 진을 파하는 강력이라 모든 이론을 파하며 하나님 아는 것을

대적하여 높아진 것을 다 파하고 모든 생각을 사로잡아 그리스도
에게 복종케 하니"(고후 10:3-5)

사람들은 흔히 휴머니즘, 이슬람교, 공산주의, 그리고 다른 종
교들과 제도들을 가리켜 '견고한 진'이라고 말한다. 그러나 고린
도후서에서 말씀하고 있는 '견고한 진'이란 인간이나 마귀의 거
대하고 복잡한 체계들을 가리키지는 않는다. 여기서 가리키는 것
은 생각의 견고한 진들이다. 이러한 견고한 진들은 잘못된 생각,
즉 불신, 낙담, 두려움, 그리고 부정적인 생각들을 통해 우리들의
생각 속에 지어신 공중 누각들이다.

오늘날 그리스도인들이나 비그리스도인이나 할 것 없이 두 가
지 공통된 견고한 진이 있는데, 그것은 열등감과 죄책감이다.

열등감은 끊임없이 우리들에게 말한다. "너는 키가 작구나."
"너는 말쑥하지 못해.""너는 잘생기지 못했어.""너는 그것을 평
생 이룰 수가 없어.""너는 가치 없는 존재야." 이러한 열등감의
갈고리들은 우리를 다른 사람과 경쟁하게 하고 다른 사람을 부러
워하게 만든다.

사탄은 또 "너는 하나님을 기쁘시게 하지 못해. 너는 영적인 사
람이 못돼. 너는 성경을 제대로 읽지 않지. 너는 하나님과 밀접하
지 않아"라고 하면서 죄책감을 준다. 우리는 이러한 생각들 때문
에 마치 신선한 공기를 맞으며 하나님이 의롭다 하시는 햇살을 받
을 수 없는 것처럼 느끼게 된다. 어떤 그리스도인들은 황량한 죄
책감 속에서 매일을 살아간다.

이와 같은 두 가지 견고한 진은 우리가 그것들을 거절하고, 성
경에서 하나님이 우리에게 말씀하시는 것을 받아들일 때, 영적 전
쟁을 통해 분명히 무너진다.

생각의 파수꾼

생각은 우리의 입 속에 들어가는 음식과 같다. 우리는 의식하지 않고 한 입 먹는다. 우리는 매번 씹을 때마다 멈춰서 생각하지 않아도 썩은 과일을 먹었을 땐 그것을 자동적으로 내뱉게 된다. 마찬가지로 생각과 상상력을 다루는 것은 자동적일 수 있다.

모든 군대의 주둔지에는 보초가 있다. 그들은 위치에서 움직이지 않고 서 있다가 덤불 속에서 들리는 바스락거리는 소리를 듣고 움직인다. 그리고는 즉시 "누구야?"라고 묻고 침입자를 물리칠 태세를 갖춘다.

우리 역시 모든 생각들과 모든 상상들이 신뢰할 만한 것인가를 점검하기 위해 생각의 문앞에 보초를 세울 필요가 있다. 이로써 거짓된 것, 정의롭지 못한 것, 하나님께 속하지 않은 것들을 무찌르기 위한 태세를 갖춰야 하는 것이다. 만일 적합하지 않은 것이 들어온다면 내쫓아야 한다. 모든 생각들에 대하여 경계를 서는 것, 이것이 영적 전쟁이다.

성경은 "대저 그 마음의 생각이 어떠하면 그 위인도 그러하다" (잠 23:7)고 말씀한다. 마귀의 거대한 계획 중 하나는 진정으로 구원을 받은 그리스도인들의 전투력을 무력화시키는 것이다. 비록 우리가 죽어서 천국에 간다 할지라도 사탄은 이 땅에서의 우리의 삶을 무디게 하는 데서 행복을 느낄 것이다. 마귀는 우리의 생각이 잘못되도록 영향을 주어 우리를 무력화시키고 우리들의 날과 달을 훔친다. 불행히도 사탄은 잠재된 승리자들을 이런 식으로 무력화시킨다.

마음: 두 번째 전략적인 싸움터

"무릇 지킬 만한 것보다 더욱 네 마음을 지키라 생명의 근원이 이에서 남이니라"(잠 4:23) 성경이 '마음'에 대하여 언급할 때 그것은 여러가지를 의미한다. 영적 전쟁에 관하여 나는 두 가지 성경적 의미를 취하는데 그것은 태도와 감정이다.

성경은 우리 몸의 중요한 부분을 하나님의 갑옷으로 방어하라고 말한다. 머리와 가슴은 육체적으로나 영적으로 가장 치명적이며 공격당하기 쉬운 부분이다. 전투에서 팔이나 다리를 잃을 수는 있지만 머리나 가슴의 부상은 거의 확실한 죽음을 가져온다. 영적인 의미에서 우리들의 머리와 가슴은 똑같이 취약한 부분이며 동일한 보호가 요망된다.

우리 그리스도인들은 악한 행위에 대해서는 확고히 서 있지만 동일한 성실함으로 우리의 태도를 지키지는 않는다. 만일 우리가 존경하는 목사님이 간통을 범하고 동성연애를 하고 도적질하는 자라는 것을 발견하게 되면 우리는 분개한다. 우리는 즉각 조치를 취하는데 집회에 참석하는 것을 중단시키고 복사직을 박탈하기 위해 할 수 있는 한 모든 일을 다 한다. 또 후임으로 온 한 목사님이 열정적이기는 하나 반항적이고, 독선적이고, 논쟁적이고, 잘난 척하고, 오만하고, 화를 잘 낸다면 그 역시 해고시킬 것이다. 그리곤 어깨를 으쓱이며 "바로 우리처럼 인간적인 목회자를 찾는 게 좋겠습니다"라고 말할 것이다.

그러나 성경의 기준은 그렇게 관대하지 않다. 에베소서 4장 26-27절에서는 "해가 지도록 분을 품지 말고 마귀로 틈을 타지 못하게 하라"고 말씀한다. 물론 화를 내는 것이 우리가 가질 수 있는 잘못된 태도로 유일한 것은 아니다. 그러나 우리가 이 구절

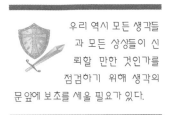
우리 역시 모든 생각들과 모든 상상들이 신뢰할 만한 것인가를 점검하기 위해 생각의 문 앞에 보초를 세울 필요가 있다.

과 그 다음에 나오는 구절에서 알 수 있는 것은 마음을 괴롭게 하는 모든 잘못된 태도가 마귀에게 공격의 기회를 준다는 것이다. 그리고 기억해야 할 것은 바울이 이 편지를 신약 성경에 나오는 교회 가운데 보다 성숙한 교회를 향하여 쓰고 있다는 것이다! 갈라디아 교회나 고린도 교회와는 달리 에베소 교회는 문제가 있는 교회가 아니었다.

이 교회는 비교적 성숙하고 성령으로 충만하며 전적으로 헌신된 그리스도인들로 가득하였다. 그럼에도 바울은 에베소 성도들에게 마귀에게 자리를 내어주지 못하도록 경고해야겠다는 필요성을 느꼈다. 그래서 그는 에베소 성도들이 마귀에게 자리를 내어주고 있지는 않지만 그렇게 할 수도 있다고 말했다.

에베소인들에게 가능하다면 우리에게도 가능하다. 이것은 가능성 그 이상의 일이다. 그러나 안타깝게도 우리가 아주 쉽게 포기하는 영역은 바로 우리의 태도며, 그러한 태도로 인한 말과 행동이다.

치아를 닦듯 날마다 태도를 다스리라

우리는 너무나 자주 잘못된 태도들이 자리잡도록 내버려두며 그것들을 점검하지 않은 채 드러낸다. 우리의 마음을 적으로부터 지키기 위해 우리는 잘못된 태도들이 드러나는 대로 바로잡아야 한다. "해가 지도록 분을 품지 말라"는 말씀은 우리가 절대로 분노를 품어서는 안 된다고 하는 말씀이 아니라 분노를 다스리라고 하는 말씀인 것이다.

우리는 구원을 받음과 동시에 우리의 모든 나쁜 태도들이 없어졌다고 생각하지 않는다. 성경은 우리의 삶을 운용하고 결정을 내리고 잘못된 태도들을 고쳐야 하는 매일의 책임이 우리에게 있다고 분명히 말한다.

우리는 매일 샤워를 하고 이를 닦는다. 나는 "그저 가만히 있기만 해, 왜냐하면 하나님께서 오늘 내게 옷을 입혀주기 원하신다면 그분이 옷을 입혀주실 것이니까"라거나 "하나님께서 내 이를 깨끗하게 하기를 원하신다면 그분이 이를 닦아주실 거야"라고 결코 말하지 않는다. 우리는 이런 자질구레한 일이 우리의 일이며 우리가 계속해서 해야 하는 일이라는 것을 알고 있다. 우리는 피곤할 때나 우울할 때나 복잡할 때나 상관없이 집을 나서기 전엔 항상 옷을 입는다.

우리는 잘못된 태도들을 다룰 때 바로 그와 같이 책임 있게 처리해야 한다. 만일 우리가 "오늘 나의 행동과 태도들에 대해서는 책임이 없어"라거나 "내가 그렇게 느끼지 않을 땐 뉘우치거나, 사기를 낮추거나, 미소를 띠거나, 다른 사람을 격려할 의무까지는 없어"라고 말한다면 그것은 마치 "2월이 내게는 견디기 어려운 달이기 때문에 소나기가 오는 3월까지는 기다려야 한다고 생각해"라고 말하는 것만큼이나 어리석은 소리다.

옛사람을 벗어버리고 새사람을 입는다는 것(엡 4:22-24)은 우리의 태도를 다스리는 매일의 책임을 감당한다는 말이다. 이러한 책임은 새신자라거나 혹은 힘이 다 빠졌다거나, 이해하지 못한다는 등의 그 어떤 이유로도 무시될 수 없다(엡 4, 골 3:8).

어둠의 세력이 우리들의 태도를 조롱할 수 있기 때문에 책임 있고 성실하게 산다는 것은 매우 중요하다. 우리가 여전히 교만과 불순종 가운데서 지낸다면 어둠의 세력으로부터 보호될 수 있다는 보장은 하나님께로부터도 절대로 없다. 우리의 모진 태도를 몇 달 혹은 몇 년 동안 묵인한다면 우리는 적에게 자리를 제공해 주고 있는 것이다(마 18:34-35).

우리는 여기서 우리가 믿음으로 의롭게 되고 하나님의 은혜 가운데 서 있다는 사실을 말하는 것이 아니다. 적에 대하여 어떤 문도 절대로 열어주어서는 안 된다는 것이다.

자기 삶 속에 '쓴 뿌리'가 무성히 자라도록 한 사람들은 쉽게 알아볼 수 있다(히 12:14-15). 모든 일이 자기를 성가시게 만들기 때문에 화를 내고 비판적인 사람이 된다는 것이다. 그런 사람들은 관계하고 있는 모든 이들에 대한 불만을 내뱉는다. 그들은 환경이나 남편, 아내, 조직 등을 교체할 수는 있지만 계속해서 그들을 괴롭히는 사람들이 생겨날 것이다.

쓴 뿌리의 모습이 드러날 때 우리는 지체없이 그것을 제거해야 한다. 묘목일 때 나무의 뿌리를 뽑는 것은 비교적 쉬운 일이다. 그러나 일단 나무가 다 자라나면 그것을 뽑는 것은 엄청난 일이 된다. 뿌리가 아주 멀리 퍼지고 거대해지면 그것을 제거하기 위해 트랙터, 다이너마이트가 동원되어야 하며, 파고 자르는 일이 수없이 반복되어야 한다. 쓴 뿌리와 다른 나쁜 태도들이 자라도록 방치하는 것도 이와 똑같다. 그 결과는 신속하게 나타난다. 다른 사람을 모질게 대한다는 것을 알았다면 우리는 해가 지기 전에 우리의 악함을 다스려야 한다. 우리는 쓴 뿌리가 확산되고 더 깊어지기 전에 우리의 삶으로부터 그것을 뽑아내야 한다.

우리가 지독함, 불순종, 자만, 교만, 불신 등을 묵인하고는 승리하는 삶을 살 수 없다. 나는 그리스도인들이 다음과 같이 말하는 것을 자주 듣는다. "글쎄요, 나는 그저 좀 반항기가 있는 것 같아요. 알다시피 나는 '네네' 하는 사람은 아니에요. 나는 모든 일에 문제를 제기하는 것을 좋아해요." 만일 거기에 마귀적인 것이 없다면 이 말은 해롭지 않고 생동감 있는 것처럼 들릴 수도 있을 것이다. 그러나 거기에 우리의 파멸을 열망하는 세력들이 있기 때문에 이러한 태도들은 영적인 패배로 내리닫는 미끄러운 활주대다.

내가 상담한 많은 사람들이—마귀는 이미 패망한 적임에도 불구하고—마귀에게 시달림을 받고 있다. 그들은 오래 전에 이미 구원을 받았고 천국으로 가고 있는 중인데도 마귀는 그들의 인생을 철저히 조각내고 있다. 그들은 변화되기를 거부하는 잘못된 태도로 인하여 적에게 자리를 내어줌으로써 자신의 성격, 결혼, 그리고 인간 관계에 문제를 안고 있다. 그리스도인도 예외는 아니다. 이것은 매우 보편적인 일이다.

예수님께서는 십자가 위에서 우리를 위해 피흘리심으로 완전한 승리를 거두셨다. 그러나 우리 마음의 잘못된 태도들을 다스리지 않는다면 우리는 일상적인 생활에서 승리를 체험할 수 없을 것이다. 하나님께서는 우리가 모르는 일에 책임을 부과하지 않으신다. 그러나 하나님께서 우리의 잘못된 태도들을 드러내 보이시면 우리는 그것들을 신속하고도 철저하게 다스려야 한다.

삶의 방식으로 겸손을 취하는 것

"그러므로 하나님의 능하신 손 아래서 겸손하라 때가 되면 너희를 높이시리라 너희 염려를 다 주께 맡겨버리라 이는 저가 너희를 권고하심이니라. 근신하라 깨어라 너희 대적 마귀가 우는 사자 같이 두루 다니며 삼킬 자를 찾나니 너희는 믿음을 굳게 하여 저를 대적하라 이는 세상에 있는 너희 형제들도 동일한 고난을 당하는 줄을 앎이니라"(벧전 5:6-9). 잘못된 태도를 다스리는 것만큼 중요한 것은 부정적인 감정을 다스리는 것이다. 감정은 잘못된 것이 아니다. 하나님께서는 감정을 갖고 계시며 우리에게 그것들을 선사하셨다. 감정은 우리 삶에 중요한 요소다. 감정이 없다면 우리는 회색빛의 개성 없는 존재로 지내게 될 것이다.

그러나 마귀는 부정적인 감정을 불어넣기를 좋아한다. 마귀는 사람들의 감정에 엄청난 영향을 미친다. 베드로전서 5장 6-9절까지는 우리에게 감정과 태도를 다스리는 비결을 제공한다. 첫 번째 명령은 우리 자신을 낮추라는 것이다. 우리 자신을 낮춘다는 것은 무엇을 의미하는가? 그것은—우리 이상도 아니고 우리 이하도 아닌—우리가 누구인지 알기를 선택하는 일이다. 그러면 우리는 얼마나 자주 우리를 낮춰야 하는가? 그건 그렇다치고 우리는 얼마나 자주 샤워를 하는가? 필요한 만큼 자주 하지 않는가? 낮출 필요가 있을 때마다 우리 자신을 낮추는 것이 온전한 삶을 사는 열쇠다.

그리스도인의 완전함이란 오늘날 교회에서 여전히 논쟁이 되는 주제다. 어떤 이는 "완전한 사람은 아무도 없다"고 말한다. 그러나 예수님께서는 완전하셨고 모든 믿는 사람들의 마음과 정신 속에 살아 계신다.

성경적인 완전함이란 행위에 있어서의 완전함이 아니다. 우발적인 어떤 잘못도 범하지 않고 살 수 있는 사람은 아무도 없다. 성경은 동기와 헌신의 완전함에 대하여 말하는 것이다. 성경적인 완전함이란 진리에의 위탁을 말한다. 만일 우리가 진리를 범하면 우리는 하나님과 다른 사람들 앞에 자기를 낮추고 회개함으로써 진리가 즉시 제자리에 놓여지도록 진리 가운데 다시 위탁해야 한다.

성경적인 완전함이란 우리가 결코 분개하거나 성내서는 안 된다는 것을 의미하지는 않는다. 그것은 우리 삶 속에서 그러한 것들이 발견되면 우리 자신을 낮춤으로써 그것들을 즉시 다스려야 한다는 것을 의미한다. 자신을 낮추는 것은 우리의 삶의 방식이 되어야 한다. 그것은 "죄송해요, 제가 교만했습니다. 용서해 주시겠습니까?"라고 말하는 것처럼 간단한 일이다. 성경적인 완전함이란 그러한 것들이 드러나는 대로 다스리는 것을 말한다.

사탄의 세 가지 지지대를 무력화시켜라

태도들과 감정들을 다스리는 가운데, 우리는 또한 염려하지 말아야 한다(하나님께 우리의 모든 염려를 맡겨야 한다). 염려는 두려움과 불신을 나타낸다. 우리는 하나님을 믿으면서 염려할 수 없다. 염려한다는 것은 하나님의 의도와 우리를 돌보시는 그분의 능력을 의심하는 것이다.

성경에 나오는 수많은 훈계들 중 이 두 가지—겸손할 것과 염려치 말 것—는 영적 전쟁에 있어 핵심적인 것이다.

우리 중 아주 많은 사람들이 사탄의 거대하고 치밀한 지배를 받는다. 사교, 점술, 동양 종교들과 철학, 인본주의, 음란물, 마약, 살인, 그리고 모든 궁리할 수 있는 온갖 악들이 어둠의 세력의 지휘를 받는다. 이러한 어둠의 가공할 만한 지배는 전세계에 영향을 미치며 하나님과 그의 나라에 의해 강력히 지배받지 않는 그리스도인들을 압도한다.

이러한 악의 거대하고 치밀한 구조 속에서 그 모두를 함께 지탱시켜 주는 세 가지 지지대가 있다. 세 가지 지지대는 사탄이 하는 모든 일의 토대를 이룬다. 이것들을 우리의 삶 속에 허용하지 않는다면, 우리는 효과적으로 사탄을 무장해제시키고 우리의 삶 가운데 마귀가 획책한 모든 일들을 무력화시킬 수 있는 것이다. 이들 세 가지는 교만과 불신, 그리고 두려움이다. 사탄이 하는 모든 일들, 어둠의 왕국과 그의 본성은 교만과 불신, 두려움으로부터 비롯되는데, 이런 것들은 그리스도인의 삶에 용납되어서는 안 된다.

우리는 우리 자신을 낮춤으로써 교만을 다스리고, 우리의 염려들을 하나님께 맡김으로써 불신과 두려움을 다스린다.

근신하면서 미소지을 수 있어야 한다

베드로는 베드로전서 5장 8절에서 우리에게 "근신하라"고 호소한다. 근신한다는 것은 술에 취하지 않는 것과 자주 같은 뜻으로 여겨진다. 한 가지 잘못된 해석은 근신함을 얼굴의 특별한 표정과 연관시켜 이야기하는 것이다.

나는 주일날 웃는 것은 바람직하지 못하다고 생각하는 신사와 함께 교회를 다니며 자라왔다. 그는 주일이 거룩한 날이며, 경박해선 안 되고 근신해야 한다고 믿었다. 그는 때때로 우리와 주일 만찬을 같이 했다. 우리 어린이들은 그가 혹이나 잊어버리고 웃는가 지켜보았지만 그는 양심을 저버리는 일이 없었다.

영적 전쟁에 있어서 근신한다는 것은 항상 깨어 있다는 것을 의미한다. 이것은 우리를 둘러싸고 있는 것을 의식하지 못하도록 방해하는 세력의 그 어떤 영향도 받지 않는 상태를 말한다.

총탄과 박격포가 머리를 스쳐가는 최전선에서 방공호나 참호는 은신처가 된다. 총탄들은 참호 위로 날아가고 우리는 모래주머니 뒤에서 비교적 안정을 취할 수 있다. 우리는 우리가 있는 곳이 어딘지를 명심하는 한 대체로 안정을 취할 수 있다. 만일 우리가 어디에 있는가를 잠시라도 잊는다면 우리는 참호 밖으로 머리를 들게 되고 그때는 죽기 십상이다.

우리가 근신하는 한—항상 우리가 어디에 있는가를 알고 또 잠재적인 위협들을 의식하는 한—우리의 삶을 충만한 삶으로 영위할 수 있고 성령께서 모든 위험으로부터 우리를 지키신다는 확신

가운데 거하게 된다. 그리스도인들은 다른 사람들보다 생활에 더 큰 즐거움을 가질 수 있다. 삶이란 영위하는 것이다. 그러나 모든 상황 속에서, 모든 사회적 모임에서, 모든 형식의 오락에서, 그리고 모든 대화 속에서 우리는 우리가 있는 곳을 명심해야 한다. 우리는 워밍업이나 가상 훈련을 할 시간이 없는 실제 전투의 최전선에 서 있다. 이것은 실제 상황이다. 베드로전서 5장에서 주어지는 두 번째 단계는 "깨어 있으라"는 것이다. 우리는 마귀가 하는 일을 파악하기 위해―자는 일 없이―눈을 뜨고 있어야 한다.

베드로가 겸손하며, 염려하지 말며, 근신하고 깨어 있으라고 말하는 이유는 "너희 대적 마귀가 우는 사자같이 두루 다니며 삼킬 자를 찾기" 때문이다. 우리는 우리의 실제의 적을 자주 잊어버린다. 적은 지도자나 다루기 힘든 동료나 혹은 시어머니가 아니다. 우리의 적은 마귀다. 그는 각각의 그리스도인의 적이다. 우리는 어둠의 세력을 모든 사람의 삶에 침투하기는 하지만 개별적으로는 공격하지 않는 모호한 악한 세력으로 생각하는 경향이 있다. 하지만 그리스도인들에 대한 사탄의 가장 성공적인 공격은 전체로서 교회에 대한 공격이 아니라 개개인에 대한 공격이다.

으르렁거리는 소리를 두려워하지 말라

우는 사자는 두루다니며 하나님의 자녀를 삼키려 하지만, 하나님의 보호하시는 능력으로 인해 그렇게 할 수가 없다. 마귀는 이것을 알기에 실제로 그리스도인들을 삼킬 수 없음에도 불구하고 으르렁거리는 소리만으로 겁을 준다. 이것은 종종 개인이 가질 수 있는 그 어떤 전투력도 무력화시킨다.

사자의 포효, 그 턱의 힘, 그리고 그 발톱의 날카로움은 놀랄 만한 것이다. 장대한 포효 앞에 직면하여 죽음의 위험을 느낄 때

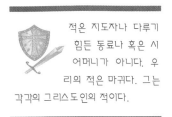

적은 지도자나 다루기 힘든 동료나 혹은 시어머니가 아니다. 우리의 적은 마귀다. 그는 각각의 그리스도인의 적이다.

우리는 감정적으로 대처하기가 쉽다. 그러나 우리가 마귀의 울부짖음에는 반응하고 하나님께 순종하는 것에는 이탈한다면, 그것은 마귀가 우리를 멸망시키도록 허용하는 것이 되고 만다.

사탄이 포효하면 우리는 움찔한다. 마귀가 울부짖으면 우리는 분노를 터뜨린다. 마귀가 울부짖으면 우리는 강한 색정을 품고, 낙망하며, 반항적이 된다. 우리는 사자의 울부짖음에 이끌리는가, 아니면 하나님께 이끌리는가?

우리는 보다 많은 돈이 필요하기 때문에 직업을 바꾼다. 우리는 외롭기 때문에 결혼을 한다. 우리는 더 많은 물건을 들여놓기 위해 방을 만들고, 더 큰 집을 원하기 때문에 이사를 한다. 우리는 화가 나거나 싫증이 나거나, 아니면 개선의 여지가 없다는 생각 때문에 교회를 떠난다. 이런 결정을 하는 가운데 하나님의 음성을 듣는가? 우리가 단지 감정적으로 결정한다면 하나님은 우리의 안내자가 아니다. 우리는 사자의 울부짖음에 의해 인도되고 있는 것이며 우리의 분노, 두려움, 그리고 교만으로 인해 각자 방어할 수 있는 위치에서 마귀가 우리를 삼킬 수 있고 또 삼킴을 당하는 위치로 내려가고 있는 것이다. 주위를 둘러보면 우리는 사자의 포효에 이끌려 간 사람들의 빈 자리와 빈 초소를 발견하게 된다.

사탄은 우리의 약함을 파악하는 데 재빠른 이론가다. 우리가 약할 때 유혹하고 공격하는 것이 그의 본성이다. 마귀는 우리의 나머지 생애 동안 두고두고 반복하면서 한 가지 일만 계속한다. 마귀는 자기가 울부짖을 때 반응해야 한다고 우리에게 말한다. 마귀는 그것이 우리가 해야 하는 것이고 대항하기에는 무력할 뿐이라

고 말한다. 그러나 이것은 거짓말이다. 어떤 굴레도 우리를 자유케 하시는 그리스도의 능력보다 더 크지 못하다.

하나님께서는 우리의 인도자가 되기를 원하신다. 하나님은 우리를 사랑하시고 우리에게 가장 좋은 것이 무엇인지 알고 계신 분이다. 그분은 우리에게 감정을 주셨고 또한 감정상의 충족을 바라신다. 우리는 웃고 노래하며 재미와 흥분을 느껴야 한다. 또한 슬퍼하고 울며 애도할 수 있어야 한다. 우리의 삶은 정서적으로 균형 잡힌 삶을 살도록 의도되었다. 그러나 우리는 이런 감정을 바탕으로 삶의 결정을 해서는 안 된다. 우리는 하나님의 인도를 받아야 하며, 우리의 감정이나 사자의 울부짖음에 인도되어서는 안 된다.

인본주의적 철학은 '좋으면 하라'고 말한다. 이것은 자기 중심적인 반신적, 반기독교적 명제다. 무엇을 느낀다는 것 속엔 선택이 포함되어 있지 않다. 그렇지만 우리가 무엇을 선택하는가 하는 것은 우리의 느낌에 지대한 영향을 미친다. 우리는 느끼는 것에 상관없이 진리에 순종해야 한다. 만일 우리가 하나님께 순종한다면 만족감이 뒤따를 것이다.

하나님께서는 우리가 우리의 발을 단단히 고정시키고 단호한 각오로 다음과 같이 말하기를 바라신다. "내 기분이 어떻든 내가 원하는 것이 무엇이든 나는 요동치 않는다. 나는 내가 구하는 것이 나를 우울하게 하고, 굴욕적이고, 좌절되고, 상처를 주고, 실망시키고, 환멸을 느끼게 하는 것이라도 개의치 않는다. 하나님께서 분명하게 내가 움직일 곳을 가르쳐 주시기 전에는 이곳에서 단 한 발짝도 움직이지 않겠다."

하나님께서도 그렇게 하시기 때문에 우리도 우리에게 무슨 일이 생기더라도 우리는 오직 하나님께만 응답하는 사람이라는 것을 알아야만 한다. 심지어 우리가 절망의 구렁텅이에 빠져 있을 때라도, 우리가 부당하게 취급당할 때도, 다른 사람이 우리를 실망시킬 때도, 그리고 우리의 모든 감정들이 우리에게 움직이라고 혹은 멈추라고 크게 외칠 때도 우리는 계속해서 하나님만 바라보아야 한다. 그분은 우리를 실망시키는 법이 없다. 우리는 우리 자신에게 "아니오"라고 말해야 하고 하나님께는 "예"라고 말해야 한다. 이것이 영적인 성숙함이다. 우리 속에 있는 결심을 목도하는 한 마귀는 편치 못할 것이다.

입: 세 번째 결정적인 지역

형제들의 권면자요 진리의 선포자인 우리가 얼마나 자주 우리의 입을 마귀의 손아귀에 내어줌으로써 파괴의 도구가 되도록 내버려두고 있는가? 내가 상담한 사람들의 생활 속에 쌓인 많은 깊은 상처들은 자신들에게 직접, 혹은 자신들을 두고 하는 말 때문이었음을 알 수 있다. 이렇게 말로 인한 상처는 신체를 손상시키는 것과 똑같은 상처다.

말이란 생명을 가져오기도 하고 사망을 가져오기도 하는 놀라운 도구다. 입에서 나오는 말은 '영적인 능력'을 가져오는 마음의 자세와 결합되어 있다. 입이 거룩하게 구별되었을 때는 계시를 보여주는 설교나 메시지를 통해 영적인 능력을 발휘한다. 설교자의 말과 정의로운 마음은 성령께서 우리의 정신과 마음을 하나님의 진리 가운데 열어 놓는 기회를 제공한다. 성령으로 거룩하게 됨으로써 말은 삶을 변화시키는 능력에 이르게 된다.

우리의 말은 진리, 정의, 생명을 위한 성령의 도구가 될 수도 있고 기만과 비난, 죽음을 위한 사탄의 도구가 될 수도 있다. 말은 음악과 같은 매체다. 매체는 선한 것도 아니고 나쁜 것도 아닌 가치중립적인 것이다.

> 말이란 생명을 가져오기도 하고 사망을 가져오기도 하는 놀라운 도구다. 입에서 나오는 말은 '영적인 능력'을 가져오는 마음의 자세와 결합되어 있다.

말이 힘을 가진다는 사실은 많은 그리스도인들에게 새로운 것이 아니다. 우리는 다른 나라에 있는 사람이 아플 때, 그로부터 수천 마일 떨어져 있는 사람들이 모여서 함께 기도할 수 있고 그것은 아픈 사람의 신체를 낫게 한다는 것을 믿는다. 우리는 기도의 능력을 믿는다. 만일 말이 아무런 힘도 없고, 하나님께서 자기 계획대로만 일하신다면 우리는 기도를 그만두는 편이 나을 것이다. 그러니 우리가 하나님께서 약속하신 대로 그의 뜻에 따라 기도한다면 말은 하나님을 움직이는 힘을 갖는 것이다.

그 말들은 어디로부터 왔는가?

만일 우리가 다른 나라에 있는 환자를 돕기 위한 초자연적인 능력을 발휘힐 수 있다면, 우리가 모여 불평하고 비난할 때 어떤 능력을 발휘할 수 있는가? 말들이 이기적이거나 판단하는 마음으로부터 넘쳐날 때, 우리는 실제로는 아무런 해악도 범하고 있지 않다고 생각하기 쉽다. 그러나 말에는 힘이 있으며, 우리의 입은 생명과 사망의 원천인 것이다. "죽고 사는 것이 혀의 권세에 달렸나니 혀를 쓰기 좋아하는 자는 그 열매를 먹으리라"(잠 18:21). 다윗은 "여호와여 내 입 앞에 파수꾼을 세우시고 내 입술의 문을 지키소서"라고 기도했다(시 141:3). 다윗의 기도는 우리의 기도가 될 필요가 있다.

우리의 입을 지키는 것이 중대한 일이라는 것은 욥의 이야기에서 나타난다. 고통스럽고 화나는 모든 일에 대하여 침묵을 지키고 억눌러야 하는 것이 아니다. 말로 다 표현할 수 없는 괴로움을 겪는 가운데서 욥이 잠잠히 있었던 것만은 아니다. 그럼에도 욥은 어리석게 하나님을 원망하지도 않았고, 그의 입술로 죄를 범하지도 않았다(욥 1:22, 2:10). 이것은 놀라운 진술이다. 왜냐하면 욥은 확실히 잠잠히 있지 않았기 때문이다. 그는 하나님께 소리질러 질문했다. 그는 "나는 이해할 수 없습니다. 당신은 공의로우신데 어째서 내게 이 일을 행하십니까?"라고 고함을 쳤다. 그리고 심지어 "하나님, 당신은 이 일로 해서 나쁜 평판을 얻게 될 것입니다!"라고까지 말했다.

그렇지만 그는 그 선을 넘어가지 않았다. 내 친구 톰 할라스는 "욥은 결코 하나님의 성호에 불충했던 적이 없다"고 말한 적이 있다. 욥이 그 입술로 죄를 범하지 않았기 때문에 사탄은 그의 삶에 접근할 기회를 얻지 못했다.

하나님께서 우리에게 동일한 말씀을—우리가 우리의 입술로 범죄치 않았다고—하실 수 있으실까? 많은 일들이 우리를 압박할 때, 그래서 난처해지고 괴로울 때, 우리는 하나님의 성호에 충성하는가? 우리는 우리의 입술에 주의하고 있는가?

추한 진전을 미화시키는 일
입으로 죄를 짓는 방법은 수없이 많기 때문에 사탄은 우리의 말들을 부추긴다. 이러한 일은 우리가 친구들과 모였을 때 자주 일어난다. 그것은 으레 누군가가 거기 없는 어떤 사람에 대하여 악의없는 견해를 말하는 것으로부터 시작된다. 견해는 관찰이 되고 관찰은 우려로 전환된다. 우려는 비판이 되고 비판은 비난이 된다. 우리는 추한 진전을 미화시키고 있는지 모른다. 우리의 가혹한 언어들은 '사랑의 언어'들로 표현될 수 있다.

"존을 위해 진정으로 기도가 필요합니다. 왜냐하면…" "이것을 방금 당신과 나누었으니, 당신은 무엇을 위해 기도해야 할지 알겠지요." "나는 그녀를 판단하지 않아요. 하지만…." "그는 굉장히 훌륭한 지도자예요. 그러나…."

야고보서 3장 10절은 "한 입으로 찬송과 저주가 나는도다"라고 말씀한다. 우리는 실제로 우리 입으로부터 초자연적인 축복을 놓치거나 사람들에 대한 적의 공격을 지원해 줄 수 있다.

우리의 입은 또한 하나님께서 우리 가운데 세우고자 하시는 것을 비방할 수도 있다. 거의 모든 집단에는 '불신의 세례를 받은' 사람이 있다. 이런 사람은 모든 계획과 모든 사업에서 결점들과 불가능성들을 발견한다. 그는 모든 사람들이 "그 일은 될 리가 없어"라고 믿을 때까지 부정적인 말을 함으로써 집단 전체에 영향력을 행사할 수 있다. 민수기 13장에서 열 명의 정탐꾼이 한 싯처럼 부정적인 보고를 확산시키는 것은 하나님을 진노케 하는데, 그 이유는 그것이 하나님이 그의 백성들에게 하고자 하시는 일을 훼방하기 때문이다.

우리의 입에는 힘이 있다. 우리가 말하는 것은 부정적이든 긍정적이든 영적인 능력을 갖는다. 우리의 마음으로부터 나오는 말들은 우리와 다른 사람들을 더럽힐 수 있다. 우리는 우리의 입을 지켜야 한다. 이것은 규율—우리의 마음이 말해서는 안될 것을 말하려고 할 때 우리의 입술을 그저 굳게 다문다는 규율—을 필요로 한다. "입에서 나오는 것들은 마음에서 나오나니 이것이야말로 사람을 더럽게 하느니라"(마 15:18).

만일 우리가 우리의 생각, 마음, 그리고 입을 지속적으로 지킬

수 있다면, 우리는 우리의 삶에 마귀가 접근하는 것을 거부하게
될 것이고 진정한 승리를 체험하게 될 것이다. 우리는 공격을 계
속할 태세를 갖추게 될 것이다.

제 5 장
〔영적으로 강하게 되는 방법〕

"약한 자도 이르기를 나는 강하다 할지어다"(욜 3:10). 우리는 앞에서 영적 전쟁은 언제나 정신을 바짝 차리는 것을 요구한다는 점에서 씨름과 같나는 것을 알았다. 여기에는 또 다른 유사한 점들이 있다. 씨름은 육체적·정신적·감정적인 조절을 요구한다. 사실 씨름은 다른 어떤 운동보다도 훨씬 더 육체직인 강인함을 요구한다. 마찬가지로 영적 전쟁 또한 높은 수준의 영적인 강함을 필요로 한다. "종말로 너희가 주 안에서와 그 힘의 능력으로 강건하여지고"(엡 6:10).

영적 전쟁에 관하여 이야기할 때 성경은 단지 우리에게 "강하라"고 명령한다. 이것은 우리가 그리스도인이 된 후 몇 년이 지나야 강해질 수 있다는 말이 아니다. 또한 우리가 결코 강해질 수 없는 약골이라는 것을 암시하는 것도 아니다. 우리는 너무나도 자주 우리가 누구인지와 하나님께서 우리를 위하여 행하신 것들을 부인함으로써 우리 자신을 속인다. 우리는 다음과 같은 찬송에서 우리의 신학을 얻을 수 있다. "나는 약하나 당신은 강하십니다." 하나님의 말씀은 "약한 자도 이르기를 나는 강하다 할지어다", "강건하라"고 말한다. 주님 안에서 강한 우리가 우리의 약함을 선언할 때는 이것을 부인하는 것이 된다.

최근 저명한 한 정부 관리가 공적인 자리에서, 예수님이 우리에게 몇 가지 놀라운 것들을 말씀하셨으나 아무도 그대로 살 수 없다고 주장했다. 많은 사람들이 성경이 말하는 것은 불가능한 것이고, 성경의 목적지는 도달할 수 없는 것으로 믿고 있다.

이러한 태도는 진리와 모순된다. 그것은 우리가 예수 그리스도 안에서 새로운 피조물이라는 하나님의 말씀과 직접적으로 반대된다. 그러나 얼마나 많은 그리스도인들이 자신들은 강하며 겸비하며, 혹은 거룩하다고 고백하는가?

하나님은 잔인한 경기를 하시는가?

하나님은 우리에게 할 수 없는 것을 하라고 요구하실까? 하나님이 우리에게 신발 세 개를 던져주고 우리에게 각각의 발에 하나씩 신으라고 명하실까? 나는 얼마나 많은 이들이 이러한 신앙적 관점을 갖고 있는지를 알고나서 충격을 받았다. 이러한 관점은 당나귀 앞에 당근을 달아놓는 것과 같다. 당나귀는 조금 미치지 못하는 곳에 매달려 있는 당근을 향해 계속해서 앞으로 빨리 걸어나간다. 그러나 당나귀는 결코 당근을 맛볼 수 없다. 하나님은 우리와 잔인한 경기를 하시는가, 아니면 하나님이 우리에게 하라고 요구하신 것—가르쳐 주신 대로 살아가는 것—을 우리가 할 수 있는 것인가?

기독교 신앙은 단지 믿음이나 신앙 고백이 아니라 삶이다. 우리가 고수할 없는 성경적 원리, 우리가 순종할 수 없는 명령, 그리고 우리가 파악할 수 없는 약속이란 없다. 성경이 "강하라"고 말할 때 우리는 강할 수 있다. 성경이 "겸비하라"고 말하면 우리는 겸비할 수 있다. 성경이 "거룩하라"고 말하면 우리는 거룩할 수 있다.

우리 자신의 힘으로 이것을 할 수 있는 것은 아니다. 자존심은 "나는 나 스스로 강할 수 있다"라고 말한다. 이런 자존심을 가지고 있는 사람들은 곧 그들이 하나님을 필요로 하는 어려운 길을 발견한다. 그분은 우리의 힘이다. 우리의 모든 것, 우리가 가진 모든 것, 우리가 할 수 있는 모든 것은 그분 때문이다.

우리는 영적 전쟁 속에 있다. 만약 우리가 강해질 수 있다는 것을 모른다면 우리는 계속 패배 속에서 살아간 것이다. 하나님이 우리에게 말씀하신 것을 불가능하다고 생각하는 것은 얼마나 비극인지…. 우리는 강하다. 이것은 자랑이 아니며, 자존심이 아니다. 이것은 하나님의 진리와 일치하는 겸손이다. 그리스도 안에서 우리는 강하다.

영적인 조절

운동 선수들은 조깅이나 훈련, 체중 감량을 통해 자신의 육체를 조절한다. 그는 강할지는 모르나 반드시 그 힘을 유지해야만 한다. 영적 전쟁의 경우에도 한 상태에 머무른다는 것은 중요하다.

그리스도인들이 힘을 유지할 수 있는 길은 많다. 첫째는 하나님께 이야기하고 듣는 것이다. 틀에 박힌 형식적인 기도가 우리에게 힘을 주는 것은 아니다. 기도는 우리에게 힘을 줄 수도 주지 않을 수도 있지만 하나님께 이야기하는 것은 언제나 힘을 준다. 우리는 하나님과 열린 대화를 하는 것에서 멀어졌다. 기도는 언쟁이 아니라 살아 계신 하나님과 나누는 친밀한 대화며 우리를 강하게 하는 것이다. 우리는 하나님의 현존에 들어가 그분과 이야기를 나누어야 하며, 그분이 관심을 갖고 들으신다는 것을 알아야 한다. 그리고 나서 우리는 반드시 동일하게 그분으로부터 들으려고 해야 한다. 강함은 그의 현존하심으로부터 오게 된다.

두 번째로 우리는 하나님의 말씀을 묵상해야 한다. 기도할 때와 마찬가지로 이것 역시 단지 종교적인 훈련이 되어서는 안 된다. 성경을 읽는 것은 우리에게 힘을 줄 수도 주지 않을 수도 있지만 성경을 묵상하는 것은 언제나 힘을 주게 된다.

다른 이들과 마찬가지로 나는 성경의 여러 말씀들을 읽어 왔다. 그러나 내 생각은 진리를 알고자 하는 것에는 멀리 떨어져 생각은 다른 곳에 있었다. 나는 진리를 조금도 흡수하지 못했던 것이다. 우리가 필요한 것을 마쳤다는 의미에서 우리의 규칙적인 성경 읽기를 끝내는 것은 쉬운 일이다. 그러나 우리가 하나님의 말씀을 묵상하지 않고, 이해하지 않고, 믿지 않고, 받아들이지 않는다면 우리가 이룬 것은 무엇이란 말인가? 그것은 종교적 행위에 지나지 않는다.

우리들 중 어떤 이들은 수많은 설교를 듣고 성경을 많이 읽었을 것이다. 그런 것들 가운데 어느 것이 우리의 삶에 차이를 가져왔다면, 그것은 오로지 우리가 시간을 들여 오랫동안 숙고하고 그것이 의미하는 바를 탐구해왔기 때문이다. 단순히 성경 구절을 읽는 것은 우리의 삶에 진정한 의미를 부여하지 못한다.

나는 하나님의 말씀을 묵상하는 것을 도와주는 작은 게임을 한다. 설교를 듣고 성경을 읽는 매번 나는 누군가가 나에게 손가락을 겨누고 "당신이 지금 배운 것을 말해보시오"라고 요구하는 것처럼 가장하는 것이다. 이것은 나로 하여금 반성하게 하고 때때로 말씀을 묵상하게 한다.

교제는 우리를 강하게 한다

우리가 강하게 되기 위해 해야 할 또 하나의 일은 교제다. 성경을 읽는 것과 마찬가지로 이것은 자주 종교적 활동에 그칠 수 있다. 우리는 모두 교회로 가서 악수를 하고, 등을 두드리고, 웃음을 나누고, 껴안고, 인사를 한다. 그러나 교제의 바탕에 깔려 있는 완전한 개념은 단지 만남을 가진다는 것이 아니라 가장 커다란 공통점을 가진 자, 즉 그리스도 안에서 형제, 자매된 자들과의 관계를 촉진시키는 것이다.

교회에 다니는 것은 우리를 강하게 할 수도 하지 않을 수도 있지만, 교제는 언제나 우리를 강하게 한다. 교제는 개방성과 솔직함과 함께 시작된다. 겸비함으로 서로 관계를 맺는 것은 우리를 강하게 한다. 자존심이나 독립심 등 우리의 삶에서 다른 이들을 차단시키는 것들은 우리가 아무리 많은 모임에 나간다고 해도 결코 우리를 강하게 하지 못한다. 우리는 사람들 한가운데 있으면서도 여전히 숨어 있을 수 있다. 그러나 우리가 적절한 장소와 적절한 때, 적절한 정도로 적절한 사람들에게 우리의 방어를 낮출 때 우리는 진정한 교제에 들어갈 수 있다. 이것은 책임 있는 개방성이다.

"오직 오늘이라 일컫는 동안에 매일 피차 권면하여 너희 중에 누구든지 죄의 유혹으로 강퍅게 됨을 면하라"(히 3:13). 진정한 교제는 권면하는 것을 포함한다. 우리는 서로를 권면하여 마음이 강퍅게 됨을 면하게 할 책임이 있다. 우리는 일상의 기초에서 더 큰 믿음과 사랑과 순종을 위해 서로 관계를 맺고, 관심을 갖고, 격려해 줄 필요가 있다. 이것은 하나님과 함께 동행하는 본질적인 부분으로서 서로에 대한 헌신과 다른 사람의 부요함을 기꺼이 고려하는 것을 필요로 한다(살전 2:11, 5:11).

아마도 교회는 덜 의식적이 되고 좀더 후원 단체(support group)의 성격을 가질 필요가 있을 것이다. 우리는 하나님의 가족의 일원이다. 우리는 우리가 시련을 당하고 고생을 할 때에 도와주기를 원하는, 우리는 사랑하는 형제들, 자매들을 갖고 있다. 그리고 우리는 그들을 위해 동일한 것을 행해야 한다.

성령 안에서 기도함

"이 사람들은 당을 짓는 자며 육에 속한 자며 성령은 없는 자니라 사랑하는 자들아 너희는 너희의 지극히 거룩한 믿음 위에 자기를 건축하며 성령으로 기도하며"(유 19-20). 영적 조절의 또 다른 수단은 성령 안에서 기도하는 것, 즉 방언으로 말하는 것이다. "방언을 말하는 자는 자기의 덕을 세우고"(고전 14:4). 우리가 방언으로 말하는 것을 믿든 믿지 않든, 성경은 성령 안에서 기도하는 것은 내적 존재를 세우고 강건하게 한다고 말한다.

우리는 또한 경배드릴 때 강하게 된다. 우리는 우리를 위할 수 있는 것들만을 위해 경배드리는 것이 아니다. 우리는 하나님을 위해 경배드린다. 노래, 외침, 우리의 손을 드는 것들은 우리를 강하게 할 수도 하지 않을 수도 있지만, 참된 경배는 언제나 우리를 강하게 한다. 우리는 너무나 자주 경배를 마음에 관한, 종교적 의식 정도의 활동으로 혼동해왔다. 참된 경배는 정결한 양심을 갖고 하나님의 보좌 앞에 담대히 나아가 그 앞에 엎드려 절하는 것이다. 그것은 하나님과의 진정한 접촉이다.

어린아이도 강할 수 있다

이것은 우리의 강함을 유지하는 데 도움을 주게 되는 것들 중 하나다. 우리는 왜 강함이 필요할까? 그것은 마귀가 약한 자와 약하다고 생각하는 자들을 강탈하기 때문이다. 우리는 성경이 우리에게 강하라고 말하므로 강해질 필요가 있다. 우리의 힘은 하나님과 이루는 관계의 본질적 부분이기 때문에 강해질 필요가 있다. 강해진다는 것은 하나님을 아는 것, 하나님을 사랑하는 것, 그분과 대화하는 것, 그분으로부터 듣는 것, 그분을 경배하는 것이며 확신을 갖고 승리 가운데 그분과 함께 서게 한다.

우리는 무심코 서로에게 우리는 약하다는 것, 새로운 갓난 그리스도인은 약하다는 것을 가르치곤 한다. '그리스도인들은 약하다'는 생각은 성경에서는 찾아볼 수 없다. 새로운 그리스도인들은 먼저 그리스도인들이 된 사람들보다 약하지 않다. '갓난 그리스도인', '새로운 그리스도인'이라는 말은 단지 성숙의 정도나 쌓여진 경험을 나타내야지 무능함과 무기력함을 나타내서는 안 된다. 우리는 모르는 것이 많다. 우리는 여전히 계속 자라나고 있고 계속해서 그리스도를 닮아가도록 변화되어야 한다. 우리의 인격은 끊임없이 완전을 향하여 가고 있다. 그러나 그분 안에서 우리는 약하지 않다. 우리는 그분의 강함 속에서 강하고, 원수들과 대적할 때 그분의 강함 속에서 확신 있게 서야만 한다. 우리는 "그로 말미암아 우리가 믿음으로 서 있는 이 은혜에 들어감을" 얻었디(롬 5:2).

"붙잡는 법"을 배우라

씨름에 적용되며 또한 우리의 전투에서도 적용되는 또 다른 것은 우리가 붙잡는 것을 배워야 한다는 것이다. 씨름 경기는 힘을 바탕으로 해서만이 아니라 지식의 직접적인 결과로도 승리할 수 있다. 만약 나와 같은 체급의 씨름장사가 나에게 씨름 경기를 하자고 한다면 그는 의심할 것도 없이 씨름할 때 붙잡는 기술로 승리를 거둘 것이다. 그가 처음 씨름을 시작할 때, 중요한 것은 지식을 사용하는 것이다. 경기 도중 씨름을 멈추고 씨름 교본을 참조할 수는 없는 노릇이다. 씨름에서 움직임과 붙잡는 지식은 미리 그에게 제2의 천성이 되어야만 한다.

이것은 영적 전쟁에서도 똑같이 적용된다. 우리는 실로 강하나 우리가 알아야만 할 몇 가지 기본적인 것들이 있다. 우리는 영적 전쟁에서 붙잡는 기술을 알아야만 한다.

우리는 영적 전쟁과 씨름이 서로 동일한 것임을 알았다. 이것은 영적 전쟁에 관해 가르치는 동안 몇 가지 문제를 일으켰다. 영적 전쟁과 씨름이 서로 동일하고 여기에 해당되지 않는 사람은 아무도 없다라고 말했을 때, 몇 가지 공통적인 반응을 보게 되었다. 어떤 사람은 "잠깐만요, 선생님! 저는 믿음의 평안에 대해 배웠지 분투하고 싸우라고는 배우지 않았습니다. '씨름하지 말고 다만 평안히 거하라', '전쟁은 너희에게 속한 것이 아니요, 하나님께 속한 것이다' 라고 배웠습니다"라고 말한다. 모순된다고 생각하는가? 그러나 여기에 진정한 어긋남이란 없다. 우리는 끊임없이 계속되는 전쟁에 거할 수 있다. 중요한 것은 붙잡는 것을 아는 것이다.

만약 씨름장사가 정말로 나와 씨름을 하려 한다면 그는 아마도 겉옷을 벗으려 하지 않을 것이다. 그와의 경기는 빨리, 고통없이 (그에게 있어서), 힘을 조금도 쓰지 않고 치르게 될 것이다. 그는 한방울의 땀도 흘리지 않고 몇 초 내에 나를 처리할 것이다. 그는 경기 후 몸을 씻을 필요도 없을 것이고 그의 위치에 어떤 위협도 느끼지 않을 것이다. 그의 승리는 경기 시작 전부터 보장된 것이었고, 그에게는 약간의 생각과 노력만 필요할 뿐이었다. 그는 승부를 겨룰 때는 아니더라도 경기 전이나 후에는 평안할 수 있을 것이다.

전쟁 가운데 누리는 평안

전쟁은 계속될 것이다. 만약 우리가 이것을 인식하지 못한다면 우리는 끊임없는 패배 속에서 살게 될 것이다. 그리스도인들은 전쟁이 진행되지 않는 때가 우리의 삶에 결코 한순간도 없다는 것을 알아야 한다. 그러나 우리가 강함 속에서 걸어나가고 붙잡는 법을 안다면 전쟁은 장애가 되지 않는다. 우리는 매일 확신 가운데 걷게 되고, 위기나 환경, 적들이 일어나 공격할 때도 이것들을 잘 처리할 수 있게 된다. 그것은 끊임이 없으나 우리는 하나님을 의시함으로 강함 속에 거하게 된다.

믿음의 평안이란 아무 일도 일어나지 않고 우리가 반응할 필요가 없는, 영적으로 활동하시 않는 것을 의미하는 것이 아니다. "전쟁은 너희에게 속한 것이 아니요, 하나님께 속해 있다"라는 말은 하나님이 우리를 대신하여 어둠의 세력들과 싸우실 때 수동적으로 텔레비전이나 보며 우리의 삶을 보내는 것을 의미하지 않는다. 역대하 20장에서 "전쟁이 너희에게 속한 것이 아니요, 하나님께 속한 것이라"는 말씀은 "내일 너희는 마주 내려가라"는 말씀과 연결된다. 우리는 하나님의 권능으로 마귀들과 싸울 책임이 있는데, 우리가 붙잡는 법을 안다면 그것은 커다란 짐이 아니라 일상적인 훈련—그 안에서 우리가 평안힐 수 있는—인 것을 알게 될 것이다.

"너희가 범사에 순종하는지 그 증거를 알고자 하여 내가 이것을 너희에게 썼노라… 이는 우리로 사탄에게 속지 않게 하려 함이라 우리가 그 궤계를 알지 못하는 바가 아니로라"(고후 2:9-11).

바울은 말하기를 "우리가 (마귀의) 궤계를 알지 못하는 바가 아니로라"고 한다. 문제는 우리 중 많은 사람들이 무지하다는 데 있다. 우리는 마귀의 궤계에 대해 무지하도록—마귀를 무시하고 믿

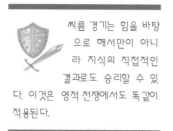
씨름 경기는 힘을 바탕으로 해서만이 아니라 지식의 직접적인 결과로도 승리할 수 있다. 이것은 영적 전쟁에서도 똑같이 적용된다.

음의 평안을 수동적인 것으로 잘못 해석하도록—가르침을 받아왔다.

우리는 마귀의 궤계를 인식하는 것을 배울 수 있다. 매상황마다 어떤 것이 마귀에게 속한 것인지 분별할 수 있고 그것을 처리할 수 있다. 우리는 우리의 결혼 생활을 파괴하고 우리의 관계를 방해하고, 우리를 우울함으로 끌어들이는 마귀의 계획을 인식할 수 있다. 마귀의 궤계를 인식하는 것은 붙잡는 것을 아는 것이다. 그것은 적을 붙잡는 법을 아는 것에서부터 시작하고, 전쟁을 빨리 끝내게 하는 되받아 붙잡는 것으로 끝난다.

우리가 원수들의 궤계를 인식할 때 그들은 실패한다. 그것들을 인식하는 것만으로도 우리는 승리할 수 있다. 그는 우리의 무지와 약함으로 강탈하지만, 우리의 강함과 그의 궤계를 아는 것에 맞닥뜨리면 실패한다.

우리를 승리하도록 도우시는 하나님의 비밀

"그러나 우리가 온전한 자들 중에서 지혜를 말하노니 이는 이 세상의 지혜가 아니요 또 이 세상의 없어질 관원의 지혜도 아니요 오직 비밀한 가운데 있는 하나님의 지혜를 말하는 것이니 곧 감추었던 것인데 하나님이 우리의 영광을 위하사 만세 전에 미리 정하신 것이라 이 지혜는 이 세대의 관원이 하나도 알지 못하였나니 만일 알았더면 영광의 주를 십자가에 못박지 아니하였으리라"(고전 2:6-8).

어둠의 세력에게는 감추었지만 만일 우리가 하나님 앞에서 겸비한다면 우리가 얻을 수 있는 지혜가 있다. 히브리서 기자가 말하듯이 이 지혜는 장성한 자들에 관한 것이다. 히브리서 5장 14절은 장성한 자는 "지각을 사용하므로 연단을 받아 선악을 분변하는 자들이니라"고 말한다.

하나님의 지혜의 비밀은 마귀의 궤계를 인식하기를 배우고 있는 자들에 관한 것이다. 우리는 원수의 궤계를 인식하는 데—하나님에게서 나온 것과 마귀에게서 나온 것을 분별할 수 있기 위하여—우리 자신을 훈련해야 한다. 하나님의 지혜는 우리의 삶과 우리를 둘러싸고 있는 세상에서 원수의 일을 인식하고 분별하는 데 도움을 줄 것이다. 만일 우리가 하나님을 만난다면 우리는 붙잡는 것을 알게 될 것이다. 우리를 대적하는 원수의 음모를 인식하게 될 것이다.

우리는 즉시 이렇게 반응할 수 있다. "나는 마귀가 나를 여기로 끌어들이기 위해 무엇을 할 것인지 알고 있다. 그러나 나는 그렇게 하지 않을 것이다. 나는 우울함에 굴복하지 않을 것이다. 나는 비난하는 것에 참여하지 않을 것이다. 나는 내 아내에게 화를 내지 않을 것이다. 나는 이러한 잘못된 관계에 말려들지 않을 것이다."

우리는 마귀의 궤계가 다가오는 것과 우리의 장소에 서 있는 것을 볼 수 있다. 우리가 붙잡는 것을 안다면 그들을 대적할 수 있고, 영적 전쟁은 매일 몸을 씻는 것처럼 편안한 일상의 일이 될 것이다.

우리의 총을 잘못된 방향으로 겨누지 말라

"우리의 씨름은 혈과 육에 대한 것이 아니요 정사와 권세와 이 어둠의 세상 주관자들과 하늘에 있는 악의 영들에게 대함이라"(엡 6:12). 이 말씀에 대한 거의 모든 설교는 우리의 전쟁은 무엇이고 누구와 대적하는가에 초점을 맞춘다. 우리의 전쟁은 정사와 권세와 세상 주관자들과 악의 영들에게 대한 것이다. 그러나 이 구절로부터 동일하게 얻을 수 있는 중요한 진리는 우리의 전쟁이 아닌 것은 무엇이고, 그것이 누구와 대적하지 않는가 하는 것이다.

우리의 전쟁은 혈과 육에 대한 것이 아니다. 우리는 이것을 잊기가 쉽다. 수세기 동안 그리스도의 교회는 영적 전쟁에서 가장 중요한 지시, 즉 혈과 육에 대해 싸우지 말 것을 따르는 데 실패해 왔다.

나는 종종 영적 전쟁에 관해 아무것도 하지 않기를 원하는 사람들을 만난다. 그들은 그것이 무섭다거나 마귀를 대적해 서는 것 또는 원수를 꾸짖는 것을 이상하게 생각한다.

사람들은 사탄과 싸우는 것을 꺼려할지도 모르지만, 사람들과 싸우는데는 모두 능숙하다. 모든 사람들은 때때로 성내고, 비판하고, 꾸짖고, 감정을 상하게 하고, 다른 사람을 비난하면서 자신의 위치를 방어한다. 혈과 육에 대해 싸우지 않는 사람은 거의 없다.

그러나 성경은 혈과 육에 대한 싸움을 금하고 있다. 성경은 우리가 어떠한 상황, 어떠한 때, 어떠한 이유에서도 결코 혈과 육에 대해 싸우지 말라고 말한다.

패배한 마귀가 이른바 승리한 교회를 끊임없이 치는 것은 우리가 항상 서로 싸우기 때문이다. 다른 교파를 비판하고, 설교를 비판하고, 서로에 대해 책을 쓰는 데 많은 시간을 낭비한 것들은 정작 전쟁에서 패하는 결과를 가져왔다. 다른 그리스도인들에 대하여 책과 논문을 쓰고, 연설하는 것은 결코 그리스도인의 활동이 아니었으며, 결코 그렇게 되지도 않을 것이다. 우리는 어느 편도 이길 수 없는 사나운 신학적 논쟁에 빠졌다. 마귀는 틀림없이 자신이 오직 승리자라며 비웃을 것이다.

설상가상으로 우리는 이러한 문제들의 실제 원인이 되는 자와 싸우지 않는다. 우리의 리더가 우리가 원하는 것을 하지 않는다고 싸우는 동안, 우리의 이웃이 우리와 다르게 믿는다고 해서 싸우는 동안, 우리의 동역자와 싸우는 동안 사탄은 맹렬히 날뛰고 있다. 그리고 그것은 우리 탓이다.

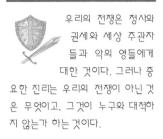

우리의 전쟁은 정사와 권세와 세상 주관자들과 악의 영들에게 대한 것이다. 그러나 중요한 진리는 우리의 전쟁이 아닌 것은 무엇이고, 그것이 누구와 대적하지 않는가 하는 것이다.

옳은 것, 그러나 하나님을 잃어버리는 것

십자군, 종교재판, 화형, 박해, 교회 분열… 이것은 교회의 역사다. 이러한 일들은 하나님, 예수 그리스도, 그리고 영적 전쟁의 이름으로 행해졌다. 우리는 결코 사람들과 싸우지 말아야 한다. 우리는 논쟁에서 이길 수도 질 수도 있다. 우리의 태도는 옳을 수도 있지만 틀릴 수도 있다. 우리가 바른 교리를 가졌다 할지라도, 만일 우리가 그것을 방어하느라 사람에게 상처를 준다면, 그것은 원수들이 들어오는 것을 허용하는 것이다. 쟁점을 놓고 싸우는 것은 괜찮으나 쟁점 뒤에 놓여 있는 사람과 싸우는 것은 바람직하지 못하다. 우리가 다른 사람들과 싸운다면 우리는 결코 승리할 수 없다.

받아들이기 어렵겠지만 바리새인들은 옳았다. 그들은 성경을 완전히 이해했으며, 그들의 교리 진술은 논리 정연했다. 그들은 좋은 유대인이 되는 방법을 알고 있었다. 그들은 하나님의 말씀에 순종하는 데 헌신적이었으며 성경을 믿는 자들이었다.

하지만 그들은 그들의 의로움을 너무나 자랑했기 때문에 성육신하신 하나님을 잃어버리고 말았다. 예수님은 그들 앞에 걸어다니시고, 그들에게 이야기를 거시고, 꾸짖으셨으나 그들은 자신들의 옳음을 너무 자랑했기 때문에 그분을 볼 수 없었다.

예수님은 그것을 원수의 탓으로 돌리시면서 그들의 태도에 맞섰다. 바리새인들은 신앙심과 의로움으로 방어하면서 하나님을 십자가에 못박았다.

우리의 다툼과 오늘날까지도 계속되는 육의 싸움은 이 세상에서 사탄의 지배력을 강하게 해왔을 뿐이다. (모든 수단을 다 동원한다 해도) 우리의 자존심은 우리를 패전으로 몰아간다. 우리는 반드시 혈과 육에 대해 싸우지 말아야 한다. 우리가 만약 사람들과 싸운다면 우리는 원수들과 싸울 수 없다.

다음과 같은 상투적인 표현이 있다. "그는 너무나 하늘의 것에만 신경을 써서 세상적으로 훌륭하지 않아." 그렇다. 어떤 사람들은 지나치게 영적인 것에 치중한 나머지 현실적으로 생각하지 못하거나 자신의 책임에 소홀할 때가 있다. 그러나 이제는 새로운 표현을 써야 할 것 같다. "우리는 너무나 땅에 있는 것만 신경을 써서 경건함에 있어서 훌륭하지 않아."

두 개의 영역이 존재한다. 세속적인 곳과 거룩한 곳이다. 세속적인 곳은 우리가 보고 만질 수 있는 물리적인 영역이다. 이에 반해 거룩한 영역은 실제의 싸움이 벌어지고 있는 보이지 않는 곳이다. 매일 매시간 우리가 잠을 자고, 점심을 먹고, 텔레비전을 보고, 아내와 입을 맞추고 하는 동안에도 끊임없는 전쟁, 오랫동안 진행되어 온 전쟁이 거룩한 장소에서 벌어지고 있다. 그것은 우리가 태어나기도 전에 시작되었으며 우리가 죽은 후에도 계속될 것이다. 전쟁은 이 세상 사람들의 일에 대해서 일어난다. 그것은 어둠의 권세와 빛의 권세 간의 싸움이다.

우리는 세속적인 영역에서 우리의 싸움을 하면서 매우 세속적이 될 수 있다. 그래서 거룩한 전쟁에서는 아무런 가치도 발견하지 못한다. 이것은 우리의 대포를 잘못된 영역으로 발사하는 것이다. 우리가 거룩한 영역에서 싸우지 않는다면 우리는 세속적인 영역에서 싸우게 될 것이며, 우리가 어둠의 권세들과 싸우지 않는다면 우리는 대신 사람들과 싸우게 될 것이다. 우리 안에는 불의에 성을 내고 잘못된 행위에 대항해 일어나는 어떤 것들이 있다. 우리가 만약 그것을 거룩한 곳으로 가져오지 않고, 원수에 저항하거나 변화를 위해 기도하지 않는다면 우리는 사람들과 싸우게 될 것이다. 우리는 사회에서 많은 쟁점들과 싸워야 하지만 사람들과 싸워서는 안 된다. 싸우는 사람들은 쟁점이 아무리 옳은 것이라 하더라도 결코 하나님 나라를 확장시키지 못한다. 하나님의 나라는 하나님과, 우리의 기도에 대한 그분의 반응에 의해 그리고 성령의 이끄시는 활동을 통해 나아간다.

하나님은 정말 그것을 다루실 수 있을까?
잘 알려진 찬송의 가사가 이러한 사실을 더 잘 말해 준다.

오, 얼마나 자주 우리는 평화를 빼앗겼으며, 오 얼마나 쓸데없는
고통을 우리는 지녀왔던가. 그것은 전부 우리가 모든 것을 가지고
하나님께 나아가 기도드리지 못했기 때문이라네.

만일 우리가 진실로 성령이 사람의 마음속에 이야기를 하시며 우리가 할 수 있는 것보다 훨씬 많은 영향을 끼치신다는 것을 믿는다면, 우리는 먼저 모든 것들, 모든 근심과 모든 관심, 모든 시야를 그에게서 취해야 하지 않겠는가? 불행하게도 우리는 종종 우리의 시도가 실패하고, 부러지고 상처를 받고 나서야 비로소 하나님께 나아온다. 그리고 언제나 우리는 우리가 옳았다고 확신한다.

우리는 처음부터 성령님을 의지해 기도하려고 하는가, 아니면 우리가 성령보다 더 능력 있고 설득력 있다고 믿고 있는가? 우리는 성령님보다 사람들을 잘 다루는가? 우리는 성령님보다 우리의 아이들을 올바르게 하고, 남편이나 아내를 바로 잡아주고, 친구들을 훈계하고, 지도자들을 꾸짖고, 모든 갈등을 더 쉽게 고칠 수 있는가? 우리는 하나님이 우리 자신만큼이나 우리에게 관심을 갖고 능력이 있음을 확신하는가? 즉각적이고 정성어린 기도와 중보기도에 앞서는, 사람들을 다루기 위해 우리가 행하는 모든 행동은 우리의 커다란 자존심에서 나온다. 우리는 그분이 하실 수 있는 것보다 더 잘 다룰 수 있다고 믿는다.

하나님은 사람들의 마음에 막대한 영향을 끼치시며 우리가 할 수 있는 것보다 훨씬 더 사람들을 사랑하시고, 우리보다 훨씬 더 능력이 많으시다. 만약 우리가 진실로 이러한 것들을 믿는다면 우리는 서로를 위해 끊임없이 기도해야 하지 않겠는가?

기억해야 할 5가지 사항

1. 행하기 전에 기도해야 한다.

우리가 목사로서, 지도자로서, 부모로서 책임을 지니고 있는 위치에 있다 할지라도 우리는 항상 먼저 기도해야 한다. 부모는 아이들을 훈계하고 바로잡아 주어야 할 책임이 있으나, 행하기 전에 반드시 기도해야 한다. 지도자는 때때로 꾸짖을 필요가 있으나, 기도를 통해 하나님께 첫 번째 기회를 드려야 한다. 우리가 아무 것도 않은 채 하나님이 모든 것을 행하시는 것은 아니다. 우리는 하나님께 상황을 보살피고 관계를 유지시켜 주실 기회를 드리면서 먼저 기도한다. 하나님은 직접적으로 그 상황 속에서 행하기도하시고 반응하는 방법에서 지혜를 주기도 하신다.

2. 원수에게 저항하고 그에 대해 권위를 가져야 한다.

문제는 사람이 아니라 모든 상황을 이용해서 다툼을 증가시키고 화해를 방해하고, 관계를 파괴하는 어둠의 권세다. 우리는 단호하게 마귀를 대적하여 모든 상황에 맞서야 한다. 우리는 "사탄아, 나는 너를 꾸짖는다. 너는 나의 결혼, 나의 아이들, 나의 친구, 나의 지도자를 갖지 못할 것이다. 나는 너를 대적하여 서 있고 예수의 이름으로 너를 결박한다." 우리는 우리 주변의 사람들의 삶 속에 역사하시는 하나님의 일을 방해하는 원수들을 멈추게 할 수 있다.

3. 비난을 들었을 때 혈과 육의 싸움을 하기보다 정직하게 그것이 진리인지를 평가할 수 있어야 한다.

모든 꾸짖음, 모든 비판, 모든 비난은 겸손히 받아들여야 한다. 그것들은 전체적으로 혹은 부분적으로 진리일 수 있다.

우리가 틀렸을지도 모른다는 가능성을 고려할 때 우리는 우리의 삶 가운데 다른 사람들을 섬기는 기회를 갖게 된다. 이것은 겸손이다. 이것은 영적 전쟁이다.

자존심은 오랫동안 교회를 질뚝거리게 했다. "나는 옳고 다른 사람은 틀렸어요. 당신이 그렇지 않은 것을 나는 알지요." 우리는 대개 우리가 인정하는 것보다 더 틀린다. 그러나 우리가 비록 옳고, 정말로 진리가 무엇인지 안다고 하더라도 우리는 반드시 열려진 자세로 기꺼이 다른 사람들이 우리에게 말하는 것을 살펴야만 한다. 그들이 말하는 것이 잘못되었을지라도 우리는 방어적으로 될 필요가 없고 그들과 싸우지 말아야 한다. 만약 그들이 말하는 것에 진리가 있다면, 그것은 우리를 회개하고 회복시키며, 예수 그리스도를 더욱 닮아가게 될 기회를 제공한다.

4. 우리는 결코 믿음을 잃거나 죄책감에 빠져서는 안 된다.

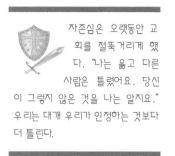

자존심은 오랫동안 교회를 절뚝거리게 했다. "나는 옳고 다른 사람은 틀렸어요. 당신이 그렇지 않은 것을 나는 알지요." 우리는 대개 우리가 인정하는 것보다 더 틀린다.

그것이 옳든, 옳지 않든 사람들의 말이 하나님의 말씀을 믿는 믿음, 우리의 구원 혹은 강함과 성숙함에 대한 확신에 혼란을 주지 않아야 한다. 다른 사람이 우리와 의견이 다를 때 우리는 감정적으로 상할 수 있다. 비판이 너무 거칠게 되면 우리는 우리를 비난한 자 앞에서 위축되고 그들이 말하는 무엇이든 동의하게 된다. 만약 비판이 지도자들로부터 나오면 그들의 요구에 단순히 복종하게 된다. 우리는 우리 자신을 의심한다. 우리는 우리가 항상 믿어온 것이 진리인지, 심지어는 하나님까지도 의심한다. 우리는 "그들이 옳아. 내가 틀렸어. 나는 언제나 잘못하지. 나는 무엇을 믿어야 할지 모르겠어"라고 말한다. 그러면서 우리는 믿음을 잃어버린다.

그들이 한 말이 하나님께로부터 나와 기도 가운데 하나님께 드려지는 것으로 단순히 생각하자. 만약 겸손과 열려짐 속에서 하나님 앞에서 우리가 해야 하는 모든 것을 행하고, 그리고 나서 하나님께서 그들이 한 말이 하나님께로부터 나오지 않았다는 것을 우리에게 확인시켜 주시면, 그때 우리는 확신을 갖고 그들의 말을 거절할 수 있다. 우리는 하나님과 함께 그들을 떠날 수 있다. 우리는 결코 확신을 잃어버릴 필요가 없고, 우리의 믿음 가운데 강하게 남을 수 있다.

5. 우리는 어떤 희생을 치르고서라도 관계를 유지해야 한다.

잠언 18장 19절은 "노엽게 한 형제와 화목하기가 견고한 성을 취하기보다 어려운즉 이러한 다툼은 산성 문빗장 같으니라"고 말한다. 우리가 만일 사람들과 싸운다면 우리는 영적 전쟁을 심각하게 생각하지 않는 것이 된다. 만일 우리의 관계가 악화되고, 교리가 우리를 가르게 되고, 사람들의 문제가 우리의 삶에 번성하는 것을 허용한다면 우리는 하나님의 나라를 세우고 있지 못한 것이며, 또한 사탄의 나라를 막지 못하는 것이다. 우리는 실제로 하나님 나라를 방해하고 있으며 어둠의 나라를 도와주고 있다.

분노하는 옳은 방법

우리는 적들에 대한 적절한 싸움을 하기 위하여 적절한 장소에서 하나님이 우리에게 주신 것을 사용해야 할 필요가 있다. 왜 그분께서 우리에게 비판하고 분노하고 논쟁할 능력을 주셨겠는가? 그것은 우리가 기도하면서 우리의 분노를 누그러뜨리고 원수들을 대적하면서 죄와 마귀에 대하여 분노할 수 있도록 하기 위함이다.

우리가 자존심 때문에 다른 사람에게 분노를 돌릴 때 분노는 죄가 될 수 있다. 그러나 기억하자. 하나님은 분노하시지만 죄를 짓지는 않으신다. 그의 분노는 결코 이기적인 동기가 없으며, 자존심에서 나오지도 않는다. 그분은 적절한 이유에서 분노하시고 적절한 방법으로 분노를 사용하신다. 반면 우리는 우리의 자존심이 상했을 때나 우리의 이기적인 의도가 곤란하게 되었을 때 분노한다.

만약 우리가 전투의 방향을 어둠의 권세로 다시 돌릴 수 있다면, 만약 우리가 서로 싸우는 데 소비되는 우리의 감정과 능력을 실제의 적들에게 돌릴 수 있다면, 우리는 놀랄 만한 변화를 보게 될 것이다. 우리는 너무나 오랫동안 방치해두었던 사탄의 제국이 완전히 무너짐을 볼 수 있을 것이다. 만약 우리들 각자가 살아 있는 동안 다른 사람들과 싸우지 않기로 결심한다면, 사탄은 두려움

에 떨 것이다. 우리는 우리가 오랫동안 서로에게 행해 왔던 것을
그에게 행할 것이다. 우리는 진리를 깨닫게 될 것이다. 우리의 싸
움은 혈과 육에 대한 것이 아니다.

제 6 장
〔눈에 보이지 않는 영역〕

어느 후덥지근한 날, 파푸아뉴기니의 무단 입주자 마을에 있는 호스 캠프(Horse Camp)'에서 있었던 일이나. 나는 주석 조각과 니무로 만들이진 허름한 판짓집에 통역자와 같이 앉아 한 부인에게 영적 세계의 실재에 대해 설명하려고 애쓰고 있었다.

"아, 당신이 의미하는 것은……"라고 그녀는 물었다. 통역자는 그녀가 사용한 언어는 악마를 가리키는 키와이 말이라고 설명해 주었다. "아, 맞아요." 그녀는 고개를 끄덕거렸다.

"오늘 아침 저의 집에는 셋이 있었지요. 여기에 그것들을 그렸어요." 그녀는 나에게 그 위에 살아 있는 것같이 보이는 소름끼치는, 반은 인간이고 반은 동물인 것을 그린 종이를 건네 주었다.

나는 캠프에서 있었던 그날과 그리고 그 후 아시아, 태평양, 아프리카의 다른 많은 지역에서 사람들에게 영적 세계의 실재를 납득시킬 필요가 없다는 것을 배우게 되었다. 그들은 일상의 기초에서 그것들과 함께 살고 종종 직접 악한 영들을 보기까지 하는 것이다. 그리고 지금 미국에서조차 악령의 인도를 받고, 과거의 것을 이야기할 때 목소리가 변하는 영매술사들을 찾아다니는 유명인사들과 공적인 인물들을 볼 수 있다.

그러나 대부분의 서양 사람들은 보이지 않는 세계를 공상적인 것으로 간주한다. 서양 사람들은 슈퍼맨, 미키마우스, 호비트(만화에 나오는 괴물)를 같은 범주에 넣는다. 우리는 그러한 것들이 실제로 존재한다고 생각할지도 모른다. 그러나 우리가 만지고, 보고, 냄새를 맡고, 사고, 파는 세계만큼 실제적이진 못할 거라고 생각한다. 보이고 보이지 않는 것 대신 우리는 이 두 영역을 실제적이냐 실제적이지 않느냐로 생각한다.

심지어 그리스도인인 우리도 이런 영역이 실제 존재는 하지만 그것과 연결되는 것을 거의 보지 못한다고 생각할지도 모른다. 우리는 정말로 보이지 않는 것—비쳐 보이고, 무시무시하고, 유령세계의 한가운데로부터 우리를 지켜주는 벽이 존재한다는 것—은 알 수 없다고 생각한다. 우리의 발이 땅 위에 있기에 다른 세계는 덜 실질적인 것으로 보인다. 보이지 않는 것들은 미신적이고 신비스럽고 불가사의한 사람들과 동일시 된다.

그러나 우리가 보이지 않는 영역을 잘 알게 되는 것은 불가결한 것이다. 우리의 전쟁은 거룩한 곳(천상, 하늘)에 있기 때문에 우리는 반드시 세속적인 관심이 우리가 지식 가운데 행하는 것을 방해하지 않도록 해야 한다. 숨겨진 세계는 삶의 모든 영역에 영향을 끼친다.

보이지 않는 세계는 실제로 더 견고한 것이다

보이지 않는 세계는 우리가 보는 세계만큼 실질적이다. 사실 그것은 더 영원하고 결코 쉽게 사라지지 않는다. 만약 핵발전 장치가 우리가 일하고 있는 곳에 터진다면 건물, 공장, 숲, 콘크리트 건물, 그리고 우리 주위에 있는 모든 견고한 물체는 완전히 증발하고 말 것이다. 그러나 성경이 말하듯 보이지 않는 세계는 상처를 입지 않고 남아있다. 그것은 콘크리트와 나무보다 먼저 존재하여 그것들이 사라지고 난 후에도 오랫동안 존재할 것이다.

사도 베드로는 이것을 깨달았다. 그는 "그러나 주의 날이 도적 같이 오리니 그날에는 하늘이 큰 소리로 떠나가고 체질이 뜨거운 불에 풀어지고 땅과 그 중에 있는 모든 일이 드러나리로다 이 모든 것이 이렇게 풀어지리니 너희가 어떠한 사람이 되어야 마땅하뇨 거룩한 행실과 경건함으로 하나님의 날이 임하기를 바라보고 간절히 사모하리"(벧후 3:10-12).

더 많은 시간과 정력이 보이지 않는 세계에 투자되어야 한다. 매일 우리들 자신에게 다음과 같이 두 가지 중요한 질문을 하는 것이 좋다.

"오늘 보이지 않는 세계에 영향을 주는 나의 태도, 행동, 말들은 무엇일까?" "지금 이순간 나에게 영향을 미치는 보이지 않는 세계는 어떤 것일까?"

만약 우리가 이 두 가지 질문을 묻는다면 우리는 영적 용사로서 우리의 전투력을 대단히 증가시킬 것이다. 우리는 우리가 볼 수 없는 것을 무시해 버리는 경향이 있기 때문에 그것을 물어본다는 것은 쉽지 않다. 그러나 우리는 그리스도인으로서 영적인 영역에 대한 절대적인 기준점과 안내자인 성경을 가지고 있다. 그것은 보이지 않는 세계에서 일어나는 사건들의 기록이다. 당신은 하늘의 처소들을 소개받지 않고 그것을 읽을 수는 없다.

우리는 영적 세계의 존재를 (현미경으로) 보이는 세계와 비교할 수 있다. 우리의 감각은 우리를 둘러싼 매우 미세한 수많은 생물

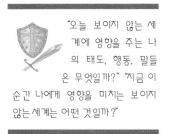

들을 볼 수 있을 만큼 완벽하지 못하지만 그들은 거기에 존재하는 것이다. 다른 예들이 떠오른다. 우리가 볼 수 없는 음악과 천연색 영상은 항상 우리 주위를 떠돌아다닌다. 우리는 단지 라디오와 텔레비전을 가지고 그것들을 붙잡을 수 있다. 세계 안에 세계가 존재한다. 우리가 보거나 듣거나 만질 수 없는 것은 우리가 그렇게 할 수 있는 것만큼 실제적이다. 만약 누군가 라디오 전파, 가스, 세균들을 볼 수 없기 때문에 그것들의 존재를 부인한다면 우리는 그들이 지식이 없거나 분명히 미쳤다고 생각할 것이다.

영적인 영역의 주된 거주자는 천사들이다. 우리는 이러한 사실이 실재한다는 것을 깊이 생각해볼 필요가 있다. 우리 주위에는 천사들이 있다. 나는 다양한 교회와 단체에서 사역하면서 악마와 겪었던 그들의 경험을 들었지만 우리의 전쟁 가운데 있는 위대한 천사의 군대에 대해서는 충분히 듣지 못했다.

천사들의 실재는 일반적으로 받아들여야 하고 더 나아가 당연하게 여길 필요가 있다. 예를 들어, 내가 만약 나의 집에는 많은 의자들이 있다고 한다면 당신은 나를 이상하게 생각하지 않을 것이다. 당신은 나의 집을 방문해서 그것들을 볼 수 있다. 당신이 나에게 동의하는 것은 어려운 일이 아니다. 그러나 만약 내가 지금 당신 주위에 천사들이 있다고 말한다면 당신은 확신하기는커녕 그것을 받아들이려고도 하지 않을 것이다. 그리스도인으로서 당신은 이렇게 말할지도 모른다. "글쎄요, 나도 그렇게 생각하지요. 나는 확실히 그것을 희망합니다. 아마도 존재할 겁니다." 그러나 우리는 그들의 실재를 완전히 확신하는 지점에까지 갈 필요가 있다. 우리는 방안에 있는 의자에 앉듯이 쉽게 그들의 존재를 받아들일 수 있어야 한다.

우리의 눈만큼 성경을 신뢰할 수 있는가?

우리는 천사들에 비해서 의자의 존재는 쉽게 믿는다. 왜냐하면 우리는 그것을 보고 만질 수 있기 때문이다. 우리는 사물을 있는 그대로 인식하는 우리의 눈과 다른 감각을 의지한다. 그러나 우리의 눈은 항상 믿을 만한 것은 아니다. 매우 어두운 장소에 있어본 적이 있는가? 그렇다면 그곳에 있는 사물이 그들이 가진 본래의 모습은 아닐 거라고 한번쯤은 생각해 보았을 것이다. 사람들은 사막에서 신기루를 본다. 졸린 눈은 움직이지 않는 것을 움직이는 것으로 본다.

성경이 적어도 우리의 감각만큼 믿을 만한 것이라고 생각하는가? 우리의 눈은 '대체로' 믿을 만하다. 반면 성경은 '언제나' 믿을 만하다. 만약 내가 의자가 실재하는 것을 볼 때 확신하게 된다면, 성경이 "여호와의 사자가 주를 경외하는 자를 둘러 진치고 저희를 건지시는도다"(시 34:7)라고 말할 때, 나는 얼마나 더 많이 확신해야 하는가?

어떤 사람은 아마도 이것이 실재하는 것인지 혹은 하나님의 보호에 대한 다윗의 시적인 은유인지 물을 것이다. 만약 이것이 성경에서 단지 천사들을 언급하는 것이라면 은유일 수 있는 것이다. 그러나 다른 구절들은 천사가 하나님이 보내신, 우리를 둘러싸고 우리를 대신하여 행동하는 삶의 실재인 것을 명확히 한다. 성경은 구원과 속죄, 그리스도의 신성, 그밖에 영적으로 거듭나는 것에 우리가 뿌리박고 있는 것과 마찬가지로 천사들에 관한 선언과 그들의 역할에 대해서도 명확하게 말하고 있다. 우리는 다른 모든

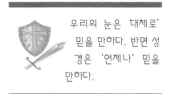

우리의 눈은 '대체로' 믿을 만하다. 반면 성경은 '언제나' 믿을 만하다.

성경의 진리만큼이나 동일한 확신을 가지고 보이지 않는 세계를 받아들여야 한다.

왜 천사가 우리에게 중요한가? 그것은 우리가 구원을 경험할 때 천사의 영역에 들어가기 때문이다. "그러나 너희가 이른 곳은 시온 산과 살아 계신 하나님의 도성인 하늘의 예루살렘과 천만 천사와"(히 12:22). 구원은 축복의 꾸러미다. 우리는 우리의 죄를 용서받았다. 우리는 새로운 피조물이 되었다. 옛 것은 지나갔다. 우리는 하늘의 집을 가졌다. 우리는 살아 계신 하나님의 아들 딸이다. 그리고 우리는 삶의 매순간마다 무수한 천사들에게 둘러싸여 있다. 우리 중 얼마나 많은 이들이 그런 사실들 가운데 매일매일의 삶을 살고 있는가? 천사들은 우리가 땅 위에 서 있는 것만큼이나 확실하고 구체적으로 우리 주위에 있다. 그것은 신비롭거나 초자연적이거나 낯선 것이 아니다. 그것은 실재하는 것이다.

천사들은 하루 종일 무엇을 하는가?

우리들 주위의 셀 수 없이 수많은 이러한 숨겨진 존재들은 무엇을 하는가? 그들은 구름 위에 앉아 하프를 연주하며 날개짓을 하고 있는가? 성경에 따르면 그렇지 않다. 히브리서 1장 14절은 "모든 천사들은 부리는 영으로서 구원 얻을 후사들" 즉, 모든 그리스도인을 섬기느라 바쁘다.

당신은 우리를 대신하는 천사들의 사역에 대하여 얼마나 하나님께 감사드렸는가? 아마도 거의 그러지 않았을 것이다. 투덜대고 불평하며 감사하지 않는 것은 무서운 죄다. 하나님이 우리를 위하여 베푸시는 많은 것들을 생각해 보라. 하나님께서 우리를 언제나 지켜보는 천사들을 보내신 것을 알면서 우리가 어떻게 감사하지 않을 수 있겠는가? 우리는 종종 거룩한 영역에서 하나님의 광활하신 친절하심과 관대하심에 대해 아무런 생각을 하지 않고 우리를 위한 하나님의 예비하심과 관심을 우리의 경험으로 측정한다. "저가 너를 위하여 그 사자들을 명하사 네 모든 길에 너를 지키게 하심이라 저희가 그 손으로 너를 붙들어 발이 돌에 부딪히지 않게 하리로다"(시 91:11-12).

나는 종종 우리가 천국에 들어갈 때 하나님이 우리의 삶을 비디오로 틀어 다시 보여주시지 않을까 궁금해 한다. 우리의 삶을 단지 보이는 세계의 유익의 관점에서만 보는 것이 아니라 보이지 않는 세계의 유익의 관점에서 보는 것은 흥미 있는 일이 될 것이다. 우리를 위험으로부터 보호하며, 공격에서 우리를 막아주고, 하나님을 더욱 더 잘 섬기도록 우리를 도와주는, 도처에 있는 천사들과 함께 세상을 살아가는 우리 자신을 상상해 보라. 이 밖에도 성령께서 또한 거기에 계셔서 우리를 감화하시며 도와주신다. 그렇게 우리 인생의 비디오를 다시 틀어보는 것은 우리가 환난으로부터 수천 번도 너 구원받았음을 분명히 드러내 줄 것이다. 그것은 또한 우리가 기뻐하고 감사하며 만족해야 함을 보여주지 않겠는가? 혹은 우리의 성령과 하나님의 천사들이 우리를 돕기 위해 그들이 할 수 있는 모든 것을 행하고 있다는 것을 항상 숙지해야 하지 않을까?

천사들은 우리 삶의 부분이며, 감사하는 마음으로 언제나 그 사실을 기억해야 한다. 수호천사에 대한 성경의 증거도 있다. "삼가 이 소자 중에 하나도 업신여기지 말라 너희에게 말하노니 저희 천사들이 하늘에서 하늘에 계신 내 아버지의 얼굴을 항상 뵈옵느니라"(마 18:10). '소자'라는 용어는 단지 어린이들만을 언급하는 것이 아니라 하나님을 의지하는 자, 하나님의 자녀들을 말한다. '저희' 라는 것은 특정한 사람에게 지정되는 것을 가리킨다. 우리 모두는 하나님에 의해 우리를 지키도록 특별히 임명받은 천사들을 가지고 있는 것 같다. 그들은 명령을 더 기대하면서 언제나 하나님의 얼굴을 뵈옵는다.

계시 이야기

"베드로가 대문을 두드린대 로데라 하는 계집아이가 영접하러 나왔다가 베드로의 음성인 줄 알고 기뻐하여 문을 미처 열지 못하고 달려들어가 말하되 베드로가 대문 밖에 섰더라 하니 저희가 말하되 네가 미쳤다 하나 계집아이는 힘써 말하되 참말이라 하니 저희가 말하되 그러면 그의 천사라 하더라"(행 12:13-15).

천사에 대해 내가 좋아하는 고찰 중 하나는 베드로의 투옥 이야기에서 나온다. 베드로는 복음을 전하다가 감옥에 갇혔고, 교회는 기도하였다. 다음에 일어난 것은 시사하는 바가 크다. 천사가 베드로의 감옥에 들어왔다.

이것은 환상이 아님을 기억하자. 그것은 토요일 아침의 만화도, 연속극도 아니다. 이것은 실제로 이 단단한 지구 위에서 또 다른 인간에게 일어난 일이다.

어떻게 천사가 감옥 안으로 들어갈 수 있었을까? 어떻게 베드로의 쇠사슬이 벗겨졌을까? 그리고 어떻게 베드로와 함께 옥 바깥으로 나갈 수 있었을까? 우리는 모른다. 그러나 우리는 일어난 일들이 보이는 세계에서 활동을 개시하는 보이지 않는 세계의 결과임을 잘 안다. 동일하게 중요한 것은 교회의 기도를 통해 보이는 세계가 보이지 않는 세계에 영향을 미쳐서 베드로의 결박을 풀었다는 것이다. 이러한 성경의 이야기는 우리가 모든 상황에서 기도하도록 도전한다.

이 이야기에서 두 번째 것은 보이지 않는 세계와 관련하여 주목할 만한 것이다. 그들이 믿을 수 없는 것을 설명하기 위해 그들 자신에게 한 말을 주목하자. "그러면 그의 천사라."

이것은 두 가지를 지시한다. 첫째, 초대교회 사람들은 보이지 않는 세계에 대해 깨닫고 있었다. "그러면 그의 천사라"는 것은 그들의 첫 번째 반응이다. 두 번째로, 그들은 각 개인들이 지정된 천사를 갖고 있음을 알고 있었다. 사도들의 지도 아래 있었던 초대 그리스도인들은 신비주의자들도 아니었고 기괴하고 과도한 영적인 의식에 휘말리지도 않았다. 그들은 그리스도인의 삶에 균형 잡히고 실제적인 접근을 한 우리들의 모범이었다. 그리고 그들은 천사들을 자신들의 삶의 부분이라고 믿었다.

구약 성경은 만화책인가?

구약은 이야기들과 보이지 않는 세계의 증거로 가득 차 있다. 그러나 우리는 종종 그 역사적인 사건들로부터 거리를 둔다. 비록 우리는 결코 그것을 그리스도인으로서 인정하지 않지만 구약에서 판타지의 요소가 있다는 것을 인식한다. 기적적인 이야기들은 우리의 경험으로부터 멀리 떨어져 있고, 성경의 영웅들은 만화 주인공 같은 느낌을 준다. 더구나 구약에서는 하나님조차 우리가 믿어 온 하나님을 과장한 것처럼 보인다. 구약의 하나님은 더 능력 있고 인간사에 좀 더 활동적인 것처럼 보이는 것이다. 구약의 세계는 부분적으로 환상적인 것으로 보이는 반면, 우리는 우리의 현재 세계를 보다 현실적인 것으로 본다.

그러나 성경에 기록된 사건들은 사실이다. 만약 우리의 삶이 이러한 사실들을 반영하지 않는다면 우리는 진리와 현실에서 더욱 멀어지게 된다.

엘리사의 이야기 또한 천사들을 비춰준다.

> "하나님의 사람(엘리사)의 수종드는 자가 일찍이 일어나서 나가
> 보니 군사와 말과 병거가 성을 에워쌌는지라 그 사환이 엘리사에
> 게 고하되 아아, 내 주여 우리가 어찌하리이까 대답하되 두려워하
> 지 말라 우리와 함께한 자가 저와 함께한 자보다 많으니라 하고
> 기도하여 가로되 여호와여 원컨대 저의 눈을 열어서 보게 하옵소
> 서 하니 여호와께서 그 사환의 눈을 여시매 저가 보니 불말과 불
> 병거가 산에 가득하여 엘리사를 둘렀더라" (왕하 6:15-17).

엘리사는 선지자 학교의 지도자며 선지자였다. 그의 학생들은
적의 군대가 도시를 완전히 에워싸고 있는 것을 발견했다. 학생
중 하나가 군대를 보고 엘리사에게 말하기 위해 달려갔다.

엘리사는 두려워하지 않았다. 놀라는 기색도 없이 단지 "이런
상황으로 인해 걱정하지 말아라. 우리와 함께한 자가 저와 함께한
자보다 많으니라"고 말했다.

이때 그 젊은이는 엘리사가 실성했다고 생각했을 수도 있다. 그
는 주위를 둘러보았다. 집에는 그들 외에 아무도 없었고, 밖에는
단지 적들이 있을 뿐이었다. 그러나 엘리사는 미치지 않았다. 오
히려 그의 젊은 제자보다 더 현실과 접촉해 있었다. 그는 보이지
않는 세계를 깨닫고 있었던 것이다.

엘리사는 하나님께 젊은이의 눈을 열어 달라고 기도했다. 갑자
기 그는 천사의 군대를 보았다. 하나님은 단지 이 사람의 머리에
꿈을 부은 것이 아니었다. 그분은 어떤 상징적인 심상을 창조하지
않았다. 하나님은 그가 실제로 거기 있는 것을 볼 수 있게 하기 위
해 그의 시력에 무언가를 행하신 것이다. 젊은이는 "불말과 불병

거가 산에 가득한" 것을 보았다. 그가 얼마나 놀라고 흥분되고 두려웠을지 상상할 수 있겠는가? 이 젊은이는 완전히 새로운 세계를 본 것이다. 보이지 않는 세계는 그가 항상 알아왔던 혈과 육의 세계만큼 실제적이었다.

엘리사는 무엇을 보았는가?

어떤 사람은 엘리사는 다른 사람이 볼 수 없었던 육체의 눈을 가지고 있었기 때문에 믿음을 가진 것이라고 말한다. 그러나 성경은 그렇게 말하지 않는다. 아마도 엘리사는 그의 눈으로 젊은이가 보았던 것을 보지 않았을 것이다. 그는 단지 그의 주위의 보이지 않는 세계를 깨달았다. 확신이 필요한 사람은 그 젊은이였다.

보이지 않는 영역에 대한 좀 더 깊은 깨달음은 많은 문제들을 고쳐줄 수 있을 것이다. 나는 비관주의와 그들 자신의 말로 인한 결과들, 그리고 그들 혹은 다른 사람의 상황의 희생 등에 막혀서 하나님의 일을 하지 않고 있는 수많은 사람들을 만났다. 그러나 우리가 하나님을 신뢰한다면 우리는 결코 희생자가 되지 말아야 한다. 매일 극복하는 가장 좋은 방법 중 하나는 이 전쟁에서 우리의 보이지 않는 거대한 연합을 파악하는 것이다. 우리는 우리가 보고, 듣고, 냄새 맡고, 만지고, 맛보는 것을 확신하는 것처럼 그 것을 확신하며 하루 24시간을 살아야 한다.

엘리사는 그런 영역에서 살았고 우리도 역시 그렇게 할 수 있다. 어려운 상황과 압도하는 다툼, 잔인한 적들과 마주칠 때 우리는 희생자가 되지 말아야 한다.

우리와 다른 사람들을 패배로 이끄는 부정적인 말을 내뱉어서는 안 된다. 우리는 우리의 적보다 수적으로 우세하다는 것을 알아야 한다. "우리와 함께한 자가 저와 함께한 자보다 많으니라."

세 종류의 천사

성경이 천사들에 대해 말할 때, 그것은 그들이 가진 세 가지 역할을 지적한다.

1. 전사 천사

첫 번째 역할은 싸우는 것이다. 다니엘서 10장과 요한계시록 12장은 이러한 천사들의 수장인 천사장에 대해 말한다. 그의 이름은 미가엘이고, 하나님의 천사 군대와 연합한다.

우리는 천사들이 싸우는 것에 대해 얼마나 자주 생각하는가? 프랭크 페레티(Frank Peretti)의 책, 「어둠의 권세들」(*This Present Darkness*, 예찬사 역간)이 출간되기 전에는 많은 이들이 이것을 성경적인 사실로 생각하지 않았다. 지금도 많은 그리스도인들은 그것을 전혀 고려하지 않는다. 그들은 그것을 낯설고 중세적인 것이라고 생각한다. 그러나 성경은 명확하다. 예수님께서 십자가에서 죽으신 것과 우리가 그를 통해 구원 받은 것이 확실한 것처럼 천사들은 지금 이 시간에도 보이지 않는 세계에서 전쟁을 하고 있다.

다니엘 10장은 보이지 않는 영역을 엿보게 해 준다. 다니엘은 3주 동안 기도했지만 응답을 받지 못했다. 이것만으로도 주목할 만한 것이다. 우리 중 대부분은 20분만 지나면 포기하고 말 것이다. 다니엘은 기도를 멈출 수도 있었으나 21일 동안 기도하고 금식했다. 천사가 그에게 왔다.

> "그가 내게 이르되 다니엘아 두려워하지 말라 네가 깨달으려 하여 네 하나님 앞에 스스로 겸비케 하기로 결심하던 첫날부터 네 말이 들으신 바 되었으므로 내가 네 말로 인하여 왔느니라 그런데 바사

국 군이 21일 동안 나를 막았으므로 내가 거기 비사국 왕들과 함
께 머물러 있더니 군장 중 하나 미가엘이 와서 나를 도와주므로"
(단 10:12-13).

나중에 천사가 말하였다. "이제 내가 돌아가서 바사군과 싸우
려니와"(단 10:20).

이 이야기는 우리에게 몇 가지 진리를 확신시켜 준다. 첫째, 우
리의 기도는 첫째 날부터 하나님께서 들으신다. 우리가 아무리 낙
담하더라도, 우리가 대답을 아무리 오랫동안 기다리게 되더라도
그분께서는 우리의 기도를 듣고 계신다.

또한 우리의 기도는 하나님을 움직여 우리를 대신할 천사들을
보내게 하신다는 것을 알 수 있다. 우리는 결코 천사에게 기도하
는 것이 아니라 우리의 기도를 듣고 직접 천사들을 보내시는 하나
님께 기도드린다. 우리의 기도는 천상의 영역에 도달하여 세상의
영역으로 우리에게 돌아온다.

만약 우리가 이번 주에 있을 모든 것들에 대해 기도드린다면 천
사들은 결과로서 행동할 것이다. 우리의 기도는 단순히 하나님의
귀를 기쁘시게 하는 말들이 아니다. 우리의 기도는 우리를 위하고
그리스도의 목적을 위해 싸울 전사 천사들을 파견한다.

2. 사자(使者) 천사

두 번째 역할은 전달하는 것이다. 마리아에게 예수님의 탄생 소
식을 알리고, 다니엘과 사가랴에게 이야기한 가브리엘은 전달자
천사들의 대장 혹은 천사장인 것으로 보인다. 성경을 통틀어 천사
들은 사람들과 이야기하기 위해—통지하고, 경고하고, 계시를 전
하기 위해—보냄을 받았다.

나는 천사들을 보았으며 그들로부터 소식을 받았다는 사람들을 자주 만났다. 이런 사람들은 다니엘, 야곱, 또는 역사를 걸쳐 있는 셀 수 없이 많은 사람들보다 더 신비롭거나 기괴하지 않다. 그냥 그들과 같은 사람이었다. 천사들은 자동적으로 이동하거나 제자리에 돌려지지 않는다. 나는 왜 우리 모두가 천사들을 볼 수 없는지 확실히 알 수 없다. 아마도 우리의 지혜의 하나님께서는 우리가 보이지 않는 하나님과의 관계보다 천사들과의 관계를 더 구하게 될 것을 아실 것이다. 그러나 그분은 많은 사람에게 천사를 보는 것을 허락하신다. 나는 그것이 소수의 사람들에게 천사들의 존재와 보이지 않는 세계가 있다는 사실을 증명해 주시는 것이라고 믿는다.

성경은 우리에게 천사들을 구하지 말라고—경배하지 말라고—분명히 경고한다(갈 1:8, 골 2:18). 만약 하나님이 우리에게 천사들과 이야기하거나 보는 것을 허용한다면 그것은 그분의 일이다. 중요한 것은 그들이 우리 주위 어디에나 있다는 것을 언제나 깨닫고 살아가는 것이다. 예수님은 "보지 못하고 믿는 자들은 복되도다"(요 20:29)라고 말씀하셨다. 이 말씀은 예수님을 믿는 자들에게 관해서 이야기한 것이지만, 원리는 동일하다. 우리는 보이지 않는 세계를 믿어야만 한다. 왜냐하면 하나님은 그것이 진리라고 선포하셨기 때문이다(우리가 볼 수 있기 때문은 아니다). 보이는 것이 없다고 해서 우리의 믿음을 의심해서는 안 된다.

3. 경배 천사

천사들의 세 번째 역할은 경배하는 것이다. 하나님께 경배드리기만 하는 천사들이 있다. 성경은 하나님을 경배하는 천사들의 무리에 관해 말한다. 요한계시록은 우리에게 허다한 천사들이 예수님을 선포하는 많은 장면을 보여준다 "어린 양이 능력과 부와 지혜와 힘과 존귀와 영광과 찬송을 받으시기에 합당하시도다"(계 5:11-12). 경배 천사는 그리스도의 탄생을 노래했다.

어두운 면

성경에 경배하는 천사들의 천사장에 대한 직접적인 설명은 없다. 그러나 사탄이 된 루시퍼가 천사장이었다는 강한 암시가 있다. 가브리엘과 미가엘처럼 루시퍼는 하나님 앞에 서 있었다. "너는 완전한 인이었고 지혜가 충족하며 온전히 아름다웠도다 … 너는 기름부음을 받은 덮는 그룹임이여 내가 너를 세우매 네가 하나님의 성산에 있어서"(겔 28:12,14). 또한 그는 가브리엘과 미가엘과 같은 서열에 있었으며 왕자라고 불렸다(엡 2:2).

루시퍼는 보기에 아름다운 피조물이었다. 그는 매우 지혜로웠다. 그는 본래 자발적으로 경배하는 도구였던 것으로 보인다. 그는 하나님께 접근해 천사의 영역에서 특별한 위치와 임무를 차지한 것으로 보인다.

그런데 어느 날 루시퍼는 하늘과 하나님의 현존에서 내버려졌다. 왜 그랬을까? 루시퍼가 잘못한 것은 무엇일까? 만약 그들이 정직했다면 많은 사람들이 마귀에 대해 연민을 느낄지도 모른다. 어떤 사람은 말하기를 하나님이 루시퍼가 커가고 강해짐에 따라 그의 나라를 뒤엎는 루시퍼의 번창함에 위협을 느꼈고, 그래서 이 기적으로 불쌍한 루시퍼를 쫓아냈다고 말한다.

사탄은 구원 받을 수 있는가?

생각보다 많은 사람들이 하나님이 사탄에게 위협을 느끼셨다는 이러한 관점을 믿는다. 그러나 하나님은 결코 위협받지 않으셨다. 사실 루시퍼를 밖으로 내던진 것은 다른 천사들이었다(계 12장). 사탄은 동정을 받을 만한 자격이 없다. 그는 완전하고 절대적인 빛과 하나님의 지식을 거절하였다. 그는 자신을 회개하는 데 이르도록 하는 모든 것을 거절했기 때문에 구원을 받지 못한 것이다.

루시퍼는 자신의 선택으로 인해 하늘에서 내던져진 것이다. 만일 우리가 하나님의 성품을 조금이라도 안다면, 우리는 하나님이 루시퍼의 선택을 정말 슬퍼하셨을 것이라고 확신할 수 있다.

루시퍼는, "내가 하늘에 올라 하나님의 뭇별(천사) 위에 나의 보좌를 높이리라 내가 북극 집회의 산 위에 좌정하리라 가장 높은 구름에 올라 지극히 높은 자와 비기리라"(사 14:13-14)고 말했다. 다른 말로 하면 루시퍼는 한 분이신 참 하나님과 똑같이 또 다른 신이 될 것이라고 선포하고 있는 것이다. 이제까지 그는 그런 계획에서 벗어나지 않았다.

그리스도인들을 비롯해 많은 사람들이 루시퍼가 또 다른 신과 같다고 생각하는 현실을 볼 때, 나는 놀라지 않을 수 없었다. 그들은 하나님을 선의 하나님으로, 사탄을 악의 신으로 믿는다. 그들은 서로 반대 방향에 서 있는 동등한 것으로 보이는 것이다. 사탄은 이런 거짓말로 수많은 사람들을 속여 왔다.

절대로 비교할 수 없다

하나님과 사탄을 동양의 음과 양의 경우처럼 반대적인 것으로 놓는 것은 이교도의 세계관이다. 그들은 동등한 대응이 아니다. 오직 하나님만이 하나님이시며, 창조되지 않은 위대한 창조자다. 그분은 영원하고 무한하다. 그분은 전지(모든 것을 다 아시며), 전능(모든 힘이 있으시며), 편재(어디서나 항상 계시는)하시며, 주권자(최고의 권위를 가지고 계신)시다.

루시퍼는 단지 타락한 천사장— 창조되었으며 유한하고, 지식과 능력, 영역이 매우 한정된—에 불과하다. 그는 모든 것을 알지 못하며, 모든 것을 할 수 없다. 그는 단지 한 때에 한 장소밖에 있을 수 없다.

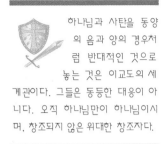 하나님과 사탄을 동양의 음과 양의 경우처럼 반대적인 것으로 놓는 것은 이교도의 세계관이다. 그들은 동등한 대응이 아니다. 오직 하나님만이 하나님이시며, 창조되지 않은 위대한 창조자다.

그리스도인의 우주관은 비교할 수 없는 지존하신 분을 묘사한다. 우열을 가릴 수 없는 두 개의 반대되는 나라를 다스리는 두 존재에 대한 개념은 다른 동양 종교뿐만 아니라 힌두교의 영향을 받은 것이다.

선과 악의 세력은 서로를 반격하거나 균형을 맞추는 것이 아니다. 성경이 비록 사탄을 가리켜 "이 세상의 신"이라고 말하지만, 그것은 단지 그 자신의 거짓된 체제에 대한 권세의 위치를 표시하는 것이다. 천사들은 루시퍼를 하늘 바깥으로 내던졌고, 그는 어둠의 나라를 세우며 사탄이 되었다. 그리고 지금 우리는 예수의 권세와 이름으로 그와 싸운다.

하나님은 결코 마귀와 싸우지 않으셨고 그러지도 않으실 것이다. 그것은 가장 작은 개미가 내 어깨 위에서 움직이며 "어이 친구, 씨름하기를 원하는가?"라고 소리치는 것과 같을 것이다. 어떻게 내가 가까스로 보이는 곤충과 씨름할 수 있는가? 그가 으스러지고, 훅 불어도 날아가 버리는 것을 제쳐놓더라도 내가 어떻게 이 작은 개미와 씨름할 수 있단 말인가? 설사 이 개미가 대담하고 자존심이 있다 할지라도, 결코 나는 위협을 느끼지 않을 것이다.

하나님이 사탄과 싸우신다는 생각은 내가 개미와 씨름하는 것보다 훨씬 우스운 것이다. 하나님은 모든 면에서 무한히 광대하시다. 하나님은 결코 사탄과 싸우실 수 없다. 그것은 정확히 우리가 왜 하나님의 권능으로 전쟁을 수행해야 하는지에 대한 중요한 이유다.

마찬가지로 하나님과 같이 되려는 루시퍼의 시도는 우스운 것이다. 사탄은 결코 하나님과 같이 될 수 없다. 지음 받은 것이 지음 받지 않은 존재가 되려는 것은 불가능하다. 유한한 것은 무한하게 될 수 없다. 하나님은 하나님이시고, 그와 떨어져서 그와 같이 되는 것은 우주 어디에도 없다.

만약 루시퍼를 어리석다고 생각한다면….

루시퍼가 하나님과 같이 되려는 것이 그렇게 불가능하다면 왜 그는 노력을 하는가? 대답은 우리들 각자의 모습에서 찾을 수 있다. 우리들 중 얼마나 많은 사람들이 자신들을 위해 살아왔는가? 우리가 마음속으로 하나님 없이 살기로 결정했을 때, 우리가 "나는 스스로 강하고 내 삶을 꾸려나가는 데 누구도 필요치 않아"라고 말할 때, 우리가 실제로 말하는 것은 다음과 같은 말이다. "나는 지극히 높은 자같이 될 수 있어. 나는 우주에서 가장 중요한 존재야. 나는 신이 될 수 있어."

인간이라면 모두 "나는 하나님이 필요 없어"라고 때때로 말해왔을 것이다. 우리는 우리가 우주의 중심이라고 생각한다. 우리는 달에 갈 수 있고, 컴퓨터를 만들고, 질병을 치료할 수 있다. 그리고 우리는 우리가 사회의 모든 문제를 풀 수 있다고 생각한다. 우리는 우리 자신으로부터 시작해서 인간을 완전하게 만들 수 있다. 우리는 하나님을 필요로 하지 않고, 종교도 필요하지 않다. 우리는 평상시에 매우 독립적이다가 암과 같은 어떤 것이 우리를 칠 때야 비로소 아기처럼 하나님의 발 앞으로 기어나와 도와달라고 울부짖는다.

사탄이 행한 것은 정말로 우습다. 그럼에도 죽음으로부터 단 한 숨의 거리밖에 안 되는 존재인 우리는 하나님 없이도 스스로 삶을 꾸려나갈 수 있다고 생각한다. 하나님 없이 살고자 애를 쓰는 것은 하나님이고자 애를 쓰는 것이다. 이것은 정확히 사탄의 마음에 들어가는 비정상적인 자존심이다. 그리고 슬프게도 우리 모두는 그것을 가지고 있다.

우리는 사탄의 주장을 믿어 왔디

'사탄'이라는 이름은 오랫동안 사람들에게 두려움을 가져다 주었다. 이름 그 자체는 사단이 투영시키기를 바라는 신과 같은 형상을 닮은 거대한 악의 상징이 되었다. 그리스도인들조차도 때때로 사탄이 불러내는 생각과 장면들에 압도당한다.

'사탄'이라는 단어의 뜻은 문자 그대로 '적'(adversary), 풀이 보면 '대항하거나 반대하는 자'(Buck, Emory Stevens gen. ed. Interpreter's Dictionary of the Bible 「성경해석사전」, Nashville, Abingdon Press, 1962, p.52)다.

때때로 '사탄'이라는 단어는 성경에서 그의 세력들을—단지 루시퍼 개인만이 아니라—언급하기 위해 사용되기도 한다. 사탄이라 불리는 존재는 하나님께 맞섰기 때문에 이름지어진 단지 타락한 천사장일 뿐이다. 우리는 사탄을 그렇게—그 이상도 그 이하도 아닌—바라보아야 한다.

사탄은 그의 어둠의 나라에서 혼자가 아니다. 하늘에서 내던져졌을 때 그는 많은 천사들을 데리고 나왔다. 그가 얼마나 많은 무리를 함께 끌고 나왔는지는 모르지만, 그는 새로운 존재를 창조하지 못하는 존재이기 때문에 그 수는 제한된 것일 것이다.

어둠의 나라는 사탄과 이러한 귀신들과 악한 영들로 이루어져 있다. 성경은 타락한 천사들과 귀신들을 직접적으로 연결시키지 않는다. 만약 귀신이 타락한 천사가 아니라면, 우리는 그것들이 어디로부터 왔는지 알 수 없다.

영적인 형태에서 귀신은 타락한 천사라고 보는 것이 합당해 보인다. 그러나 그들의 기원을 숙고하는 것보다는 귀신이 실제로 존재함을 인식하는 것이 더 중요하다.

앞서 언급했듯이, 세계 대부분의 문화에서 사람들에게 귀신과 악한 영들을 납득시키는 것은 아무런 문제도 아니다. 또한 소위 문명 세계에서 교육을 잘 받은 사람들이 점점 더 규칙적으로 귀신을 포함하는 행동에 말려들고 있다. 이것은 요술, 교육을 더 받은 민간 전승, 사실 무근의 미신들이 아니다. 그것은 현실이다. 모든 그리스도인들은 이 현실을 깨달아야 한다. 만약 우리가 그렇지 않다고 믿는다면 그것은 우리 자신을 속이는 것이다.

그렇다면 어둠의 나라는 단지 이러한 존재 형태들—사탄(하나의 타락한 천사장)과 타락한 천사들, 수많은 귀신, 그리고 악한 영들—로 이루어져 있는 것이다. 하나님의 말씀에 따르면 그것들은 모두 존재하는 것이다. 이러한 영들은 인격을 갖는다. 우리는 '힘의 어두운 측면', 신비적이며 사물적인 악한 세력, 만연하는 모든 세력들과 싸우고 있는 것이 아니다. 예수님은 악한 세력과 정면으로 부딪치지 않으셨다. 때때로 예수님은 그들의 이름을 부르면서 악한 영들과 맞섰다.

유령, 미확인 비행물체(UFO), 외계인

지난 20년 동안 사람들은 유령, 미확인 비행물체, 외계인에 대하여 매우 큰 호기심을 가져왔다. 오늘날 세계에서 설명할 수 없는 형상이 넘쳐나고 있지만 나는 성경이 보이지 않는 영역에 대해 필요한 모든 정보를 우리에게 제공한다고 믿고 있다. 만약 성경이 그것에 대해 명확히 말하지 않는다면 우리는 알 필요도 없을 것이다. 만약 과학적으로 설명할 수 없는, 초자연적인 외계의 형상이 존재한다면 나는 그것들이 하나님의 천사들의 활동이거나 아니면 마귀의 것들이라고 생각한다.

모든 인격체들과 마찬가지로 타락한 천사도 생각하고 듣고 의사 소통하고, 경험하고 행동하고 반응한다. 그들은 인격체이고 천사와 마귀에 대한 성경의 기록을 통해 우리는 그들이 인간들 사이에서 행할 수 있다는 것을 안다. 그들은 우리의 마음속에 말을 건다(요한복음 13장 2절에는 마귀가 유다에게 그리스도를 배반할 마음을 불어넣는다). 그들은 우리가 말하는 것을 듣고, 우리의 반응을 살피고, 계획과 작전을 세운다.

이러한 악한 인격체들이 듣기 때문에 우리는 영적 전쟁을 할 때 그들에게 말을 걸어야 할 필요가 있다. 어떤 사람은 원수에게 말을 거는 것을 못마땅하게 여길지도 모른다. 그러나 성경은 우리가 어둠의 권세에 대항해야 한다는 것을 명확히 밝히고 있다(약 4:7, 벧전 5:9). 우리는 어떻게 인격체에 저항할 수 있는가? 우리의 성경을 흔들고, 으르렁대고, 눈을 감고, 숨을 죽이면 될까?

주먹 싸움으로는 안 되는, 인격체에 저항하는 내가 아는 단 하나의 방법은 말로 대항하는 것이다. 우리 그리스도인들은 집적 사탄과 어둠의 권세에게 말을 걸어 그들을 꾸짖고, 입으로 그들이 우리 삶에 접근하는 것을 부정해야 한다. 예수께서는 적에게 직접 말하셨다. 우리가 주님보다 더 큰 일을 할 수 있다고 우리에게 말씀하시며, 적에게 말을 걸고 그에게 대항할 것을 예를 들어 보여 주셨다. 그리고 마가복음 16장 17절에서 예수님은 원수를 대적하는 데 주님의 이름을 사용하라고 말씀하셨다. 주님은 주님이 우리를 위하여 맞서겠다고 말씀하시지 않으셨다. 그는 그의 이름으로 우리가 마귀를 쫓아낼 것을 명하신다.

이것은 우리가 매일 사탄과 그의 군대를 누르고 승리하기 위한 시작에 불과하다. 좀 더, 좀 더 우리가 발견해서 물리쳐야 할 마귀의 전략들에 대한 이해가 있어야 한다.

제 7 장
〔사탄의 조직과 전략〕

이제 우리는 어둠의 왕국이 사탄과 귀신들로 되어 있다는 것을 알았다. 그렇다면 이 세력이 어떻게 움직이는지 알아야 한다. 성경말씀에 따르면 "그 궤계를 알지 못하는 바"(고후 2:11)가 아니라는 것이다. 우리가 검찰의 수사관이라면 범인을 잡기 위해서 범인이 사용하는 수법을 잘 알아야만 한다.

세상을 파괴시키는 사탄의 수법에는 다음과 같이 세 가지 요소가 있다.

첫째 요소: 사탄의 조직

이 조직은 세상에서 일어나는 사건들을 관할하고 조정하기 위해 있는 것이다. 이 세상 신으로서 사탄은 뛰어난 전략을 가지고 있다. 다른 조직과 마찬가지로 조직 내에는 각기 다른 기능이 있다. 어둠의 왕국은 성경에 나와 있는 대로 세 가지 기능이 있는데, 정사와 권세와 능력이다. 이 용어들은 성경마다 약간씩 다르게 표현하고 있지만 중요한 것은 이들의 기능을 알고 물리치는 것이다.

정사

성경에서는 '보좌', '주관하는 자', '권세', '정사' 등과 같은 용어를 사용한다. 이 말들은 영적 존재에 의해 행해지는 직능을 표현하는 것인데 정사라 하는 것은 다른 사람의 의사를 뛰어넘어 발언권을 행사하거나 의지를 구현한다는 뜻과 관련되어 있다. 그러면 대적 마귀가 어떻게 사람의 의지를 뛰어넘어 자기의 의사를 이 땅에 실현하는지 그 방법을 이해하는 것이 중요하다.

예수님께서는 마태복음 16장에서 '음부의 권세(대문)'에 대해 말씀하셨다. 당시에는 성읍의 지도자들이 성문에 앉아서 그 성읍을 다스리는 데 대한 결의를 하곤 하였다.

따라서 오늘날 '성문'에 해당하는 말이 있다면 단지 그 성읍의 경계가 되는 문이 아니라 시청이나 국회 의사당, 의회, 대통령 집무실, 크레믈린, 또는 다우닝가 10번지 같은 주요 의사 결정이 이루어지는 곳이라 할 수 있다.

사탄은 인간의 권위 구조 속에 교묘히 침투하여 이를 통해 지배하려고 획책한다. 그런데 어떻게 그렇게 할까? 사탄은 언제나 똑같은 방법을 사용한다. 에덴동산에서부터 사탄은 인간의 잘못된 판단과 이기적인 선택을 통하여 지배의 손길을 뻗쳐왔다.

권세나 권위 구조라 하면, 상위 것만 생각하기 쉬운데, 실상 권위 구조는 우리 생활의 모든 면과 맞닿는 훨씬 더 광범위하고 다양한 것이다. 대법원에서부터 개에게 등록증을 발급해주는 사람에 이르기까지 세상 만사가 다스려지는 곳이라면 거기에는 권위 구조가 있는 것이다. 국가 정부, 주 정부, 지방 정부를 비롯해 학교나 사업체, 교회, 노동조합, 동우회, 스포츠팀, 심지어 가정 안에도 권위 구조는 존재하기 마련이다.

가장 원시적인 석기시대 원주민에게도 권위 구조로서 촌장과 부락 어른들이 있었다.

벽에 나 있는 구멍

'성문'이 권위의 의결에 관한 것이라면 '벽'은 사회 내에서 권위에 대한 보호를 나타내는 성경적인 상징이다. 사탄은 우리 사회 내에 있는 구조가 의로운 구조라는 것을 알고 있다. 그것이 바르게 기능하기만 한다면 사탄이 지배하기가 쉽지 않다는 것을 알고 있는 것이다. 사탄으로 하여금 들어오지 못하도록 막고 있는 권위의 벽이 무너진다면 사탄은 지배할 수 있고 또 그렇게 할 것이다. 침투가 가능한 것이다.

권위자가 없거나 권위에 대한 복종이 없는 곳에는 혼돈과 반역이 있으며 사탄이 지배한다. 따라서 이같은 제도가 파괴된 만큼 사탄은 다스린다. 그렇다면 이째서 오늘날 결혼이나 가정, 교회, 학교 등이 이와 같은 악한 공격을 받는지 이해하기 쉬워질 것이다.

영적 전쟁에 대한 가장 위대한 교재는 구약 성경이다. 구약 시대에 이 땅에 있는 나라들 간에 벌어졌던 전쟁은 실제로 현재 보이지 않는 세계에서 벌어지는 것과 동일하다. 사탄은 이스라엘을 파괴시키기 위해 혈과 육의 군대를 자극시켜 전쟁을 일으켰다. 오늘날에도 사탄은 하나님의 백성을 멸망시키려고 힘쓰고 있는데, 그 선략에는 전혀 변함이 없다.

구약 시대 이스라엘 백성들은 성읍에서 살았다. 이들 성읍에는 적으로부터의 공격을 막기 위한 높은 성벽이 있었다. 만약 성벽의 어느 한 부분이라도 무너져 내리는 날에는 적의 군대가 쳐들어와 약탈과 살인을 저지를 수도 있었다. 느헤미야가 예루살렘 성으로 돌아왔을 때, 거처할 집이나 하나님의 성전을 짓기에 앞서 제일 먼저 성벽을 재건한 것은 당시 성벽은 가장 중요한 방어수단이었기 때문이었다.

이와 같은 고대의 성읍들은 오늘날 우리가 직면하고 있는 보이지 않는 세계에 대한 역사적 상징이다. 구약의 성읍들처럼 사회의 권력 구조에도 방어벽이 있다. 보이지는 않지만 실제로 권위에 대한 보호의 역할을 하는 벽이 있는 것이다. 이러한 벽이 무너지면 파괴적인 결과를 초래한다.

보이지 않는 세계에서 마귀는 세 가지 방법으로 이와 같은 벽을 무너뜨리려고 애쓰며 활동한다.

마귀에게 내어주는 것

이와 같은 벽을 무너뜨리는 첫 번째 방법은 경건하지 않은 지도자를 등장시키는 것이다. 지도자가 성경의 원칙과 하나님의 뜻에 따라 살지 않고 다스리지 않을 때 권위의 벽은 무너져 내린다. 사탄이 그를 통해 들어와서 다스리도록 허용하고 만다.

예를 들어, 재판관이 부패하고 경건치 못하다면 보이지 않는 정사 앞에 자신의 지도력을 포기하는 것이 된다. 재판관 자신은 재판의 권한을 넘겨주었다는 사실을 미처 깨닫지 못하는 사이에, 재판관의 권위 아래 있는 모든 사람들은 사탄의 공격에 그대로 노출되는 것이다. 모든 권위 구조가 동일하다. 불경건한 지도력은 벽을 파괴시켜서 보이지 않는 세계의 정사가 지배하도록 허용한다. 보이지 않는 세계의 정사들은 기회를 놓치는 법이 없다.

이것이 "높은 지위에 있는 모든 사람"을 위하여 기도하라(딤전 2:1-2)고 말씀하신 이유다. 대적 마귀는 어떻게든 지배하려고 하기 때문에 모든 권위는 공격 대상이 된다.

우리는 이 사회 속에서 많은 지도력의 위기를 맞고 있다. 그러므로 지도력의 벽을 견고히 해야만 한다. 우리의 지도자를 위해 중보기도해야 하는 것이다. 지도자로 있는 사람이라면 강건해야 하며, 성실하게 다스려야 한다. 그렇게 할 때, 대적은 주춤거린다. 반면 권위가 계속해서 잠식될 때는 사탄에게 근거를 마련해주게 된다.

사회의 방어벽을 파괴시키는 또 다른 방법은 권위를 도외시하는 것이다. 곧 지도지가 지도자 되지 않는 것이다. 안다깝게도 남편이 남편 되지 못하고, 부모가 부모 되지 못하며, 교사가 교사 되지 못하는 것이다. 지도자로서 자신의 책임을 외면하는 만큼 빈 그 자리에 어둠의 정사가 들어와 다스리게 된다.

가령, 많은 부모들이 너무 바빠서 자녀들과 함께 지낼 시간을 갖지 못할 뿐만 아니라 도덕적인 가치를 전달할 여유도 없고, 훈계를 한다거나 격려해 줄 만한 겨를도 없을 때 자녀늘은 악한 세력에 그대로 방치된다.

세 번째로 벽을 파괴시키는 가장 일반적인 방법은 거역이다. 나는 강의를 가는 곳마다 거역해본 적이 있는 사람은 손을 들라고 한다. 그러면 어린아이들부터 장년에 이르기까지 대부분의 사람들이 손을 든다.

불행한 일이지만 그리스도인의 모임 가운데서도 흔히 벌어지는 것이 거역이다. 우리는 이런 식으로 말을 한다.

"하긴 나도 그래." "내 안에 조금은 완고한 면이 있지." "그저 네, 네 하는 사람은 아니야." "난 내 방식을 좋아하는 사람이야."

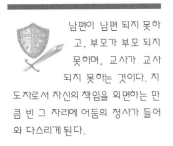
남편이 남편 되지 못하고, 부모가 부모 되지 못하며, 교사가 교사 되지 못하는 것이다. 지도자로서 자신의 책임을 외면하는 만큼 빈 그 자리에 어둠의 정사가 들어와 다스리게 된다.

"넌 네 입장만 고수하는 때가 있어." "난 트집잡는 걸 좋아하는 편인 걸." "내 성격이 그래."

우리는 흔히 이렇게 우리 자신의 거역하는 마음을 얼버무리지만, 권위의 벽은 심각한 손상을 당하고 만다. 약간 반항적인 것이 어떠냐는 식으로 허용하기 시작할 때, 순종과 반항, 찬성과 반대, 복종과 도전 사이의 경계선은 쉽게 무너진다.

거역인 것과 거역이 아닌 것

사무엘상 15장 23절에서 "이는 거역하는 것은 사술의 죄와 같고 완고한 것은 사신 우상에게 절하는 죄와 같음이라"는 말씀을 볼 수 있다. 이렇게 비교하는 것은 아주 심한 것이다. 그렇지만 거역하는 것은 벽을 파괴시킨다는 사실을 명심해야 할 것이다. 거역은 "난 규율이 필요치 않아. 내게 뭐라고 지시하는 그런 사람은 필요 없어. 지도자라 해도 말이야"라고 말하는 마음의 태도다.

간단명료하게 말하자면 거역의 영은 곧 권위를 거부하는 것이다. 그것은 우리 위에 부여된 모든 것으로부터 벗어나려고 하는 욕구다. 거역은 사탄이 들어오게끔 허용하는 것이기 때문에 사술과도 같다고 말하는 것이다. 거역과 사술은 권위 구조와 개인의 삶 속에 똑같은 결과를 가져온다. 이 둘은 모두 어둠의 세력과 직접 연계되어 있다.

"각 사람은 위에 있는 권세들에게 굴복하라 권세는 하나님께로 나
지 않음이 없나니 모든 권세는 다 하나님의 정하신 바라 그러므로

권세를 거스리는 자는 하나님의 명을 거스림이니 거스리는 자들은 심판을 자취하리라 관원들은 선한 일에 대하여 두려움이 되지 않고 악한 일에 대하여 되나니 네가 권세를 두려워하지 아니하려느냐 선을 행하라 그리하면 그에게 칭찬을 받으리라"(롬 13:1-3).

로마서 13장 1절은 모든 권위가 경건하다고 말하지 않는다. 모두가 그렇지는 않다. 우리 주위에는 부패한 정치가, 판사, 사장, 목사, 부모들이 있다. 그렇다 하더라도 권위는 하나님에 의해 세워진다. 권위 구조가 존재하는 것은 하나님의 뜻이며, 지도적인 위치에 있는 사람들에게 순복하는 것 또한 하나님의 뜻이다. 지도자가 악할 수도 있지만 그래도 지도자가 지닌 권위는 방어의 벽으로서 존재한다.

로마서 13장 3절 말씀은 권위 사체가 본질적으로 악을 방지하거나 주춤거리게 한다고 말한다. 권위는 악을 행하는 사람에게 두려움의 대상이 된다. 견고한 권위 구조를 가진 나라는 기독교 국가가 아니더라도 악이 만연하는 것을 막는다. 가정 내에 원칙을 강조하는 집안은 악이 틈타는 것을 막으며 그 진행 속도가 느리다. 이와 같은 제도를 둘러싸고 있는 권위의 벽에 의해 마귀는 저지당한다. 이것이 하나님의 일반 원칙이다. 이것은 모든 사람에게 미치는 것이다.

거역하는 것과 불순종하는 것은 다르다

세상 권위에 순종한다고 해서 하나님보다 우선하여 순종해도 된다는 말인가? 아니다. 사도행전 4장에서 베드로는 복음을 전파하는 것 때문에 제사장들 앞에 세워졌다. 그때 제사장들의 명령은 하나님의 명령에 직접 대치되는 것이었다. 베드로는 그 말에 순종하기를 거부했다. 사람보다는 하나님께 순종하였던 것이다. 그렇지만 제사장들의 권위를 공격하고 나서지는 않았다. 거역한 것은 아니었다. 거역과 시민 불순종 사이에는 차이가 있을 수 있다.

권위에 대한 순복이 곧 자신의 생각은 아무것도 없이 그저 "네 네" 하는 사람이 된다는 말은 아니다. 우리는 불의와 부정에 대해 대항할 수 있다. 필요하다면 그리스도의 영 안에서 동의하지 않고 대항하고 견책할 수 있다. 그러나 그 구조를 깨뜨리거나 지도자들이 권위를 가졌다는 이유만으로 그들을 반대해서는 절대로 안 된다.

사탄은 가정이 가정을, 노동 조합이 노동 조합을, 국가가 국가를 표적으로 삼게 한다. 우리가 거역하는 마음을 품거나, 권위를 깨뜨리려고 애쓸 때 우리는 사탄의 친구가 되는 것이다.

이것이 벽을 파괴시키고자 획책하는 사탄의 전략임을 깨달았다. 하지만 이제 우리는 무엇을 해야 하는가? 에스겔 22장 30절은 이렇게 말씀한다. "이 땅을 위하여 성을 쌓으며 성 무너진 데를 막아 서서 나로 멸하지 못하게 할 사람을 내가 그 가운데서 찾다가."

하나님께서는 중보기도로써 무너진 벽을 재건할 사람을 찾으신다. 이제 우리는 벽이 무너져서 틈이 생긴 부분이 어디인지 깨닫게 되었다. 우리 주위 어디에나 있다. 사회 구조들이 붕괴되고 있는 곳이다. 우리는 이러한 틈을 메우기 위해 하나님 앞에 중보기도로 나아가야 한다. 그리고 우리 도시와 가정과 학교와 개개인을 대신해 사탄을 내쫓는 것이다.

에스겔 13장 4-5절은 사회에 대한 우리의 선지자적이고 중보자적인 책임을 담당하도록 권면하는 데 매우 적절한 말씀이다.

"이스라엘아 너의 선지자들은 황무지에 있는 여우 같으니라 너희 선지자들이 성 무너진 곳에 올라가지도 아니하였으며 이스라엘 족속을 위하여 여호와의 날에 전쟁을 방비하게 하려고 성벽을 수축하지도 아니하였느니라."

여우는 성벽이 허물어진 곳에 굴을 파고서 그곳에서 안락하게 지낸다. 이것이 사회는 허물어져 가는데 그리스도인들이 흔히 행하는 모습을 그대로 표현하는 것이라 하겠다. 우리는 영적 전쟁과 기도와 참여를 통해 사회의 무너진 벽을 일으키고 수축하도록 부르심을 받았다.

권세

마귀의 조직의 두 번째 기능은 흔히 '지역을 장악하고 있는 영'이라고 말하는 권세에 대한 것이다. 권세는 어둠의 왕국에 있는 다른 영들에 비해 더 사악하지는 않다. 머리가 네 개씩, 눈이 열 개씩이나 있을 필요는 없다. 권세는 단지 사탄의 왕국에서 광범위한 지역에 영향력을 미치는 그런 존재다.

권세(principality)라는 말을 이해하기 위해서 우선 단어를 살펴보는 것이 좋겠다. 'prince'라는 단어는 칭호가 붙는 지도자를 말하고, 어미가 되는 'pality'는 지리학과 인구학에 관련된 말이다. 지리학은 지리에 관한 학문이며 인구학은 사회 내에서 인간의 구성이 어떤가를 연구하는 학문이다. 따라서 권세라는 단어를 통해 이 땅에 미치고 있는 사탄의 역사 가운데 가장 중요한 단면을 볼 수 있다.

사탄은 세계 지도에 따라 자기 세력을 배치시켜 놓았다. 되는 대로 아무렇게나 자기 군대를 흩어 놓은 것이 아니다. 그러므로 무질서하게 돌아다니며 서로 좌충우돌하지 않는다.

어둠의 왕국은 최신예 전투 장비와 같이 기름칠이 잘 되어 있다. 사탄은 각 지역과 각각의 인간 집단에 대해 특별한 전략을 세워놓고 있다. 인도에 대한 전략과 뉴욕에 대한 전략은 각각 다르다. 콜롬비아의 집 없는 아이들을 다스리는 사탄의 전략은 암스테르담의 윤락 여성에 대한 전략과 다르다. 특별한 지역, 특별한 집단에 대하여 어둠의 세력도 특별한 능력을 가지고 있는 것이다.

유능한 지휘관처럼 이 땅에 대한 사탄의 전략도 잘 작성된 지도를 가지고 수립되었다. 사탄은 세상을 여러 가지로 분할해서 보는데 제국, 나라, 지역, 도시, 구, 동네별로 본다. 그리고 도시와 농촌의 인구 밀도까지 고려하며 인종과 국적, 부족, 혈연, 그리고 가계까지 파악하고 있다. 또한 언어 집단과 방언, 동일 문화 집단, 민족에 대해서도 깊이 연구하고 사회, 조직, 단체들에 대해서도 상세히 알고 있다. 사탄은 자신의 전쟁터에 대해 잘 알고 있다. 자기 적도 잘 알고 있으며 싸움에 대비하여 잘 정비되어 있다.

지역 감정 버리기

우리는 국민의 대다수가 그리스도인인 나라에 한 발을 딛고 있으면서 동시에 한 발은 전혀 그렇지 않은—그리스도인이라곤 거의 찾아보기 어려운—나라에 디딜 수 있다. 대개의 여행객들이 느끼는 바지만 이와 같은 지역 간의 차이는 두드러진다.

어떤 도시에 가면 하나님에 대해서 더 깊이 느끼게 되고 밝고 평화스러운 분위기를 엿볼 수 있는 반면, 다른 도시를 가면 마찰과 분열을 야기시키고 억압된 분위기 속에 어둠의 세력이 주관하는 것을 느낀다. 똑같은 도시인데도 다리 하나를 사이에 두고 이런 영적인 분위기가 크게 차이가 있는 것을 경험하곤 한다.

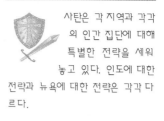

사탄은 각 지역과 각각의 인간 집단에 대해 특별한 전략을 세워 놓고 있다. 인도에 대한 전략과 뉴욕에 대한 전략은 각각 다르다.

한번은 로스앤젤레스 근교에서 다른 동네로 들어갔는데, 마치 외국의 어떤 동네를 들어가는 것이 아닌가 하고 느낄 만큼 영적인 분위기가 다른 것을 느꼈다. 그곳은 뉴에지 상점과 점치는 곳이 즐비한 반면 교회들은 작고 왜소하였다. 악령의 실체를 크게 느낄 수 있었는데 실제로 점술 행위가 크게 판치고 있었던 것이다. 다른 많은 동네들과 같이 이 동네도 마치 자석에 이끌리듯이 이런 것을 좋아하는 사람들이 모여든 것이 아닌가 생각된다.

하나님께서 우리에게 이와 같은 특정 지역에 대한 영적인 감수성을 주실 수 있지만, 그러한 감각이 없다 하더라도 통계를 통해 알 수 있다. 두 도시를 비교해 보면 살인, 폭력, 마약, 알코올 중독, 사창가, 음란물, 십대 미혼모, 낙태, 간음, 이혼, 자살 등의 비율에서 크게 차이를 보인다. 그리고 동성 연애, 사탄 숭배, 점술, 기타 종교 등의 수치를 비교해 그 차이를 볼 수 있다. 또한 신생아 사망, 정신병, 사고, 질병의 비율에 있어서도 다르게 나타날 수 있는 것이다.

사탄은 지도에 따라 자기의 세력을 분산시키고 전략을 세워 놓는다. 따라서 영적 전쟁에 진지하게 임하고자 하는 마음이 있다면, 지리학과 인간 집단에 대한 정보를 잘 파악하는 것이 절대적으로 필요하다. 그리스도인이라면 지리와 세계와 그곳에 사는 사람들에 대해 훨씬 더 많은 시간을 들여 연구해야만 할 것이다.

흔들리는 사탄의 궤계

마귀는 우리 그리스도인들이 하는 것들을 그냥 웃어넘긴다. 이것은 우리가 잘못을 저질렀다거나 세상적인 일을 했기 때문이 아니다. 우리가 하는 많은 노력들 중 대부분이 사탄에게는 아무런 영향도 주지 못한다는 말이다. 하지만 우리가 지도를 따라 기도하면서 사탄이 점 찍어놓고 파괴시키려고 획책한 각 지방과 각 집단에 주목하기 시작할 때, 사탄은 분명히 긴장하게 될 것이다.

한번도 가본 적이 없는 나라를 위해 기도한다는 것이 전혀 새로운 생각이며 이상한 일인가? 내셔널 지오그라피(National Geographic)에 나오는 소수 민족에 대한 기사를 읽으며 기도로써 그 부족을 하나님께 올려드리는 것이 별난 일처럼 보이는가? 만일 그렇게 보인다면 우리는 정상 궤도에서 상당히 벗어나 있는 것이다. "모든 족속에게 가라"는 대위임 명령에서 볼 때 기도로 모든 족속에게 가는 것은 모든 족속을 예수 그리스도께 드리는 우리의 최초의 반응이자 최초의 헌신인 것이다. 모든 족속들을 위해 기도하는 것은 모든 그리스도인의 책임이다.

지역적으로 나누어 기도하는 것은 마귀를 뒤흔들어 놓을 뿐만 아니라 마귀의 궤계를 저지시킨다. 하지만 누가 살며 어디에 있는지도 모르는 사람들을 위해 어떻게 기도한단 말인가? 우리는 사탄이 전세계를 면밀히 조사했으리라고 짐작한다. 우리도 교회에서 지리에 대해 공부하며 배울 필요가 있다.

'시킴'(Sikkim)이 혹시 강아지 이름이 아닌가 생각한다면 어떻게 시킴을 위해 기도하겠는가? 시킴은 부탄 오른쪽에 있는 국가다. '부탄'은 들어보지 못한 어느 변두리 상점 이름이 아니다. 그 나라에 사는 그리스도인의 수는 손으로 꼽을 수 있을 만큼 적다.

우리 중에는 모잠비크가 어디쯤 있는지 아는 사람이 별로 없다.

그러나 마귀는 수세기 동안 체계적인 전략을 세워 놓고 파괴하고 결박시키려 하고 있다. 모리나타니아를 위해 지속적으로 기도하는 사람은 거의 없다. 그래서 그곳에 그리스도인들이 얼마 되지 않는지도 모른다. 그 나라가 어디에 있고 거기에 누가 살고 있는지조차 알지 못한다. 그러나 마귀는 알고 있을 것이다.

어둠의 세력들은 각각의 인간 집단에 대해 파악하고 그에 따른 전략을 세운다. 이러한 사탄의 전략을 저지할 수 있는 것은 오직 교회뿐이다. 세계적인 규모의 영적 전쟁이란 지역에 따라 기도하는 법을 배워야 한다는 것을 뜻한다.

다니엘 10장은 파사를 지배하는 권세인 바사국 군에 관해 언급하고 있다. 이 권세는 노쇠하여 죽거나 은퇴하지 않았다. 아마 지금도 그곳에 있으면서 같은 일을 할 것이다. 다니엘서는 헬라국 군에 대해서도 언급하고 있다. 파사와 헬라의 권세가 존재한다면 스코틀랜드, 하와이, 런던, 달라스, 그리고 북부 달라스의 권세도 역시 존재할 것이다.

인간 집단에 대한 학문인 인구학 또한 사탄이 자기 세력을 구축하고 전략을 수립하는 데 그 기초 자료를 제공하고 있다. 이리하여 사탄은 각각의 인간 집단에 대한 전략을 갖고 있는 것이다. 난민들, 경찰, 구타당하는 아내, 전화 교환수, 맹인, 사업가, 그리고 셀 수 없을 만큼 많은 크고 작은 개개의 집단, 이들 각각에 대한 전략을 구체적으로 세우고 악령들을 배치시켜 놓았다.

아무도 보려고 하지 않는 축구 경기

예수 그리스도의 교회와 어둠의 권세 간에 일어나는 일은 마치 축구 경기와도 같다. 어떤 축구 경기든지 경기장 좌우 끝에 골대가 있고 두 팀이 경기를 한다. 경기는 어느 한 팀이 경기장의 반대쪽에 있는 다른 팀의 골대에 골을 넣는 것인데, 따라서 상대방 팀이 자기 진영에 깊숙이 들어오지 못하도록 방어하도록 되어 있다.

일정한 규모와 조직을 가지고 한 팀이 되어 교회가 경기장 내에 정렬해 있다. 우리 교회는 당회장 목사를 비롯하여 부목사, 교육목사, 여 전도사, 부임 교역자, 성가대 지휘자, 그리고 각 부서들, 장로, 집사, 주일학교, 성경공부 그룹 등으로 구성되어 있다. 그리고 훌륭하게 골을 넣기 위한 전략을 세워놓았다.

좋은 일들이다. 나쁘지 않고 죄스럽다거나 세상적인 일도 아니다. 우리 팀은 "승리는 내 것일세" 하고 노래를 부르며 축구 경기장 한쪽에 서 있다.

경기장 다른 한편에는 어둠의 세력이 정렬해 있다. 만일 우리가 이들이 '그다지 잘 조직되고 체계화 된 팀은 아니겠지'라고 판단한다면 크게 잘못하고 있는 것이다. 이들 팀은 브라질에 있는 고아와 과부, 뉴욕에 있는 택시기사, 캘리포니아 도교(道敎) 신자, 스페인계 미국인, 요트 클럽, 그리고 그리스도인들이 한번도 들어본 적이 없는 아마존의 부족에 대한 전략과 이에 따른 배치가 이루어져 있다.

이 축구 경기의 한 가지 문제라면 아무도 자기 유니폼을 더럽히지 않으려고 한다는 것이다. 경기가 시작되어 공을 찰 때 우리편 진영에서는 전열을 가다듬느라고 법석인데 반해 마귀는 터치다운을 하고 또 터치다운을 하고 있다. 아무도 두 팀이 벌이는 경기를 보려고 하지 않는다. 싸움이 되지 않기 때문이다.

여기서 이 축구 경기가 흥미진진해질 수 있는 한 가지 방법을 제안하고 싶다. 지난 몇 세기 동안 마귀가 무엇을 행해왔는지 잘 파악해 보라. 그리고 경기에 응용해서 마귀를 막아보라!

물론 영적 전쟁이 축구 경기와 같지는 않다. 하지만 그래도 어둠의 세력을 막을 수 있다. 대적 마귀와 맞붙어서 특정 부족에 대하여 특별한 기도를 함으로써 이들에 대한 마귀의 전략을 저지시킬 수 있는 것이다. 지리학적이고 인구학적인 전략으로 대항하는 대적 마귀에게 태클을 걸어라. 교회가 지리학을 배경으로 기도하고 모든 지역과 모든 인간 집단을 그리스도께 드리기 위한 전략을 세움으로써 공격을 개시할 수 있다. 지금까지 대적 마귀는 체계적으로 이 세상을 파괴시켜왔다. 모든 나라가 속박되어 있어 대부분 그리스도인이 증거하는 말을 들을 수가 없다. 이것은 우리 교회가 지금까지 사탄에게 구체적으로 대항하지 않았기 때문이다. 사탄이 세상에서 어떻게 활동했는지 알지 못했었다. 우리는 사탄의 계략을 간과했던 것이다.

그러나 다른 한편으로 그리스도인들이 지역에 따라 구체적으로 기도한 결과 예전에는 전혀 복음을 받아들이지 않던 곳이 극적으로 변화되고 있다. 예를 들자면, 네팔에는 1959년에 그리스도인이 29명밖에 되지 않았지만 지금은 10만 명에 이른다.

작은 소리로 영적 전쟁하기

구체적인 기도의 결과로 일어난 또 하나의 극적인 예는 루마니아다. 프랭크 바톤(가명)은 1983년부터 루마니아를 정기적으로 방문하기 시작했다. 당시 상황은 매우 공포스러운 것이었다. 차우셰스쿠 정권 아래 비밀경찰은 6만 명 이상의 양민을 학살하였다. 또한 경제적인 억압도 극심했는데 저녁이 되면 단 몇 시간, 그것도 희미한 전등 하나만 허용되었다. 그리고 정부에서 1개월이 되지 않는 신생아는 인간으로 보지 않는다는 법률이 통과되어 수많은 아기들이 병원에서 동사당했다. 이렇게 하여 죽은 아기는 통계에 반영되지도 않았다.

프랑크는 계속해서 루마니아에 들어갔는데 하나님께서는 그를 '티미소아라'라고 부르는 마을의 몇몇 신자들이 모이는 모임으로 인도하셨다. 이들은 가정에서 비밀 모임을 가졌다. 그때 하나님께서는 영적 전쟁에 대해 이들에게 말씀하기 시작하시면서 그들에게 두려움의 영과 공포의 영을 대적하라고 강하게 말씀하셨다. 이런 영들이 루마니아 사회 전체를 지배하고 있었던 것이다. 또한 이들은 한밤중에 밖으로 나가 몇 명씩 나누어 마을을 돌면서 기도하라는 강한 느낌을 받았다. 그래서 여러 공관 건물 앞에서 권세와 능력들을 대적하며 기도하였다. 비밀경찰이 듣지 못하도록 아주 작은 소리로 기도하였다.

어리석어 보였지만 이들은 하나님께 계속해서 순종하였다. 몇 개월이 지났지만 상황은 더 악화되기만 하였다. 1989년 2월, 두 명의 목사가 사라졌다. 비밀경찰에 의해 살해된 것이다. 다른 사람들은 수감되었다. 그렇지만 그리스도인들은 계속해서 모임을 갖고 영적 전쟁을 하였다. 하나님께서 다시 말씀하셨다. 승리가 곧 임박하리라는 확신을 주는 말씀이었다.

마지막으로 1989년 8월 23일, 주님의 말씀이 임했다. 불꽃이 이 마을에서 시작하여 전 루마니아로 퍼질 것이라는 말씀이었다. 믿기 어려운 말씀이었다. 특별히 비밀스럽게 작은 소리로 기도하는 몇 안 되는 사람들에게 있어서는 더욱 그러했다.

하지만 하나님의 말씀대로 그 불꽃은 티미소아라에서 시작되었다. 그것은 1989년 12월 15일 라스틀로 토케스(Laszlo Tokes)라는 개혁파 목사의 가택 구금에서 비롯되었다. 대개 그런 구금 상태가 되면 얼마 후에 그 목사는 사라진다. 그러나 이 경우는 달랐다. 토케스가 구금되었다는 소문이 퍼지자 보통 때 같으면 겁을 집어먹을 그리스도인들이 그날은 사택으로 몰려와서는 입구를 둘러싸고 손에 손을 잡고 인간 사슬을 만들기 시작했다. 경찰이 그들을 위협하였지만 그들은 처음으로 입을 열어 혁명 구호를 외치기 시작했다. "두려움은 없다. 두려움은 없다! 자유!"

사람은 점점 더 늘어났다. 몇 명은 끌려가고 고문도 당했지만 나머지 사람들은 흩어지지 않고 오히려 더 늘어나 수천 명에 이르렀다. 그리스도인이 아닌 사람들도 가담하였다. 아무도 두려워하시 않는 것 같았다. 사람들은 군인들 앞에 걸어나가 맨 가슴으로 총구를 마주 대했다. 그러면서 외쳤다. "우린 승리한다! 차우셰스쿠는 물러나라!" 신문에는 아이들을 포함해 무장하지 않은 사람 수천 명이 1989년 12월 학살되었다고 보도되었다. 그럼에도 군중은 계속 늘어만 갔다. 사람들은 군인들 앞으로 걸어나가 ㄱ 앞에서 무릎을 꿇고 기도하였다.

불꽃이 타올랐다. 마침내 군대가 돌아섰고 비밀경찰에 대항하기 시작했다. 차우셰스쿠의 학정은 1989년 12월 크리스마스 때를 기해 끝을 맺었다. 전국 신문들은 일제히 "두려움과 공포의 사슬은 끊어졌다"고 보도하였다. 두려움과 공포, 이것은 하나님께서 2년 전부터 기도로 대적하도록 지시하신 깃과 똑같은 영적 세력이다.

이것은 한 가지 이야기에 불과하다. 루마니아뿐 아니라 동유럽을 위해 수많은 사람들이 기도하고 있다. 지난 30년 동안 대부분의 교회들이 공산 지역에 있는 고난받는 교회들을 위해 기도하였다. 루마니아에서 일어난 일은 권세와 능력을 대적하는 기도를 집중적으로 할 때 그 권세가 어떻게 파괴되는지 보여주는 좋은 실례가 된다. 우리는 열려졌지만 언제 닫힐지 모르는 동유럽의 문을 하나님께서 계속해서 열어주시도록 지금도 기도해야 하겠다.

능력

사탄의 조직 가운데 세 번째 기능은 능력 또는 견고한 진에 관한 것이다. 이것은 악과 아주 밀접하고 죄를 조장하는 악령을 말한다. 또 이것은 악을 만연시키기 위한 총체적인 노력이라고도 말할 수 있다.

패배한 마귀가 어떻게 이 땅을 움켜쥐고 있을까? 어렸을 때 나는 목사님으로부터 마귀는 이미 패배하였다는 말씀을 들은 적이 있다. 목사님은 말씀하셨다. "예수님께서 마귀를 패배시켰습니다. 우리에게 승리가 있습니다. 마귀는 폐업당한 것입니다. 완전히 실업 상태가 된 것입니다."

'마귀가 2,000년 전에 패배를 당했다면 왜 아직도 우리 마을에 남아 있지?' 나는 교회를 나오면서 이렇게 생각했다. 패배당한 마귀가 활동하고 있는 것을 꼬마가 아는 것은 그리 어렵지 않은 것이다.

사탄은 완전히, 그리고 영원히 패배당했다. 마귀가 졌다는 것은 경축할 만한 일이다. 하지만 패배당한 마귀가 지금도 이 땅에서 활동하고 있다는 것 또한 사실이다. 어떻게 그럴 수 있는가?

사람들이 죄를 짓고 이기적으로 사는 만큼 마귀는 우리 사회 속에서 활동하고 있다. 우리가 하나님의 뜻을 거스리고 반대로 살면서 마귀에게 넘겨준 권위만큼, 정확히 그만큼만 마귀는 권세를 휘두르고 있다. 그리고 또한 역사 이래로 죄를 지은 사람들로부터 이어내려오는 얼을 통해 마귀는 영향력을 행사한다. 우리에게 주신 하나님의 자유가 죄를 짓고 끊임없이 이기적으로 생활하는 나나 당신 같은 사람들 때문에 도리어 마귀에게는 선물이 되고 있다.

사탄의 활동은 또한 우리의 죄 된 본성에 따라 결정된다. 우리가 죄를 짓게 되면, 그것은 곧 죄를 통해서 마귀가 우리에게 영향력을 행사할 수 있게 하며 우리를 압제하도록 허용한다. 따라서 마귀는 다양한 죄악의 형태마다 '세력'을 갖고 악의 세력이 위세를 떨치게 하여 죄에게 우리 자신을 넘겨주도

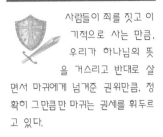

사람들이 죄를 짓고 이 기적으로 사는 만큼, 우리가 하나님의 뜻을 거스리고 반대로 살면서 마귀에게 넘겨준 권위만큼, 정확히 그만큼만 마귀는 권세를 휘두르고 있다.

록 만든다. 죄가 있는 만큼 죄의 권세가 있다. 그렇다고 해서 마귀에게 모든 능력이 총집합해 있는 것처럼 여겨서는 안 된다. 어떤 도시에 있는 모든 사람을 정욕에 빠뜨리기 위해 마귀는 서랍에서 정욕을 꺼내 들고 도시 여기저기로 내던지지는 못한다. 정욕 자체가 활동하는 법은 없다. 다만 도시나 한 지방 전체가 한꺼번에 정욕이나 기타 다른 죄에 넘어갈 수는 있다. 그곳에 사는 수많은 사람들의 선택이 하나로 모아질 때, 개개인의 죄가 지니고 있는 악의 세력이 그 도시 안에 굳혀지게 되는 것이다. 이리하여 어떤 도시는 음란물의 본산이 되고, 또 어떤 도시는 점술 행위로, 또 다른 도시는 탐욕이 가득 찬 도박 도시가 된다.

악의 세력은 또한 가정에까지 침투하는데 가정이 특정한 죄에게 자신을 넘겨줄 때 그렇게 된다. 심지어 그리스도의 대리자인 교회에도 악의 세력은 미칠 수 있다. 분열과 반목의 역사를 가진 교회에 분열과 반목의 악의 세력이 미칠 수 있는 것이다. 지방, 도시, 집단, 개개인에 이르기까지 악의 세력은 위세를 떨칠 수 있다. 어떤 민족이나 지역 간의 분쟁이 어느 특정한 악습에 반복해서 젖어들 때부터 시작해서 지금까지 계속되는데 그것이 수백 년을 거슬러 올라가는 경우도 있다.

영적 전쟁을 할 때, 하나님께서는 우리에게 어느 특정한 상황

속에 있는 능력들의 정체가 무엇인지 보여주실 수 있다. 가정, 도시, 나라 속에 단단히 박혀 있는 능력들이 어떤 것인지 하나님께서는 밝혀 보여주신다. 그러나 이 세력들이 무엇인지 알기만 하고 아무것도 행하지 않는다면 어떻게 될까? 반드시 행동을 취해야 한다. 하나님께서는 단지 우리의 호기심만 충족시키는 분이 아니시다.

우리가 행해야 하는 세 가지 일

1. 우리는 악의 영향력을 피해야 한다

내가 만일 다툼이 일어나는 가정 가운데 있다면 같이 다툼 속에 빠지지 않도록 주의해야만 한다. 많은 점잖은 그리스도인들이 몰몬교나 여호와의 증인들과 이야기할 때면 언제나 날카롭게 되는데, 처음에는 진리를 나누는 것으로 시작했다가 이내 다투는 영으로 빠져들게 된다. 다투는 것으로는 결코 이런 사람들을 그리스도께로 인도하지 못한다. 이런 사람들 안에 작용하는 영도 동일하게 다툼의 영이기 때문이다. 우리가 진리를 나눌 때는 반드시 진리의 영으로 하여야 한다.

2. 우리는 영적 능력에 대항하여 구체적으로 기도해야 한다

하나님께서는 우리가 구체적으로 기도할 수 있도록 특별히 영향을 주는 영이 무엇인지 보여주신다. 그러면 우리는 예수님의 이름으로 이들 능력들을 파하고 성령께서 이러한 상황을 고치시도록 중보기도할 수 있다. 우리가 구체적으로 기도하면 할수록 우리의 기도는 더욱 더 효과적이 된다.

예를 들어, 세대를 걸쳐 가계에 흐르는 어떤 속박이 있는 것을 알게 되었다면, 단순하게 그것을 인정하고 기도하는 가운데 예수님의 이름으로 끊어지라고 명령하면 된다.

도시나 나라와 같이 광범위한 지역을 덮고 있는 어떤 능력이 있다면, 점점 더 많은 사람들이 일치해서 그 세력이 물러나도록 장기간 기도하도록 하는 것이다.

3. 우리는 반대 정신으로 살아야 한다

반대 정신으로 산다는 말은 우리에게 탐욕이 생길 때, 반대로 관대하게 베푸는 것이다. (물론 나누는 것에 있어서 하나님이 인도하심에 순종하는 것은 당연한 일이다.) 또한 침체되는 상황을 접할 때, 침체하는 대신 하나님을 찬양하기로 결심하고 모든 일에 기뻐하는 것이다.

우리가 악의 세력에 반대되는 영향을 끼치는 반대 정신으로 생활한다면 이내 이와 같은 대적의 세력들을 깨뜨리고 말 것이다. 하나님께서는 악한 능력에 이리저리 휩쓸려서 움직이도록 우리를 부르지 않으셨다. 영적 전쟁 중에서 건강하고 온전한 삶을 살도록 부르신 것이다. 우리가 어둠의 세력과 사람들 앞에서 반대 정신을 가지고 생활한다면 마침내 그 안에 자리잡고 있던 세력들은 깨뜨려지고 변화될 것이다.

나는 매번 전도여행팀을 이끌고 다른 나라로 들어가는데 가는 곳마다 그곳에서 주로 활동하는 지배적인 세력이 무엇인지 하나님께 묻는다. 어떤 나라는 세계에서 가장 높은 자살률을 기록한다. 그곳에 갔던 선교사들은 많은 경우 침체와 패배감을 경험하고는 그대로 집으로 돌아온다. 어떻게 침체의 영이 그들의 집안까지 그렇게 만들었는지 명확한 인식이 없는 것이다.

단기선교 여행으로 이 나라에 들어온 지 2주일밖에 안 되었는데 몇 명이 내게 와서는 이렇게 말하는 것이었다. "마음이 아주 떨어졌어요." "여기서는 아무것도 하지 못하겠어요." "난 소용이 없나봐요."

만일 우리가 어떤 지역의 영적 세력에 대한 인식이 없다면 우리는 그 세력에 휘말리고 말 것이다.

한편, 우리는 정사와 권세와 능력으로 된 사탄의 조직을 잘 파악해야 한다. 이들 조직의 기능 분화는 용이하고 신속하다. 이것은 여러 명의 이사들로 구성된 회사에 비할 수 있는데, 이사들은 각자 책임을 맡고 여러 가지 직임을 수행한다.

정사와 권세와 능력도 이와 마찬가지다. 때때로 권세는 정사도 될 수 있다. 따라서 인간의 권위 구조에 대한 지배를 할 수도 있다. 또 능력이 권세가 될 수도 있는데 루마니아를 지배하는 것과 같이 할 수 있다. 이와 같이 똑같은 마귀가 여러 가지 기능을 수행할 수 있는 것이다.

대적 마귀의 활동은 주로 공중에서 이루어지는데 우리가 성령께 구하기만 한다면 성령께서는 사탄이 특정 지역이나 상황 속에서 어떻게 활동하는지 보여주실 것이다. 그러면 우리는 성령께서 보여주신 대로 구체적으로 기도함으로써 사탄의 활동을 대적하는 것이다. 주님께서는 어느 지역을 장악하고 있는 권세나 가정을 파괴시키는 영, 사람들을 무신론에 빠져 들게 만드는 마귀 등을 대적하며 기도하도록 우리를 인도하신다. 우리가 이렇게 할 때에 사탄이 세상을 지배하려고 꾸민 모든 궤계는 좌절되고 말 것이다. 영적인 세계를 보다 세밀하게 구분하려고 노력하는 것보다 더 중요한 것은 단순히 기도로 순종하는 길이다.

둘째 요소: 어둠의 세력들

인간 세상을 파괴시키려고 하는 사탄의 두 번째 방법은 어둠의 세력들을 통한 방법이다. 이 어둠의 세상 주관자들(엡 6:12)이라고 하는 성경상의 용어는 사탄의 왕국의 속성을 드러내는 말이다. 이 어둠의 세력들은 두 가지 일을 한다. 즉, 이들은 거짓을 말하고 진리를 혼미케 한다.

거짓말하는 영들

악령들이 이 땅에 보내신 이유는 사람들의 마음을 어둡게 하기 위한 것이다. 악령들은 작은 거짓밀로부터 시작해서 힌두교나 이슬람, 불교처럼 고등한 거짓말을 가지고 우리를 속인다.

예를 들면, 거짓의 영 가운데 하나는 모로니 천사다. 염해시(Salt Lake City)를 거점으로 활동하는 이 마귀는 수백만 명의 눈을 멀게 만들고 있다. 우리가 이 거짓말하는 영의 이름을 알게 된 것은 조셉 스미스(몰몬교의 창시자, 모로나라고 하는 천사가 그에게 나타나 몰몬경을 주었다고 함-역주)에게 나타났기 때문이다. 이 밖에도 우리는 우리가 알지 못하는 다른 거짓의 영들이 있어서 각종 종교와 무속 신앙으로 이 땅을 현혹한다고 생각한다. "…그 중에 이 세상 신이 믿지 아니하는 자들의 마음을 혼미케 하여 그리스도의 영광의 복음의 광채가 비취지 못하게 함이니 그리스도는 하나님의 형상이니라"(고후 4:4).

우리들 중 지금은 믿지 않지만 과거에는 이런 것들을 따랐던 사람들이 많다. 우리는 과거에 어둠 속에 있었다. 하지만 우리의 생애는 점점 더 빛 가운데로 나아가는 과정이라 할 수 있다. 모든 거짓이 밝히 드러나고 하나님의 진리의 말씀 안에 거하는 것이다. 대적 마귀가 하는 일은 바로 이 과정을 끊임없이 방해하는 것이다. 빛을 가리고 거짓으로 눈을 멀게 하는 것이다.

끝없이 거짓말을 퍼부어대는 과녁이 있다면 그것은 바로 모든 사람의 마음이다. 거짓의 영들은 하나님에 대하여 거짓말을 늘어놓는다. 하나님은 존재하지 않는다든지 하나님은 선하거나 인자한 분이 아니라든지, 또 다른 사람에 대해서 잘못된 인식을 심어준다. 아니면 우리 자신에 대한 거짓말을 우리에게 속삭임으로써 스스로를 미워하도록 만든다. 이 모두가 다 어둠의 일들이다.

엄청난 거짓 음모

위에서 언급한 바와 같이 대적 마귀의 거짓말은 복잡하게 얽혀 있는 고도로 발달된 사상일 경우가 많다. 거짓 종교와 갖가지 기만적인 사상들이 이 지상에 끼친 영향은 결코 작지 않다. 이들 종교들의 깊이와 정교함, 그리고 하나의 본류에서 갈라져 나온 각종 다양한 지류들은 인간의 마음을 속이기 위한 엄청난 음모다. 이와 같은 거짓말의 영향은 모든 국가와 모든 집단 어디에서나 볼 수 있다.

디모데전서 4장 1절에서 바울은 "미혹게 하는 영과 귀신의 가르침"이 앞으로 일어날 것을 말했다.

세상에 있는 각종 미신과 비기독교적인 종교들은 사탄이 복잡하게 꾸며 놓은 속임수에서 나온 것이다. 이 음모의 체계는 사람의 마음을 종으로 삼기 위해 아주 치밀하게 짜여진 지옥의 구덩이 안에 있다. 최근 들어 서양적인 것이긴 하지만 실제로는 동양 사상이 세계를 범람하고 있는 것을 본다. 이른 바 뉴에이지 운동(신시대 운동)이란 것이다. 그러나 이것은 에덴동산에서 하와가 들었던 구시대의 거짓말에 지나지 않는 것이다. "너도 신이 될 수 있다.""자기 실체와 자기 진리, 자기 도덕률을 세울 수 있다.""결코 죽지 않는다. 화신으로 다시 태어나는 것이다.""하나님은 인격이 아니다. 그저 모든 사람과 모든 사물 속에 있는 어떤 힘인 것이다. 보다 높은 양심과 심오한 자아를 실현하기 위해 모든 것 속에 스며 있는 신적인 에너지를 발견하면 된다."

여기서 말하는 새로운 깨우침이란 실제로는 옛날에도 있었던 어둠이며 유사 이래로 모든 거짓 종교와 미신의 핵심이 되는 것이었다. 그런데 우리는 지금 이것을 오늘날 음악과 대중 TV 프로그램, 영화, 각종 유행, 세미나에서 볼 수 있다. 이것은 할리우드의 유명 인사들을 사로잡고 있으며 대통령 집무실, 그리고 국민학교에 이르기까지 폭넓게 퍼져 있다. 우리 그리스도인들은 이와 같은 거짓을 분별하고 그 세력과 싸워야만 한다.

정치적인 것도 과학적인 것도 아닌, 영적인 것이다

다른 체계들은 아무런 연관도 없는 것처럼 보이나 실제로 그렇지 않다. 공산주의나 진화론을 비판한다는 것은 어려운 일인데, 그렇게 되면 즉시 우파적인 근본주의자로 몰리게 된다.

하지만 공산주의와 진화론은 실제로 정치와 과학이라는 얄팍한 덮개를 쓰고 있을 뿐, 영적 전쟁의 시각에서 바라본 공산주의는 다른 체계들보다도 더 극심하게 복음을 방해하며 교회를 탄압하고 하나님에 대한 소망을 말살시켜 버리고자 애쓰는 것에 지나지 않는다. 어떤 사상이나 이념이 하나님을 반대할 때는 근본적으로 정치적인 것이라기보다는 영적인 것이다.

진화론의 과학적 증거라고 하는 것들도 영적 전쟁의 시각에서는 별 의미가 없는 것이다. 그러나 지층이나 화석에 관한 논의보

다도 진화론이 사람들의 마음과 사고에 미치는 결과를 따져보아
야 한다.

　진화론은 공산주의와 인본주의, 실존주의, 그리고 나치즘에 이
르기까지 그 모든 발생의 원인이 되었다. 진화론은 우스꽝스러운
논리로 합리화되고 교묘하게 과학으로 둔갑해버린 반신적 철학이
다. 이 세상에 등장한 여러 사상 가운데 진화론만큼 많은 영혼들
을 파괴시킨 것은 없다. 지옥의 구렁텅이에서 나온 어떠한 것도
이렇게 교묘한 속임수에 견줄 만한 것은 아직 없다.

　종교와 사상, 이념들은 그리스도인들에게 있어서 반드시 영적
전쟁의 차원에서 다루어져야 한다. 영적 투사로서 우리는 마땅히
기도로 이러한 문제를 다루며 영적 세계 속에 엄연히 자리잡고 있
는 이것들을 대항하여 서 있어야 한다. 우리는 지속적으로 진리
편에 서서 이것들을 대적해야 한다. 거짓된 모든 것에 대해서 우
리는 대항해야 한다. 그리스도인이라는 것은 곧 진리의 수호자요
대변자인 것이다.

진리를 혼미케 하는 것

　이들 어둠의 세력들은 거짓말을 퍼뜨릴 뿐만 아니라 진리를 혼
미케 한다. 마귀의 세력들은 종종 복음 전파를 방해한다. 이들을
소위 영적인 반복음주의자들이라고 칭할 수 있다. 이들은 그리스
도인들이 복음을 나누지 못하도록 하고 또 사람들이 듣지 못하도
록 방해하는 데 모든 힘을 다 쏟는다.

　우리는 보통 전도를 기회가 있을 때나 하는 것으로 생각한다.
'받아들일 사람은 받아들이고 그렇지 않은 사람은 받아들이지 않
겠지' 하고 생각한다. 기분이 나면 전도하고 그렇지 않으면 하지

않는다. 우리는 복음을 전하는 것이 우리의 책임인 것을 알고 있다. 그렇지만 우리는 전적으로 열심을 내어 전도하지 않는다. 왜 그런지 의아하게 여긴 적이 있는가? 전도하는 것이 아주 어색하게 느껴지는 것은 왜 그런가? 그래서 결국 전도하러 나갔지만 왜 더 많은 사람들이 받아들이지 않는 것일까? 어둠의 세력들이 우리의 전도에 대한 태도와 전도하려는 노력들을 방해한다는 것이 사실인가? 실제로 마귀의 소식은 우리가 전도하기를 포기하도록 종용한다. 이렇게 말한다. "소리만 요란한 빈 수레 마냥 떠들지만 말아. 너는 전도자가 아니야. 우스워 보이잖아. 사람들이 거절할 걸. 너는 옳고 남들은 다 잘못됐다고 생각하는 것이 아니고 뭐겠어? 그러니까 전도하지마."

마귀가 싫어하는 두 가지

효과적인 중보기도 이외에 그리스도인의 생활 중에서 어둠의 권세가 가장 싫어하는 것이 두 가지 있다. 그것은 겸손과 효과적인 전도다. 겸손은 사탄이 지배하는 사람들 안에 있는 교만과 거짓의 뿌리를 제거한다. 사탄은 십자가에서 죽으신 그리스도의 겸손으로 이미 패배를 당했다. 또한 전도는 사탄의 영역을 침범하기 때문에 어둠의 세력은 전도를 매우 싫어한다.

흔히들 각종 집회와 찬양 모임과 축복 성회 등을 갖곤 하지만 마귀는 별로 신경쓰지 않는다. 그러나 우리가 마귀의 영내로 침범하여 영혼을 자유케 하기 시작한다면 틀림없이 우리는 영적 전쟁의 전면전을 대비해야 할 것이다. 그때 마귀는 우리의 능력에 대해 우리에게 거짓말을 속삭이고 두려움을 주면서 우리를 저지하려고 한다. 또 우리가 선교지에 나갈 수 없게끔 재정에 압박을 가하는 등 복음 전파를 방해하는 일이라면 무슨 일이든 서슴지 않고 할 것이다. 기회가 저절로 우리에게 굴러들어올 때까지 기다려서는 안 된다. 오히려 공격하며 돌진해야 한다. 복음을 전하기로 작정하고 나아가야 하는 것이다.

누가복음 10장 2절에는 "추수할 것은 많되 일꾼이 적으니 그러므로 추수하는 주인에게 청하여 추수할 일꾼들을 보내어 주소서 하라"는 말씀이 있다. '복음이 충분히 전해지겠지'라고 생각해서는 결코 안 된다. 더 많은 사람들이 복음 전파에 가세해야 할 만큼 충분하지 않다. "모든 족속에게 가라"는 하나님의 부르심에 응답하는 그리스도인이 얼마나 많은지는 상관이 없다. 다만 복음 전파를 방해하려는 어둠의 세력과 비교해 본다면 일꾼이 얼마나 부족한지 실감할 수 있을 것이다. 구원받아야 할 영혼이 한 사람이라도 남아있다면 그것은 일꾼이 더 필요한 상태인 것이다.

그렇다고 우리를 실망시키는 일인가? 그렇지 않다. 다만 우리가 배워야 하는 것이 있다. 세계 선교와 영적 전쟁을 분리시킬 수 없는 것이다. 우리가 해야 하는 것이 무엇인가? 기도하고 마귀를 꾸짖기만 하면 되는가? 우리가 어두운 방에 들어갔다면 그냥 어둠을 꾸짖지 않는다. 불을 켠다.

이와 같이 우리가 세상에서 어둠을 몰아내길 원한다면 빛 되신 예수 그리스도를 이 세상에 밝히기 위해 전심전력을 다 해야 한다. 우리는 노래로 외치기도 하고, 글로 쓰고, 연극을 만들기도 해서 어떤 모양으로든지 복음을 전해야 한다. 진리를 선포하는 일이라면 어떤 방법도 적대시해서는 안 된다.

우리는 항상 복음 전도와 더불어 영적 전쟁을 수행해야 된다. "그러므로 내 사랑하는 형제들아 견고하며 흔들리지 말며 항상 주의 일에 더욱 힘쓰는 자들이 되라 이는 너희 수고가 주 안에서 헛되지 않은 줄을 앎이니라"(고전 15:58).

셋째 요소: 개인에 대한 공격

어둠의 세력들이 세상을 파괴하는 세 번째 방법은 악한 영들을 동원시키는 것이다. 악한 영들은 지역이나 공산주의 같은 것에는 관심도 없다. 오로지 개인에게 관심이 있을 뿐이다. 악한 영들은 개인의 행동에 영향을 준다. 우리는 이미 4장에서 악한 영들이 어떻게 개인에게, 특히 개인의 생각과 마음과 입에 침투하는지 그 방법을 살펴본 바 있다. 악령들의 유혹은 죄를 부추기고 성공하며 사람을 결박시킨다.

악한 영들의 관심은 집단에게 있지 않고 개인에게 있다. 앞서 수호천사에 대해 언급한 것처럼 마귀도 한 사람씩 붙어다닐 수 있다. 그렇다고 놀랄 만한 일은 아니다. 우리가 그리스도인이라면 하나님의 능력이 우리를 지키기 때문이다. 하여튼 사탄은 개인에게 관심이 있다.

악한 영은 우리의 행실에 영향을 주려고 애쓴다. 마귀는 우리의 생각과 태도, 기호, 의지 등에 압력을 주어 언제나 악을 행하도록 우리를 유혹한다. 플립 윌슨(Flip Wilson)이란 사람은 60년대에 "마귀가 하도록 만들었어요"라는 말을 유행시킨 적이 있었다. 재미있는 코미디인지는 모르나 사실상 그런 식으로는 일하지 않는다. 사람들은 스스로도 어찌할 수 없다고 말하지만 실상은 그렇지 않다. 도벽이 있는 사람이라도 남이 자기를 지켜보는 것을 알면 훔치지 않는다.

불시 검거

무엇이든지 일의 진행이라는 것이 있는데 잘못되는 일은 모두 영향 받는 것으로부터 비롯된다. 우리는 유혹을 받고, 점점 더 나아가 그렇게 하는 것이 좋게 느껴진다. 우리는 하나님의 은혜를 구하며 단호히 거절하거나 아니면 그냥 받아들인다. 만약 우리가 그냥 포기하고 영향을 받아들이게 되면 다음은 의지를 시험해 본다.

어떤 죄를 두 번째 저지르는 것은 첫 번째보다 쉽다. 이리하여 죄를 반복해서 짓게 되면 죄는 보다 쉬워지고 우리의 양심은 무뎌지기 시작한다. 그래서 죄가 잘못이 아닌 것처럼 보이는 순간까지 갈 수 있다. 폭력을 휘두르고 나서도 편하게 밥을 먹을 수 있다. 자기 마음은 전혀 괴롭지 않은 것이다.

계속해서 죄악 가운데 지낸다면 그것은 우리의 습관이 된다. 습관은 매우 강하다. 여기까지 오면 일반적으로 두 가지 잘못된 관념이 생기는데, 첫째는 이것이 원래 인간의 본성이라고 믿고 절대로 고칠 수 없는 것으로 여기게 된다. 둘째는 자신이 지배당한다고 생각한다.

그러나 이것은 사실이 아니다. 그것은 단지 몸에 밴 습관일 뿐 우리는 아직 지배되지 않았다. 우리가 무심코 행하는 다른 습관과 같은 것이다.

가령, 뉴질랜드에서는 운전하는 것이 모두 반대다. 운전대가 왼쪽에 있지 않고 오른쪽에 있다. 그래서 우회전해서 빠져나가려면 왼쪽 차선에 있을 때에는 조심해야 한다. 오른쪽에서 운전한다는 것이 내게는 무척 어려웠다. 경찰에 걸리기도 하고, 그러면 왜 그랬는지 설명해야 했다.

"전 어떻게 할 수 없어요! 당신은 내 사정을 모르지 않습니까? 오른쪽에서 운전하는 법은 우리 집안 대대로 내려오는 것입니다. 지금까지 저는 오른쪽에서 운전하는 환경에서 지냈습니다. 저는 인간입니다. 연약한 사람이라구요. 갑자기 바뀔 수 없는 사람이에요. 그러니까 제가 익숙해질 때까지 중앙선에서 운전할 수 있게 해 주시겠습니까?"

나는 그렇게 할 수 없다. 내가 맨처음 좌측 도로로 차를 몰고 나갔을 때 나는 즉시 성공적으로 운전할 수 있었다. 거기에는 내가 빠져나와야 할 '우측 도로로 운전하는 귀신'은 없었다. 나는 간단하게 수십 년에 걸친 습관을 깨뜨렸다. 습관이 깊은 것이긴 하지만 하나님의 은혜와 우리의 헌신으로 얼마든지 깨뜨릴 수 있는 것이다.

그럼에도 불구하고 죄의 습관대로 계속해서 살게 되면 우리에게는 하나의 묶임이 생긴다. 여기서 묶임이란 우리가 안고 있는 문제에 어떤 초자연적인 요소가 들어 있다는 말이다.

대적 마귀는 이제 우리 인격 중에 어느 한 기능을 거머쥐게 되었다. 전통적으로 이런 일이 진행되면 귀신들렸다든지, 귀신에 사로잡혔다든지, 귀신에게 씌웠다든지 하는 말을 하게 된다. 그렇지만 이러한 말은 적절치 않다. 그것은 어디서 멈추고 어디서 시작하는지 정의를 내리기 어렵기 때문이다. 실제로 "귀신들렸다"는 말은 원문상에는 나타나지 않는다. 대신에 그저 "귀신으로 변한"이란 말로 나온다. 그래서 나는 이것을 묶임이라고 부른다.

인격과 기능 전체가 사로잡히지 않고도 어떤 묶임의 형태를 취할 수 있다. 말하자면 인격의 일부가 묶임을 당한 경우다. 묶임의 형태가 어떻든, 그 정도가 어떻든, 묶임을 당한 상태에 있다면 예수 그리스도의 이름으로 자유케 되어야 한다.

영적 전쟁은 두 가지 차원에서 이루어지는데, 광범위한 우주적 차원이 있고, 개인적이고 인격적인 차원이 있다. 어둠의 왕국에 대하여 우리는 각 나라들과 인간 집단과 권위 구조 내에 있는 정사와 권세와 능력들을 대항하며 서 있어야 한다. 그리고 중보기도와 간구와 다양한 사역을 통해 모든 묶임으로부터 사람들을 자유케 해야 한다. 우리는 우리 자신뿐만 아니라 사람들의 삶 속에 침투하고 있는 악의 영향력에 맞서야 한다. 복음을 나누며 어느 곳에 어둠이 있든지 간에 빛을 비추기 위한 모든 노력을 기울이되 흔들리지 말고 굳건하게 해야 한다.

만일 우리가 주 안에서 강하게 되는 법을 계속해서 배우기만 한다면 이것은 그리 큰 임무는 아닌 것이다. 이와 같이 우리는 영적 전쟁의 차원에서 승리하는 그리스도인이 되기 위해 하나님께서 주신 권세를 사용할 수 있다.

제 8 장
〔하나님이 주신 권세 사용하기〕

사탄의 세력의 규모와 치밀한 조직 때문에 우리는 위축될 수 있다. 하지만 하나님께서는 훨씬 더 강력한 군대를 조직하셨다. 그것은 바로 우리, 모든 그리스도인들이다. 당신도 마찬가지다. 더 낙담되는 말이라고 할지 모르겠다. 그러나 소망은 있다.

만일 우리가 하나님의 군대로서 그리스도인들에 대해 신뢰가 가지 않고, 우리 자신에 대해 확신이 없다면, 그것은 우리 자신이 누구며, 우리에게 주어진 권세가 무엇인지 잘 모르고 있기 때문이다.

그리스도인들이 어둠의 세력을 능가하는 권세가 있는지에 대해 당신에게 묻는다면 "아멘" 하며 대답할지 모르겠다. 그런데 막상 귀신들린 사람을 대하게 된다면 어떻게 할 것인가? 그러면 아마 목사님께 도움을 청할 것이고, 그 목사님은 다른 목사님께 도움을 청할 것이다. 우리는 우리 자신에게 부여된 권세에 대해 확신이 없다. 머리로는 잘 알고 있고 말도 잘하지만 사실상 내면 깊은 곳에서는 우리 자신의 영적 권위를 의심하기 때문에 권세 있는 자답게 행동하지 못하는 것이다. 왜 그런가? 우리 자신의 권위를 감정과 혼동하기 때문이다.

이런 것은 권위가 아니다

우리는 자신감에 차서 교회를 나서는 때가 종종 있다. 말씀이 아주 도전이 되었고 예배도 아주 좋았다. 마귀와 맞붙을 준비가 되었다. 그러나 이틀이 지나면 우리가 과연 구원받았는지조차 의심하기 시작한다. 우리가 받은 권세를 감정과 혼동하고 있는 것이다.

권세를 인품으로 간주하는 사람이 있다. 어떤 사람에 대해 권위 있는 사람이라고 말할 때, 우리가 말하는 것은 그 사람이 우리가 권세와 연관시켜 생각하는 그런 인품을 지니고 있다는 말이다. 키가 훤칠하고 육중한 목소리에 찌푸린 눈살을 하고 있으면서 주먹을 손바닥으로 탁탁 치고 딱딱하게 말하는 사람이다. 한편 숫기가 없고 수줍음을 잘 타는 사람은 이렇게 말한다. "글쎄요, 저는 그런 권위 있는 사람이 못되는 걸요." 그러나 권위의 기초는 인품이나 감정에 있지 않다. 권위는 우리의 성숙한 정도에 따른 것도 아니며 신앙 연륜에 따른 것도 아니다. 그리스도인이라면 영적 권위의 기초가 무엇인지 알아야만 한다.

대적 마귀는 우리가 우리 자신의 권위에 대해 확신을 가지지 못하도록 하기 위해 온갖 수작을 다 부린다. 권위가 마치 감정인양 잘못된 인식을 심어놓기만 하면, 권위에 대한 확신이 사그러지는 것처럼 느낄 때는 권위자답게 행동할 수 없기 때문이다. 우리가 확신 없이 행한다면 사탄에게 결코 위협적인 존재가 될 수 없다. 우리가 권위가 있는 사람이라는 사실을 의지하지 않는다면 언제나 이리저리 흔들리고 만다. 사탄이 가장 두려워하는 일은 우리가 우리 자신의 권위에 대해 확고한 믿음을 가지고 그 믿음대로 행하는 것이다.

우리의 영적 권위의 기초는 법적 근거를 가진 것이다. 그것은 법적 사실이기 때문에 우리가 믿지 않더라도 결코 변함이 없다. 계약과도 같이 사실성이 보장된 것이다.

결혼해서 가정을 이룬 사람이 결혼했냐는 질문에 대해 "글쎄요, 저는 확신이 없어요. 결혼했다는 느낌이 들 때가 있고 그렇지 않을 때도 있거든요?"라고 대답할 수 있겠는가? "예" 아니면 "아니오" 밖에는 없는 것이다. 결혼한 사람이라면 늘상 결혼에 대해 변함없는 신뢰가 있을 것이고, 결혼을 증명하려면 법적 증빙서류도 구비할 수 있을 것이다.

감정과 생각, 성격 따위가 법적 사실을 바꾸지 못한다. 우리의 영적 권위는 결혼과 같이 사실성이 있는 것이며 법적인 근거를 가지고 있다. 그것은 관념이 아니다. 실제적인 것이다.

어떻게 인간이 권위를 상실했는가?

권위가 어떻게 작용하는 것인지 알기 위해서는 역사의 시작으로 돌아가야 한다. 하나님이 에덴동산에서 사람을 만드셨을 때 동물들과는 다르게 창조하셨다. 하나님은 인간에게 자유의지를 부여하셨을 뿐만 아니라 다스리는 권세와 권위도 부여하셨다. 모든 권세는 다 하나님의 손에 있었지만 에덴동산에서 그 권세의 일부가 사람에게 위임된 것이다. 그후로 하나님께서는 절대로 그것을 다시 회수하지 않으셨다. 이런 연유로 사람들은 갖가지 악을 자행하지만 하나님은 이를 말리시는 법이 없는 것이다.

어떤 사람은 이와 같은 권위의 위임이 하나님의 권위와 주권을 제한시킨다고 생각한다. 그러나 그렇지 않다. 하나님께 모든 권세가 있었으며 지금도 있고 영원토록 있을 것이다. 하나님은 만유를 다스리는 모든 권한을 가지셨다. 모든 권능의 하나님이시며 아무 제한 없이 다스리신다. 그러하신 하나님께서 또한 그분의 권세의 한 부분을 위임할 수 있으시다.

대기업의 회장은 알맞은 사람을 뽑아서 사장, 경영자, 감독의 자리에 앉힌다. 그리고 이러한 지위에 따라 임무를 맡김과 동시에 그 임무를 수행할 수 있는 권한을 부여하는데 이때 주어지는 권위는 기업 회장의 것이다. 따라서 그 권위는 회장의 통제 아래 있지만 한편 그것은 고용된 여러 사람들에게 위임된 것이기도 하다. 마찬가지로 하나님은 인간에게 권위를 위임하셨지만 그분은 여전히 인간을 다스리신다.

하나님께서 인간에게 권위를 부여하실 당시, 사탄은 에덴동산에 뱀의 모습으로 있었다. 그 후에 마귀는 하와에게 접근하였다. 왜 그랬을까? 어째서 하와를 속이기 위해 그렇게 기다랗게 몸을 빼서 접근했을까? 마귀는 아주 교묘하게 하나님을 대적하기 위해, 하나님을 해치고자 하였다. 그러나 이보다 더 엄청난 것이 있었다. 아담과 하와에게는 대단히 가치 있는 어떤 것이 있었던 것이다. 사탄은 바로 인간에게 부여하신 하나님의 권세를 노린 것이다. 마귀는 비록 이 땅에 살고 있기는 했지만 이 땅을 다스릴 수 있는 권세나 권한이 없었다. 권위는 법적으로 인정되는 사실성에 의거한 것이라는 사실을 사탄은 알고 있었다. 그래서 하와에게 갔던 것이고 그녀를 유혹하였다. 사탄이 했던 말은 실상 다음과 같다. "네가 가진 권위 중에 얼마를 내게 (서명하고) 넘겨주지 않겠니?"

사탄은 인간이 하나님께서 주신 권세를 잘못 사용할 수 있다는 사실을 알고 있었다. 인간이 하나님께 불순종할 때 사탄은 인간이 가지고 있는 권세를 빼앗을 수 있었던 것이다. 하나님께서 그분의 권세의 일부를 인간에게 위임하셨는데, 사람도 그 권세를 사탄에게 넘겨주었다.

그렇지만 사탄이 권세를 완전히 장악한 것은 아니다. 세상을 지배하는 것이 그렇게 간단하지만은 않다. 사탄은 오늘날도 에덴동산에서 했던 것처럼 하나님께서 사람에게 주신 권세를 찬탈하는 식의 똑같은 방법을 쓰고 있다. 사람이 사탄에게 권세를 넘겨주었지만 사탄은 사람을 통해서만 그 권세를 사용할 수 있다. 사람이 죄를 짓기로 선택하고 하나님께 불순종해서 살기로 한 그만큼만 마귀는 세상에 영향력을 행사할 수 있는 것이다. 이것이 세상을 장악하고 있는 힘이다.

사람이 에덴동산에서 죄를 범한 뒤에 하나님께서는 이에 관여한 모든 자들을 꾸짖으시며 말씀하셨다. "네가 너(사탄)로 여자와 원수가 되게 하고 너의 후손도 여자의 후손과 원수가 되게 하리니 여자의 후손은 네 머리를 상하게 할 것이요 너는 그의 발꿈치를 상하게 할 것이니라"(창 3:15).

하나님께서는 사탄의 머리가 상하게 되리라고 언약하셨다. 직접 하시는 것이 아니라 여자의 후손을 통해서 하시겠다는 말씀이다. 사탄의 후손도 사람의 발꿈치를 상하게 할 것이다. 이것이 영적 전쟁의 발단이 되었다. 사탄은 이 땅을 두루 다니며 사람의 발꿈치를 상하게 하고 있다. 한편으로 하나님께서는 원수 마귀를 멸하기 위해 사람을 통해 역사하신다.

어린아이들에 대한 공격

원수라는 말은 싸움이나 분쟁의 장벽이란 뜻이고, 사탄의 후손이란 말은 사탄이 낳은 자라는 뜻이다. 사탄은 아이를 가질 수 없기 때문에 사탄의 후손이라는 것은 사탄의 것을 사람들 안에 심어

놓는다는 것이다. 한편 여자의 후손이란 하와에게서 태어난 모든 사람, 즉 전인류를 말한다. 따라서 여자의 후손에 대한 사탄의 공격은 일단 모든 아이들에 대한 공격으로 볼 수 있다.

역사를 살펴보면 사탄은 인간의 속박과 멸망을 촉구하면서 미친듯이 아이들을 대상으로 파괴를 일삼고 있다는 사실을 쉽게 알 수 있다. 아이들과 원수 마귀와의 장벽은 특히 더 강하다. 아이들은 순진무구한 '여자의 후손'이다. 구약 시대의 몰록의 불이라고 하는 벌겋게 달궈진 우상의 팔뚝에 부모들이 새로 태어난 아기를 제물로 바치는 것에서부터 시작하여 오늘날 전쟁 중에 벌어지는 아이들에 대한 잔혹 행위, 낙태, 마약 중독, 아동 포르노 등 아이들은 사탄의 공격에 노출되어 있다.

여자의 후손으로 둘째는 이스라엘의 자손을 말하며, 셋째는 주 예수 그리스도를 가리킨다.

하나님께서는 사탄의 후손이 사람의 발꿈치를 상하게 할 것이라고 선언하셨다. 발꿈치가 상한 사람이라면 그 사람은 멀리 가지도 못하고 빨리 걸을 수도 없다. 죄의 결과는 모든 사람의 발꿈치를 상하게 만들었다. 우리의 머리카락은 세월이 흐르면 희끗희끗해지고 머리가 벗어지기도 한다. 눈은 흐려지고 얼굴에 주름살이 생긴다. 건강했던 체력은 쇠약해지고 마음은 점점 나약해진다. 태어나는 그 순간부터 우리는 무덤을 향해 가는 것이다. 로마서 5장 12절 말씀은 이렇다. "이러므로 한 사람으로 말미암아 죄가 세상에 들어오고 죄로 말미암아 사망이 왔나니" 이것이 바로 우리의 상한 발꿈치다.

어째서 구약 성경에는 잔인한 내용들이 있을까?

하나님께서는 여자의 후손이 사탄의 머리를 상하게 할 것이라고 약속하셨다. 이 심판의 언약에 사탄은 머리를 곤두세웠을 것이다. 여자의 후손을 색출하기 위해 눈을 치켜뜨고 있었을 것이다. 말씀대로 하와는 '후손'을 보았다. 두 아이가 탄생했는데 바로 가인과 아벨이었다. 아이들이 성장하자 사탄은

가인에게 접근했다. 그러나 하나님이 어떠한 분인지 아는 지식을 가진 아벨에게는 감히 다가가질 못했다. 사탄은 여자의 후손이 자기 머리를 상하게 하리라는 말씀을 알고 있었고 위협을 느꼈기 때문에 가인을 부추겨 아벨을 살해하도록 한 것 같다. 그렇다고 해서 하나님의 섭리를 막을 수는 없었다. 하와는 셋을 낳았고, 셋을 통해서 이스라엘 나라가 생겼으며 결국 예수님이 오신 것이다.

가인과 아벨의 이야기는 역사 전체를 포괄하는 대표적인 이야기다. 실제로 영적 전쟁이란 측면에서 보면 구약 성경은 다음의 두 가지로 축약될 수 있다.

- 이스라엘을 통하여 여자의 후손인 예수 그리스도를 이 세상에 등장시키기 위한 하나님의 역사 기록이다.
- 사탄의 머리를 상하게 하는 여자의 후손을 타락시키고 멸망시키려는 사탄의 역사다.

그래서 구약 성경에는 싸움이 많고 잔인한 것들이 많은 것이다. 아담과 하와로부터 시작하여 노아, 아브라함, 다윗을 거쳐 마리아에 이르기까지 하나님께서는 여자의 후손을 이 땅에 보내셨고 사탄은 이를 파괴시키기 위해 무슨 짓이든 다하였다.

많은 그리스도인들이 구약 성경에 나오는 강포와 잔인함에 대해 의문을 갖고 있다. 어떤 사람은 신약 전반에 흐르고 있는 하나님의 사랑에 대해 의심이 생길까 두려운 나머지 구약 성경을 회피하기도 한다. 그러나 구약 성경에 나오는 전쟁들은 여자의 후손을 보존하여 마침내 예수 그리스도의 탄생에 이르게 하기 위한 것이었음을 주목해야 한다.

인류를 위한 전쟁

구약 전체를 살펴보면 사탄은 여자의 후손을 멸망시키고 타락시키기 위해 악착같이 달라붙고 있는 것을 알 수 있다. 사탄은 이스라엘의 자손 가운데서 여자의 후손인 예수 그리스도가 나올 줄 알고 있었던 것이다. 모든 나라가 다 이스라엘과 싸우는 것처럼 보인다. 여자의 후손을 멸망시킬 의향으로 마귀의 세력이 선동하지 않았다면 도대체 왜 아말렉 족속과 같은 민족들이 이스라엘과 대치하며 파멸시키려 했겠는가?

후손을 보존시키기 위한 싸움은 혈과 육의 싸움이었다. 피를 보아야 하고 무자비하게 나타나는 모습들은 여자의 후손을 위협하는 자들에게서 볼 수 있다.

어째서 갓난아이들까지 죽임을 당했는가?

하나님께서는 왜 갓난아이들까지 죽이라고 하셨을까? 그리고 어느 민족은 멸망시키고, 어느 민족은 그대로 남겨두도록 하셨는가? 하나님께서 심기가 불편하셨나? 어느 날은 잔인하고 또 어느 날은 인자하시고…. 하나님께서 너무 화가 나고 노여움에 찬 나머지 그만 정신을 잃으셨나? 우리는 이러한 의문에 대한 답을 찾으며 여러 가지를 생각할 수 있다. 하나님을 잔인한 분이라고 생각하고 그분의 성품에 의문을 제기할 수 있다. 그런가하면 아예 이런 문제는 생각하지도 않고 떠오르는 의문을 거부해버리고 만다. 아니면 하나님께서 민족 전체를 말살하라고 명령하신 데는 무슨 타당한 이유가 있었으리라는 것을 믿고 하나님의 성품을 의지하며 나아갈 수 있다.

하나님께서는 그 모든 행위에 의로우시고 모든 행사에 은혜로우시기 때문에(시 145:17), 심판을 명하실 때라도 선한 의도, 즉 생명을 주시려는 의도가 있었다는 것을 우리는 알 수 있다.

구약 성경에 나타난 싸움들은 대개 성적인 문제를 내포하고 있다. 대다수의 이방 종교들은 호색적인데 예를 들어, 아스다롯과 바알 숭배에는 남색하는 것과 여자 동성애, 양성애(兩性愛) 등이 공공연하게 행해졌다. 인간의 약점을 잘 알고 있는 사탄은 우상을 섬기도록 유도하면서 언제나 그러한 우상숭배와 함께 갖가지 성적으로 문란한 행위를 하도록 하였다. 성적 유혹과 성도착증으로 말미암아 사탄은 여자의 후손이 자기 머리를 상하게 하기 전에 먼저 타락시키려고 갖은 애를 쓰고 있다.

이같은 성적인 문란함으로 말미암아 성병은 무시무시한 속도로 번져갔으며 이것은 신체 상애나 기형을 유발시키고 죽음에까지 이르게 한다. 실제 확인된 것은 아니지만 성병으로 말미암아 도시 전체가 멸망될 수 있다고 한다. 이것을 구실로 하나님께서 이스라엘로 하여금 대적하는 민족의 말살을 명령하실 수 있겠는가? 어떤 경우 하나님께서는 모든 남자나 여자, 아이들, 가축들까지 모조리 죽이라고 명령하셨다.

자비와 사랑의 급진적인 행위

하나님께서는 한결같이 인자하시고 공의로우시다. 구약 시대에는 그렇지 않다가 신약에 와서는 인자하시다는 말이 아니다. 하나님께서는 결코 변함이 없으시다.

당시 이스라엘은 질병으로 만연되어 있는 이방 민족들을 마주대하지 않았나 생각한다. 이들 민족들은 하나님을 전면적으로 불순종하는 사람들이었다. 타락의 극치를 이루는 그런 신들을 숭배하며 이스라엘뿐만 아니라 전 인류를 파멸로 몰아넣을 양으로 마귀에게 조종당하는 민족들이었다. 인류에게서 모든 위협을 제거하고 여자의 후손의 타락을 막는 유일한 방법은 하나님께서 이들 민족들을 없애는 것이었다. 이것이 전 인류를 위한 자비와 사랑의 급진적인 행위였다.

여자의 후손을 파멸시키고 타락시키고자 하는 사탄의 기도가 없었더라도 이스라엘의 역사를 보면 이방 종교를 따라갔던 예가 수없이 많다. 이스라엘 민족이 거짓 신을 좇아 죄악을 범한 일이 많이 있었지만 그 가운데 진리 안에 보존된 사람들이 항상 있었다. 마침내 때가 이르러 하나님의 약속은 성취되었다. 갈라디아서 4장 4절은 이렇게 말씀한다. "때가 차매 하나님이 그 아들을 보내사 여자에게서 나게 하시고"(여자의 후손).

메시아의 탄생이 있기까지 사탄은 결국 여자의 후손을 멸망시키지 못했다. 그래서 그리스도가 탄생하자 그 아기를 죽이려고 총력을 기울였는데, 헤롯 왕을 부추겨 베드레헴에 있는 두 살 아래의 아이들은 모두 죽이도록 하였다(마 2장). 여자의 후손을 죽이기 위한 이같은 학살로 수천 명의 아이들이 죽어나갔다. 따라서 요셉과 마리아는 아기 예수를 죽음으로부터 지키기 위해 애굽으로 피신할 수밖에 없었다.

그 후 예수님은 나사렛에서 성장하였는데 그 시기에 대한 이야기는 알 수 없다. 그러나 사탄은 육체적으로, 그리고 도덕적으로 예수님의 파멸을 기도하였음에 틀림없다. 성경은 우리에게 이렇게 이야기한다. 예수님께서 "모든 일에 우리와 한결같이 시험을 받은 자로되 죄는 없으시니라"(히 4:15). 아마도 사탄은 여자의 후손을 타락시키기 위한 모든 노력을 쉬지 않았을 것이다. 실제로 예수님께서는 시험을 받으셨다. 흉내만 내보는 그런 정도가 아니라 성장하여 어른이 되기까지 보통 사람들이 겪을 만한 모든 일은 다 당하셨던 것이다. 우리가 겪는 유혹 중에서 예수님께서 겪지 않은 유혹이란 하나도 없다. 그렇지만 예수님께서는 죄를 짓지 않으시고 이를 극복하셨다.

한편, 성경은 예수님이 요단강에서 사촌인 세례 요한으로부터 세례를 받으셨다고 기록하고 있다. 예수님께서 세례를 받으실 때에 성령께서 비둘기같이 임하시면서 하늘에서는 한 음성이 들렸다. "이는 내 사랑하는 아들이요 내 기뻐하는 자라." 수천 년을 이어오는 싸움 속에 하나님은 여기 여자의 후손인 하나님의 아들이셨노라고 세상에 선포하셨다.

마귀의 엄습

예수님께서는 요단강에서 광야로 시험받기 위해 들어가셨다. 사람의 모습으로는 처음으로 약속의 아들로서 타락한 대천사인 루시퍼와 많은 마귀의 세력들 앞에 서셨다. 이어서 연회가 벌어진 것이 아니라 격렬한 전쟁이 벌어졌다. 사탄은 자기 머리를 상하게 하리라고 되어 있는 여자의 후손을 타락시키기 위해 모든 힘을 총동원하여 유혹하였다.

예수님께서는 40일 동안 금식하신 후에 돌을 떡으로 만들어보라는 유혹을 받으셨다. 이것은 자기 먹을 것을 위해 자신의 초자연적인 능력을 사용하라는 유혹이었다. 많은 사람이 자신의 이기적인 목적을 위해 하나님의 기적을 사용하려고 하지만, 예수님은 단호히 거절하셨다.

두 번째 유혹은 하나님께서 넘어지는 것을 붙잡아주시고 보호해 주실 것이기 때문에 높은 데서 뛰어내리라는 것이었다. 이것은 세상의 주목을 받기 위해 하나의 공연을 펼쳐보라는 말이다. 군중들은 몰려들 것이고 예수님은 그날로 수많은 추종자를 얻게 될 것이다. 이것은 교만을 자극하는 말이었다.

우리들 중 어떤 이는 주목을 받기 위해 일을 한다. 사람들 앞에 자기를 드러내고 자신의 은사와 재능들을 자랑하면서 자신을 따라주기를 바라는 마음으로 목소리를 높여댄다. 우리는 종종 하나님의 뜻 위에 자신을 올려 놓고 자신의 중요성을 세상에 드러내느라 바쁘다. 그러나 예수님께서는 여기에 대해서도 아니라고 거절하셨다. 예수님께서 사람을 섬기신 것은 자신의 생명을 내어주심으로써 하신 것이지 결코 사람의 환심을 사기 위함이 아니었다.

세 번째 유혹은 권위 획득에 관한 것이었다. 사탄은 예수님이 자기를 숭배한다면 사람들로부터 빼앗은 바로 그 권세를 주겠다고 하였다. 어떤 사람은 사탄이 예수님께 거짓말을 한 것이라고 생각한다. 그러나 사탄은 사실을 말한 것이다. 유혹을 하기 위해서는 사실적인 이야기가 필요하다. 사람이 죄와 이기심 속에 사는 동안은 권위가 사탄의 것이 되는 것이다.

여기에서 사탄이 선심쓰는 것은 십자가의 고난과 수치 대신에 권력과 출세와 통수권과 정치적인 권위를 주겠다고 유혹하는 것이다. 예수님은 이번에도 거절하셨다. 그분은 대적을 무찌르되 권력을 가지고 하지 않으시고 겸손으로 하신다. 권력에 대한 욕망으로는 하나님의 뜻을 절대로 성취하지 못한다. 겸손이 수반되지 않은 권력은 교회에서 필요 없다. 교회는 그리스도의 겸손함 가운데서 하나님의 권능만을 사용해야 한다.

예수님의 공생애 3년 동안 그를 죽이려는 많은 기도들이 있었다고 성경은 기록한다. 예수님께서는 그의 사역을 마칠 때까지는 피해 다니셨다. 그러나 때가 이르자 자진해서 악인들에게 자신을 넘겨주셨는데, 악인들이 자기 마음에 내키는 대로 하도록 허락하신 것이었다. 예수님께서는 요한복음 10장 18절에 자기 목숨에 대하여 이렇게 말씀하셨다. "이를 내게서 빼앗는 자가 있는 것이 아니라 내가 스스로 버리노라"

왜 예수님께서 고난을 당하셔야 했는가?

사람의 마음속에 생각할 수 있는 모든 가능한 악한 일들, 지옥에서나 있을 법한 가상 추하고 퇴폐적이고 끔찍스러운 죄악들이 바로 예수님께 행해졌다. 우리는 예수님께서 당하신 고통과 비참함을 상상조차 할 수 없다. 예수님의 고난과 죽으심에 대해 성경은 일반적인 단어를 사용한다. 예수님께서는 '멸시'를 받고 '거절' 당하셨으며 "고의로 심판받지 않고 정죄되셨으며" '조롱과 멸시'를 당하셨다고 한다. 왜 하나님께서는 예수님으로 하여금 죽음에 앞서 이루 말할 수 없는 고통을 당하도록 허락하셨는가? 예수님은 우리의 죄 때문에 죽으셨을 뿐 아니라 대속의 사역에 대한 말씀처럼 "그가 징계를 받음으로 우리가 평화를" 누리기(사 53:5) 위한 것이라는 말인가?

예수님께서는 증오와 반대의 표적이 되셨으며 잔학한 불의를 당하셨다. 따라서 우리는 이로 말미암아 우리도 동일한 고통을 당할 때 평화를 누릴 수 있는 것이다. 우리가 믿음으로 죄에 대한 용서와 씻음을 받은 것처럼, 우리가 비탄에 빠지고 참혹한 일을 당하는 중에라도 하나님께서는 우리에게 평화를 주신다는 사실을 믿어야 한다.

예수님께서는 우리를 위해 고난을 당하셨다. 그리고 마침내 십자가에 못박히셨고 아주 고통스럽게 우리의 죄를 위해 죽으셨다. 성경에는 예수님께서 죽으신 다음 죽은 자들에게 가셨다고 기록되어 있다(벧전 3:19). 이에 대한 의견은 분분하지만 죽은 자들의 세계는 두 가지로 구분된다. 의인의 영들이 부활을 기다리며 대기하는 곳(낙원)과 악인의 영들이 거하는 곳. 낙원은 예수님께서 십자가에 달린 강도에게 "오늘 네가 나와 함께 낙원에 있으리라" (눅 23:43)고 말씀하신 그곳이다. 그리고 악인의 영들이 대기하는 곳에서는 사탄이 죄와 죽음의 열쇠를 가지고 있기 때문에 이곳의 영들은 사탄의 포로가 되었다. 하지만 이들에게는 아무런 고통도 없는 상태다. 에베소서 4장 8절은 "그가 위로 올라가실 때에 사로잡힌 자를 사로잡고 사람들에게 선물은 주셨다"라고 말씀한다.

우리 권위의 법적 기초

예수님께서는 또한 죽은 자들의 세계에서 권위에 대한 법적 기초를 세워 놓으셨다. 사람에게서 빼앗은 마귀의 권위를 박탈하신 것이다. 골로새서는 말한다. "정사와 권세를 벗어버려 밝히 드러내시고 십자가로 승리하셨느니라." 예수님께서는 이제 죽음과 음부의 열쇠를 가지셨고, 사탄은 법적인 통제력을 상실하고 말았다. 요한계시록 1장 18절은 말한다. "내가 전에 죽었었노라 볼지어다 이제 세세토록 살아 있어 사망과 음부의 열쇠를 가졌노니." 예수님께서는 이 세상을 지배하고 있는 사탄의 법적인 권리를 박탈하신 것이다.

이것이 하나님께서 사람이 되셔야 하는 이유인 것이다. 하나님께서는 기본적으로 죄를 대속하기 위해 오셨다. 권위는 인간의 자유 의지 안에서 자유 의지를 통하여 발휘되도록 주어졌다. 그런데 인간은 그 자유 의지로 자신의 권위를 넘겨주고 말았다. 그리하여 하나님께서는 인간을 모두 쓸어버리시거나 자유 의지를 박탈하든지, 아니면 그분 자신이 인간이 되든지 하셔야 했다. 하나님께서는 인간이 되기로 선택하셨다.

그리하여 한 인간으로서 30년간 유혹을 이겨내셨고, 인간으로서 광야에서 대적 마귀를 물리치셨으며, 인간으로서 자신의 생명을 내어주기로 작정하시고 자기 영혼을 포기하셨다. 하나님께서는 한 인간으로서 기꺼이 죽기까지 당신을 낮추셨다. 한 인간으로서 첫 사람이 넘겨준 것을 되찾아오기 위한 일이었다.

그리고 예수님께서는 마귀의 일을 멸하시기 위해 우리의 권위를 세우셨다. 요한일서 3장 8절은 말씀한다. "하나님의 아들이 나타나신 것은 마귀의 일을 멸하려 하심이니라." 마귀의 일은 사람의 발꿈치를 상하게 하는 것이요 모든 인간의 상황 안에 죄의 결과들이 나타나게 하는 것이다. 질병, 고통, 억압, 소외, 공포, 상한 마음, 병든 영혼, 전쟁, 기근, 증오 등 이 모든 것은 사탄이 우리 안에서 사람들을 통해 소상한 것들이다. 그러나 예수님께서 이 모든 일을 멸하셨다.

이것이 예수님께서 자신을 천명하시며 이사야의 말씀을 인용하신 이유이다. "주의 성령이 내게 임하셨으니 이는 가난한 자에게 복음을 전하게 하시려고 내게 기름을 부으시고 나를 보내사 포로된 자에게 자유를, 눈먼 자에게 다시 보게 함을 전파하며 눌린 자를 자유케 하고 주의 은혜의 해를 전파하게 하려 하심이라"(눅 4:18-19). 사도행전 10장 38절은 "하나님이 나사렛 예수에게 성령과 능력을 기름 붓듯 하셨으매 저가 두루 다니시며 착한 일을

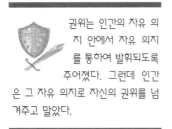
권위는 인간의 자유 의지 안에서 자유 의지를 통하여 발휘되도록 주어졌다. 그런데 인간은 그 자유 의지로 자신의 권위를 넘겨주고 말았다.

행하시고 마귀에게 눌린 모든 자를 고치셨으니"라고 기록하고 있다. 예수님께서는 어둠의 세력에게 억눌려 있던 사람들을 만나는 대로 치유하시며 도와주시고 그들을 위해 사역하셨다.

그리고 십자가에서 마귀를 멸하심으로써 우리도 또한 동일한 일을 하도록 하셨다. 억눌리는 자, 탄압받는 자, 마음이 상한 자에게 다가가도록 하셨다. 예수님은 하늘로 올라가시기 전에 마귀의 일을 무력화시킬 수 있는 권한을 우리에게 주셨다. 이것은 대위임 명령에 잘 나타나 있다. "저희가 내 이름으로 귀신을 쫓아내며… 병든 사람에게 손을 얹은즉 나으리라"(막 16:17-18). 이것이야말로 예수님이 우리를 위해 마귀로부터 회수하신 권위를 잘 사용하는 충성된 청지기의 모습이다.

우리는 이웃을 바꿨다

우리의 권위는 예수님께서 마귀에게 행하신 일뿐만 아니라 우리를 위해 하신 일에 그 기반을 두고 있다. 골로새서 1장 13절, 14절은 하나님께서 "우리를 흑암의 권세에서 건져내사 그의 사랑의 아들의 나라로 옮기셨으니 그 아들 안에서 우리가 구속 곧 죄사함을 얻었도다"라고 말씀한다.

우리는 먼저 과거에 그리스도께로 나오기 전에는 어둠의 왕국에서 살았던 마귀의 자식임을 인정해야 한다. 우리는 모두 그 안에서 지냈다. 그리스도인이 된다는 것이 단지 새로운 생각을 하고 새로운 삶을 사는 것만은 아니다. 이것은 우리가 자연스레 물려받는 그런 것이 아니다. 그리스도께서는 단지 우리를 보다 착한 사람으로 만들려고 했던 것은 아니다.

모든 그리스도인은 다들 자기 짐을 싸들고 새로운 곳으로 이주하였다. 우리는 죄와 이기심, 죽음, 어둠, 멸망, 그리고 우리 자신으로부터 구원을 받은 것이다. 우리는 어둠의 권세에서 구원을 받았고 예수 그리스도의 나라로 옮겨졌다. 따라서 우리는 날마다 우리의 옛 이웃을 기억하고 우리를 구원하신 분이 누구인지 생각하고 감사드려야 할 것이다.

우리는 현재 두 가지 중 어느 한 곳에 있다. 중간 지대란 없다. 어둠의 왕국에 있든지, 아니면 하나님의 아들의 나라에 있든지 하는 것이다. 그리스도의 대속 사역을 믿고 회개한 그리스도인은 분명히 하나님의 아들의 나라에 있다. 우리의 새 집은 빛의 나라에 마련되어 있다는 사실을 결코 의심해서는 안 된다. 그리스도께서 우리 안에서 계속해서 하시는 모든 역사가 능력 있게 나타나는 것 역시 우리가 참으로 어둠의 왕국에서 빛의 나라로 옮겨진 사람이라는 확신 속에서 이루어진다.

예수님은 우리를 구원하셨을 뿐만 아니라 주께서 부르신 삶을 살 수 있게 하는 능력도 주셨다. 따라서 어떠한 형편 속에서도 우리 안에 거하는 하나님의 능력으로 꾸준히 생활할 수 있는 것이다. 요한일서 4장 4절은 말씀한다. "너희 안에 계신 이가 세상에 있는 이보다 크심이라." 구원받은 후에 승리의 생활을 하고 평화를 맛보는 그리스도인이 많지 않다. 이들은 죄에서 구원하신 하나님의 능력이 월요일에도 화요일에도 동일하게 역사하고 있다는 사실을 알지 못하고 있는 것이다. 우리가 오늘 하루도 승리의 생활을 살지 못하면서 어떻게 나라를 장악하고 있는 정사를 대적하며 나아갈 수 있겠는가?

우리 안에 계신 이가 참으로 세상에 있는 이보다 크시다는 사실을 믿고 있는가? 많은 그리스도인들이 이 놀라운 진리를 참으로 믿고 있지 않다고 생각한다. 그들은 환경을 비관하며 불평하는 말을 늘어놓는다. 자기는 지도자의 희생물이라든가, 불공평한 규율의 희생자, 자신이 섬기고 있는 교회의 희생자, 남편의 희생물, 자녀의 희생물이라고들 생각한다. 하지만 이들이 실제로 하는 말은 "내 상황 속에 있는 이와 이 세상 가운데 있는 이가 내 안에 계신 이보다 크다"라고 말하는 것과 다름없다.

그리스도인들은 대적 마귀가 이 세상에서 하는 일을 보고 기가 죽는다. 어떤 사람이 내게 와서 이런 말을 했다. "최근에 뉴욕을 갔는데요. 믿지 않겠지만 저는 제 주위가 온통 마귀로 득실거리는 것을 느꼈어요. 그래서 얼른 빠져나와야만 했지요."

그리스도인들은 종종 어떤 장소나 나라나 도시를 말하면서 그곳에 얼마나 어둠이 가득한지, 또 얼마나 억눌림이 심한지 서로 말하곤 한다. 우리 안에 크신 이가 계시는데 어째서 억눌림 때문에 두려워하는가?

우리 안에 계신 예수 그리스도는 결코 물러서지 않으셨다

그리스도인들은 억눌림에 대해 인내력이 부족하다고들 생각하는 것 같다. 어느 젊은 크리스천이 세상에 있는 일반 대학에 들어갔다고 하면 얼마 견디지 못할 것이라고 생각한다. 사실이다. 모든 그리스도인 안에는 세상에 있는 어떠한 것보다도, 마귀가 획책할 수 있는 그 어느 것보다도 훨씬 큰 능력이 있다는 사실을 전적으로 믿지 않는다면 얼마 견디질 못할 것이다.

그리스도인이라면 누구나 예수님처럼 이 우주의 어떤 세력보다도 강한 능력을 지니고 있다는 것을 참으로 믿는가? 내 안의 예수 그리스도보다 막강한 세력으로 나를 감싸는 그런 곳이 있는가?

내가 뉴욕에 산다든지, 암스테르담의 홍등가에서 전도를 한다든지, 방콕의 빈민굴을 지나가고 있다든지, 혹은 힌두교도의 가정에 들어가 앉아 있을 때, 뭔가 일이 잘 안 풀린다고 해서 내 안에 계신 예수 그리스도와 그분의 권세를 내 마음대로 처분한다면 과연 잘한 일이라고 할 수 있는가? 우리 안에 계신 예수 그리스도는 어떠한 억눌리는 상황 가운데서도 결코 물러서는 법이 없으시다. 그리스도인의 위력이 드러나지 못하는 그런 장소나 환경이나 압박이란 존재하지 않는다. 오늘날의 세속적이고 인본적이며 사탄적인 사회일지라도 모든 그리스도인 안에 있는 그리스도보다 결코 크지 못하다.

사탄은 하나님께서 우리에게 주신 권위를 우리가 확실히 믿지 않는다면 의심과 두려움과 갖가지 연약함 속에서 곁길로 빠지고 말 것이라는 것을 알고 있다. 그러므로 우리는 반드시 기억해야 한다. 우리 안에 거하시는 이는 살아 계신 하나님의 성령이라는 사실을 말이다. 이것은 사탄의 어떠한 거짓말로도 변하지 않는 사실인 것이다.

만일 우리가 이 진리—내 안에 계신 이가 세상에 있는 이보다 크시다—를 받아들이지 않는다면 이것은 진리가 아닌 것처럼 보이게 된다. 말하자면 우리는 사탄의 거짓말에 동의하게 되고, 결국 우리가 처하는 상황과 어둠의 세력의 희생물이 되고 마는 것이다. 우리 안에 계신 이가 더 크시다. 이것은 진리다. 그렇지 않다면 거짓이다. 우리는 하나님 편이 되어야 하고 진리에 동의해야 한다. 그리고 주께서 우리를 부르신 대로 살되 주께서 그렇게 살 수 있도록 능력을 주시며 우리를 지켜주신다는 사실을 믿어야 한다. "누가 우리를 그리스도의 사랑에서 끊으리요 환난이나 곤고나 핍박이나 기근이나 적신이나 위험이나 칼이랴 기록된 바 우리가 종일 주를 위하여 죽임을 당케 되며 도살할 양같이 여김을 받았나이다 함과 같으니라 그러나 이 모든 일에 우리를 사랑하시는 이로 말미암아 우리가 넉넉히 이기느니라 내가 확신하노니 사망이나 생명이나 천사들이나 권세자들이나 현재 일이나 장래 일이나 능력이나 높음이나 깊음이나 다른 아무 피조물이라도 우리를 우리 주 그리스도 예수 안에 있는 하나님의 사랑에서 끊을 수 없으리라"(롬 8:35-39).

우리가 넘겨준 것을 예수님께서 되찾아주셨다

예수님께서는 또한 우리가 권세를 활용할 수 있게 해 주셨다. 누가복음 10장 19절에 "내가 너희에게 뱀과 전갈을 밟으며 원수의 모든 능력을 제어할 권세를 주었으니 너희를 해할 자가 결단코 없으리라"고 하셨다. 우리는 각자 원수의 모든 다양한 능력을 제어할 수 있는 권세를 갖고 있다. 그야말로 기묘하고 놀라운 진리다. 사탄이 주장하고 있는 모든 것—모든 귀신과 악령들이 모이는 곳, 모든 점술과 종교, 모든 사탄의 일, 모든 악의 영향력—은 예수님께서 우리에게 주신 권세에 굴복한다.

예수님께서 사탄이 찬탈했던 권위를 다시 되찾으신 다음 죽은 자 가운데서 부활하셨을 때, 그 즉시 하늘로 올라가지 않으셨다. 남아 있는 열한 제자들을 보시려고 잠시 이 세상에 계셨다. 그때 제자들은 너무나 두려운 나머지 다들 도망쳤었다. 베드로는 예수님을 알고 있다는 것조차 부인하였다. 하지만 뜻하지도 않게 예수님은 이들을 찾아오셨다. 제자들을 보고 꾸짖지 않으셨다. 베드로에게 "네가 그렇게 말했겠다" 하며 말씀하지 않으셨다. 도리어 그들을 다시 인정해 주셨고 더욱 놀랄 만한 것을 제자들에게 선사하셨다. 예수님은 그들에게 말씀하셨다. "성령을 받으라 너희가 뉘 죄든지 사하면 사하여질 것이요 뉘 죄든지 그대로 두면 그대로 있으리라"(요 20:22-23). 예수님은 사탄에게 빼앗은 권세를 그들에게 다시 넘겨주셨다. 이제 권위는 법적으로 한번 더 임자를 바꾸게 된 것이고 다시 사람에게 돌아오게 되었다.

> "너희 마음 눈을 밝히사 그의 부르심의 소망이 무엇이며 성도 안에서 그 기업의 영광의 풍성이 무엇이며 그의 힘의 강력으로 역사하심을 따라 믿는 우리에게 베푸신 능력의 지극히 크심이 어떤 것을 너희로 알게 하시기를 구하노라 그 능력이 그리스도 안에서 역사하사 죽은 자들 가운데서 다시 살리시고 하늘에서 자기의 오른편에 앉히사 모든 정사와 권세와 능력과 주관하는 자와 이 세상뿐 아니라 오는 세상에 일컫는 모든 이름 위에 뛰어나게 하시고 또 만물을 그 발 아래 복종하게 하시고 그를 만물 위에 교회의 머리로 주셨느니라 교회는 그의 몸이니 만물 안에서 만물을 충만케 하시는 자의 충만이니라"(엡 1:18-23).

이제 우리에게 와 있다

이제 사람은 다시금 권세를 갖게 되었다. 이 권세는 그리스도께서 십자가 위에서 이루시고 부활로 말미암아 획득된 권세다. 인간은 계속해서 죄와 이기심으로 말미암아 사탄에게 종속될 수 있다. 그러나 이 땅에 대한 권세는 예수 그리스도의 이름으로 다시 사람에게 돌아와 있다. 사람이 예수 그리스도를 통해 하나님과 더불어 사귐을 갖는 한, 사람에게 있는 권세는 온전히 보존된다. 그리고 이러한 권세와 함께 그것을 하나님의 뜻대로 사용할 책임 또한 주어진다.

만일 우리가 마귀를 꾸짖지 않는다면 마귀는 어디서도 꾸짖음을 받지 않는다. 우리가 마귀를 내쫓지 않는다면 마귀는 떠나가지

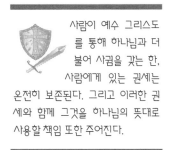

사람이 예수 그리스도를 통해 하나님과 더불어 사귐을 갖는 한, 사람에게 있는 권세는 온전히 보존된다. 그리고 이러한 권세와 함께 그것을 하나님의 뜻대로 사용할 책임 또한 주어진다.

않는다. 권세가 우리에게 와있는 것이다. 사탄은 우리의 권세를 잘 알고 있다. 그래서 우리가 무식한 채로 남아있기를 바라고 있다. 사탄도 아는 만큼 우리의 권세에 대해 확신을 가져야 하겠다.

우리는 예수님의 이름으로 우리 자신의 권세를 사용해야 한다. 가령, 우리 마을에 경찰이 시당국으로부터 법적으로 권위를 부여받았다고 하자. 이 권위는 일반 시민이 갖는 권위가 아니다. 경찰은 권위에 대한 상징으로 경찰복을 입고 배지를 단다. 거리를 조용히 걷는 때나 도너츠 가게 앞에 차를 대기시켜놓는 때나 시종일관 권위를 가지고 있다. 그러나 무엇보다 범죄가 발생하여 범인을 잡을 때 경찰은 자기의 권위를 사용한다.

내가 만일 집에 돌아왔을 때 도둑이 들어와서 집을 털고 있는 것을 보았다고 하자. 내가 곧바로 카폰으로 경찰을 부르면 경찰은 긴급 출동하여 집으로 온다. 그러나 도착하자마자 범인을 잡기는커녕 거리에 줄지어 서서 자신들의 권위에 대한 노래를 부르면서 권위만 내세운다면 어떻겠는가? 그러는 동안 침입자들은 집을 완전히 털지 않겠는가! 우스운 이야기라고 생각할지 모르지만 실제로 우리가 하는 모습과 다를 바가 없다. 우리는 우리가 가진 권위에 대해 서로 말하고 그것을 노래 부른다. 큰소리로 선포하기도 한다. 그러나 그것을 사용하지는 않는다. 권위를 갖고 있다는 것과 그것을 사용한다는 것은 분명히 차이가 있다.

권위를 사용하는 5가지 방법

1. 예수님의 이름

우리가 예수님의 능력 있고 보배로운 이름을 선포할 때마다 마귀의 권세에 어떤 일이 벌어지는지 알면 좋겠다. 예수님의 이름은 요술을 부리는 주문이 아니다. 그분의 이름을 사용하기 위해서는 예수님께 전적으로 순복해야 한다. 그 이름은 귀신이 두려워서 소리지르고 돼지떼에게 들어갈 수 있게 해달라고 청하게끔 만든 그 예수님을 동일하게 지칭하는 것이다. 부활하신 예수님이 우리에게 그분의 이름을 사용할 수 있는 권세를 주셨다. "저희가 내 이름으로 귀신을 쫓아내며"(막 16:17). 뿐만 아니라 예수님의 이름은 십자가와 부활의 승리를 가져온다.

2. 하나님의 말씀

권위를 사용하는 두 번째 방법은 하나님의 말씀을 사용하는 것이다. "구원의 투구와 성령의 검 곧 하나님의 말씀을 가지라"(엡 6:17). 하나님의 말씀은 단순한 책이 아니다. 그것은 검과 같다. 예리한 양날을 가지고 원수를 매섭게 찌르는 놀라운 효과가 있다.

예수님께서는 광야에서 사탄을 대하셨을 때 하나님의 말씀을 사용하셨다. 우리도 또한 막강한 무기로서 성경 말씀을 선포해야 하겠다.

내가 귀신을 처음 경험했을 때, 나는 성경의 능력을 깊이 체험했다. 오스트레일리아에서 어느 십대 소녀를 위해 기도할 때 나는 프랭크 휴스톤과 함께 있었다. 평소 목소리와는 아주 다르게 지껄이며 이상한 말을 하는 것을 보고 적어도 이 소녀에게 귀신 하나가 들어있다고 생각했다. 그리고는 요한일서 3장 8절을 큰소리로 그 소녀에게 있는 귀신에게 선포하였다. "하나님의 아들이 나타나신 것은 마귀의 일을 멸하려 하심이니라."

내가 그 말씀을 선포하자 그 소녀는 소리를 꽥 지르며 거품을 물더니 다시 비명을 질렀다. 귀신의 반응은 매우 격렬했다. 단지 성경구절을 선포한 것뿐인데 말이다.

3. 성령의 능력

성령의 능력은 우리가 권위를 사용하는 데 주로 쓰이는 방법이다. 요한복음 20장 22절에서 예수님이 제자들에게 숨을 내쉬며 하신 "성령을 받으라"는 말씀은 성령의 법적인 권위를 가리키는 말씀이었다. 그리고 나서 예수님은 두나미스 곧, 능력을 받기까지 예루살렘에 머물러 있으라고 말씀하셨다. "오직 성령이 너희에게 임하시면 너희가 권능을 받고 예루살렘과 온 유대와 사마리아와 땅끝까지 이르러 내 증인이 되리라"(행 1:8).

'두나미스'는 우리의 권세를 발휘하기 위한 능력을 말한다. 경찰은 법을 집행하는 권위를 가지고 있다. 그러나 그 권위를 수행할 수 있는 체력 또한 요구된다. 예수님은 마태복음 12장 28절에서 "내가 하나님의 성령을 힘입어 귀신을 쫓아내는 것"이라고 말씀하셨다. 예수님께서 성령의 능력으로 귀신을 쫓아내는 것이라면 우리도 귀신을 쫓아내고 원수의 권세를 깨뜨리기 위해서 마땅히 "무시로 성령 안에서 기도"(엡 6:18)해야 할 것이다.

4. 예수님의 보혈

권위를 사용하는 네 번째 방법은 사탄에게 예수님의 보혈을 상기시키는 것이다. "또 여러 형제가 어린 양의 피와 자기의 증거하는 말을 인하여 저(마귀)를 이기었으니"(계 12:11). 저주를 끊고 온 인류를 붙잡고 있던 마귀의 사슬을 파하시며 죄를 대속하시려고 흘리신 예수님의 보혈로 말미암아 사탄은 이미 십자가에서 패배하였음을 상기시켜 주는 것이다. 예수님의 보혈을 선포하는 것은 마귀를 제압하는 막강한 힘이 있는 것 같다. 각각의 상황 속에서 보혈로 말미암아 마귀의 패배는 분명해진다. 따라서 지금 이때에 바로 이곳에 보혈의 능력을 선포하는 것이다. 예수님의 보혈에 능력이 있다.

5. 진리를 선포함

마지막으로 권위를 사용하는 방법은 우리 자신의 증거의 말을 하는 것이다. 요한계시록 12장 11절에는 또한 자기의 증거하는 말로 원수 마귀를 이긴다고 한다. 여기에는 이중적인 의미가 있다.

첫째는 하나님의 성품과 그분의 위대하신 일을 선포하는 것을 말한다. 마귀가 획책하는 이유가 있다면 그것은 하나님을 불신하도록 하는 것이다. 하나님은 존재하지 않는다든가, 믿지 못할 분이라든가 하는 식의 거짓말을 속삭인다. 따라서 우리는 하나님께서 말씀하신 것과 어떻게 역사하시는지, 하나님의 성품이 어떠하신지, 우리를 위해 행하신 크신 일이 무엇인지 선포함으로써 사탄의 거짓말을 깨뜨려야 한다. 하나님의 성품과 역사에 있어서 그분의 전능하심을 선포하는 것이다.

또 한편으로 우리의 증거하는 말의 의미는 자기 자신에 대해 진실을 말하는 것이다. 부정적이든 긍정적이든 다 말하는 것이다. 남에게 보이기 위해 꾸며대지 않고 마음에 있는 것을 진실하게 나누는 정직하고 열린 마음만 있다면 우리는 어둠을 이길 수 있다.

거짓과 속임과 위선의 어둠 속에서만 활동하는 대적 마귀의 일을 멸하는 것이다. 따라서 우리는 언제나 열린 마음을 가지고 진리를 말하며 서로 마음을 나누고 서로의 필요를 공급해야 한다. 우리는 빛 가운데 행해야 하는 사람들이다.

또 한편으로 균형을 맞추기 위해 긍정적인 것 또한 중요하다. 우리 자신에 대한 긍정적인 부분, 즉 우리가 그리스도 안에서 어떤 사람인지 진실을 말하는 것이다. 예수 그리스도 안에서 우리 삶에 대한 모든 진리를 대적 마귀에게 선포해야 한다.

"나는 예수님의 보혈로 씻음 받은 사람이다. 그리스도 안에서 이제 나는 새로운 피조물이다. 나는 신부로 하나님께 받아들여진 사람이다. 나는 이 세상에서 최고라고 하는 사람보다 더 존귀한 사람이다."

이와 같이 진리를 선포하는 말은 강력한 무기가 된다. 선포하는 말은 우리에게 확신 가운데 행하지 못하게 하고 권위를 사용하지 못하도록 끊임없이 위협하고 정죄하는 마귀의 공작을 일순간에 깨뜨릴 것이다.

우리는 원수 마귀를 물리쳐야 한다. 마귀는 이미 패배하였다. 그러나 우리가 마귀를 대항하여 하나님께서 주신 권위를 사용하기까지는 버젓이 자기 영역을 지키고 있을 것이다.

제 9 장
〔사랑의 하나님은
왜 악을 내버려 두시는가?〕

하나님께서 사랑의 하나님이시라면 왜 이 세상에는 악이 존재하는 것일까? 이것은 그리스도인들에게 힘겨운 질문이 아닐 수 없다. 이에 대해 응답이 없을 경우 의심이 구름같이 몰려오고 심지어는 하나님에 대한 분노와 원망의 마음마저 들 수 있다.

어떤 그리스도인은 선하신 하나님께서 인간을 파멸시키는 악을 내버려두신다는 생각에 침체되기도 한다. 많은 사람들이 이러한 문제로 혼란과 쇄설을 경험하다가는 마침내 주님을 따르지 않게 된다.

세상에 존재하는 악은 믿지 않는 사람들이 하나님을 접하는 데도 큰 걸림돌이 되고 있다. 프랑스 철학자인 샤를 보들레르(Charles Baudelaire)는 말하기를 "만일 하나님이 있다면 틀림없이 악마일 것이다"라고 하였다. 비참하게도 하나님께서 악한이 되시다니⋯. 이해할 수 없는 재난이 닥쳤을 때 이를 하나님의 소행이라고 말한다. 하나님께서는 전염병과 기근 때문에 비난을 면치 못하신다.

심지어 그리스도인들까지도 이와 유사한 질문을 한다. "어째서 어린 조카가 세워놓은 자동차에 치는 걸까?" "왜 내 아내는 중풍에 걸렸지?" "나는 왜 기형아를 낳았을까?" "어째서 그렇게 착한 사람이 죽어야 하지?" 그러나 정말 의문이 되는 것은 "어째서 하나님은 악을 내버려두시는가?"라는 질문이다. 좀 더 직설적으로 표현하자면 "어째서 하나님께서 악을 조장하시지?"라는 질문으로 말할 수 있겠다.

그러나 많은 그리스도인들이 속으로는 끙끙 앓고 있으면서 겉으로는 태연한 척 신앙 생활을 하고 있다. 이런 질문을 하면 하나님을 의심하는 것밖에는 되지 않는다고 들었기 때문에 갖가지 재난이 닥칠 때마다 하나님을 원망하면서 속마음만 앓게 된다.

우리는 문제에 답을 해야 된다

우리가 이 문제에 대한 답을 알지 못한다면 훌륭한 영적 군사가 될 수 없다. 악이 왜 이곳에 존재하는지 모른다면 악을 대적할 수도 없고 악을 없애기 위해 믿음을 가지고 기도할 수도 없다. 오늘날 이 세상에 악이 들어오게 된 데에 대한 하나님의 결백함을 우리가 믿지 못한다면, 하나님께 대한 절대적인 신뢰 또한 무너질 수밖에 없는 것이다.

이 땅에서 일어나는 모든 것이 하나님의 뜻이라고 믿는 사람들이 많다. 쾌 세라 세라(Que sera sera)—될 대로 되라. 이들은 악이 불가피한 것이라고 말한다. 이전에 일어난 대로, 지금 일어나고 있는 대로, 앞으로 일어날 대로 가는 것이 하나님의 뜻이라고 한다. 그러나 이것은 기독교적인 세계관이 아니다. 이것은 운명론이다.

여타의 종교들은 이와 같은 운명론적인 세계관과 신의 섭리관을 갖고 있다. 이들도 "하나님의 뜻이 이루어지이다"라고 말한다. 벌어진 일과는 상관없이 일어난 일은 다 하나님의 뜻이라는 것이다.

북아프리카에서 사역하는 한 친구가 사막에 나무를 심고 저수지를 건설하는 일에 참여할 자원봉사자를 구하는 데 어려움을 겪은 적이 있었다. 이 사업으로 많은 사람들이 혜택을 입을 텐데도 사람들은 김히 일하러 나서지 않았는데, 왜냐하면 그곳에 나무를 심는 것이 신의 뜻이 아니라면 어떻게 하나 하는 생각에 다들 무서워했기 때문이다.

이것은 성경적인 생각이 아니다. 하나님께서는 성경 말씀 속에 그분의 뜻을 계시하신다고 믿는 것이 기독교다. 따라서 사람들은 여기에 순종하느냐 아니면 불순종하느냐를 결정할 수 있다(수 24:15, 요 3:19-21, 계 3:20).

또한 기도로 세상에 변화를 가져올 수 있다고 믿는 것이 기독교다. 기독교는 만사를 다 하나님의 탓으로 돌리는 오류를 범하지 않고 세상에 존재하는 악에 대한 의문에 해답을 가지고 있다.

악이 세상에 존재하는 첫째 이유는 사람들이 신택했기 때문이다. 도덕적인 차원에서 본다면 악은 하나님의 과오가 될 수 없다. 만일 그것을 하나님의 과오라고 한다면 회개라고 하는 것은 우스운 짓이 될 수밖에는 없으며 악에 대한 심판이라는 것도 공정치 않을 것이다.

로마서 5장 12절은 "한 사람으로 말미암아 죄가 세상에 들어오고"라고 말씀한다. 제일 먼저 아담과 하와가 소위 '인류의 타락' 혹은 '원죄'라고 부르는 잘못된 선택을 하였다. 그 후로 우리는 모두 그들의 행실을 이어받고 각자 나름의 잘못된 선택을 함으로써 세상에 죄를 더하게 되었다. 수천 년이 지나서 수억의 사람들이 수없이 많은 잘못된 선택을 함으로 말미암아 오늘날 이 세상에 죄가 넘치는 것이다. 우리 모두는 이 세상에 죄가 관영하도록 한데 기여한 사람들이다. 따라서 왜 악이 이곳에 존재하는지 이해하는 것은 어렵지 않을 것이다.

현재 우리의 인간성을 살펴볼 때 이렇게까지 된 것은 성경에서 재앙이라고 말하는 것의 결과다. 재앙이라고 하는 것은 인간의 악한 행위의 자연스러운 귀결이다.

우리는 모두 타인의 죄에 영향을 받고 있으며 세상에 존재하는 악의 영향권 아래 있다. 우리가 죄를 지었건 안 지었건 간에 우리는 다 죽는다. 아기가 기형으로 태어나는 것은 특정인의 죄 때문이 아니라 우리가 살고 있는 세상이 타락했기 때문이다. 어떤 재앙은 불편만 주는 것이 있다. 많은 사람들이 안경을 쓴다. 치아도 썩고, 뼈도 부러지기까지 한다. 그래서 휠체어에서 남은 생애를 보내야 하는 사람들이 있다. 때때로 끔찍한 일이 벌어지기도 한다. 비행기 정비를 제대로 하지 않아서 몇백 명이 죽는 일도 있다. 또 유목민들이 한곳에서 너무 오래 가축을 방목시키는 바람에 땅을 황폐케 만들어서 수천 명의 아이들이 기아로 죽기도 한다.

모든 악한 일에는 원인이 있게 마련이다. 어떤 것은 개인의 책임일 수도 있고, 또 어떤 것은 다수의 사람들이 선택한 결과일 수도 있다. 그 선택이 부도덕한 것일 수도 있고, 단순히 오도된 것일 수도 있다.

그리스도인으로서 우리는 하나님이 이 모든 상황에 연루되어 있는 것처럼 보일 때 고심하게 된다. 우리는 하나님의 다스리심에 대해 알고 있다. 하나님께서 간섭하셔서 뭔가 하실 수 있지 않겠나? 어째서 다 간섭하지 않으시는 것일까? 하나님으로 하여금 전쟁을 종식시키고 사람에게 비극적인 일이 일어나지 않게 하고 즉시 이 세상을 살기 좋은 곳으로 바꾸는 것을 막고 있는 것은 무엇인가? 우리는 혼란의 도가니 속에 있는데 어째서 하나님은 중단시키시지 않는 것인가?

이런 의문들은 결코 작은 것이 아니다. 아무 답도 얻지 못한 채로 있으면 이런 의문들은 우리의 믿음을 크게 손상시킨다. 그러나 여기 답이 있다. 그 답은 하나님께서 우리를 사랑하시는 그 사랑에 직접 관련되어 있다.

악이 존재하지 않는 상태보다도 자유 의지가 더 귀중하기 때문에 이 세상에 악이 남아있도록 허용되는 것이다. 하나님께서는 우리를 자유 의지가 있는 사람으로 창조하셨다. 자유 의지가 없다면 우리는 사람 이하일 수밖에 없다. 하나님께서는 우리가 그분과 더불어 관계를 맺기 원하시며 동시에 다른 사람들과도 똑같이 하기를 원하시는데 이와 같은 질적인 관계를 위해서는 자유 의지가 절대적으로 필요하다.

꼭두 각시가 사랑을 할 수 있는가?

하나님께서는 우리와 친밀한 관계를 맺기 원하신다. 사실 하나님께서 사람을 만드신 이유는 바로 관계 때문이었다. 하나님께서 외롭다거나 심심해서 그러신 것이 아니다. 마음에 뭔가 부족한 것이 있어서도 아니다. 인간은 하나님을 충족시키지 못한다. 하나님이 인간을 충족시키는 것이다. 다만 하나님께서는 우리와 더불어 관계를 맺기 원하셨던 것이다. 우리가 하나님을 알게 되기를 원하신 것이다.

하지만 하나님께서 나누기 원하셨던 관계는 기계적인 존재와의 관계가 아니다. 넘어지거나 건전지를 교체하면 "사랑해요"라고 소리를 내는 기계적인 인형이 아니라는 말이다. 만일 우리가 꼭두 각시 인형처럼 한 가닥 줄만 당기면 애정을 표현하는 그런 사람이라면, 하늘에 계신 아버지와 다른 사람들과 나누는 친밀한 관계에서 오는 기쁨을 누리기란 절대 불가능할 것이다. 사랑을 주고 받기로 선택하든지, 그렇게 하지 않기로 하는 자유는 관계의 기초가 된다.

자유 의지는 악이 존재하지 않는 상태보다도 더 귀중하다. 도대체 얼마나 귀중한가? 다음과 같은 장면을 한번 상상해 보자.

이 세상에서 우리가 이미 잘 알고 있고 앞으로도 얼마든지 가능한 모든 전쟁과 기아, 재난, 재앙, 폭력, 불의, 이기심, 성도착증, 증오, 분노 등 이 모든 것을 막고 있는 어마어마한 제방이 있다고 하자. 그리고 나서 우리는 악이 사라진 세상을 그려볼 수 있을 것이다. 우리를 고통스럽게 했던 악이 거대한 제방으로 차단되었다. 상상하는 데 어려움을 느낄지 모르겠다. 그러나 한번 상상의 나래를 펼쳐보자. 한 걸음 더 나아가보자. 만일 하나님께서 지금 그렇게 모든 것을 끝내버리시는데 그 선택권을 당신에게 주신다면 어떻겠는가? 인간의 자유 의지를 제거함과 동시에 세상에 있는 모든 악이 사라질 수 있다고 한다면 당신은 어떻게 하겠는가?

그러나 하나님께서는 이미 결정하셨다. 우리가 함께 지은 모든 악을 견디는 것이 좋을 만큼 자유 의지는 고귀한 것이라고 말씀하신다. 하나님께서 우리의 인간 됨, 우리의 자유, 우리의 자유 의지를 박탈하는 것보다도 더 잔혹하게 대하실 수 있다. 그러나 악취가 나는 모든 악이 사라진 상태가 결코 당신의 자유 의지와 마음보다 더 가치 있는 것이 아니다.

우리 전도팀에 있던 어떤 사람이 본 장에서 다루고 있는 의문에 대한 답을 얻으려고 고심한 적이 있었다. 당신도 이와 같은 문제로 고심해 보았을 것이다.

"하나님께서 참으로 사랑의 하나님이시라면, 또 모든 능력의 하나님이시라면 어째서 세상에 악을 그대로 방치해 두시는가? 왜 죄 없는 아기들이 죽도록 내버려 두실까? 세상의 온갖 재난으로부터 보호해 주시던가, 아니면 사라지게 해 주실 수는 없는 것인가?"

인간의 자유 의지를 제거함과 동시에 세상에 있는 모든 악이 사라질 수 있다고 한다면 당신은 어떻게 하겠는가? 그러나 하나님께서는 이미 결정하셨다. 우리가 함께 지은 모든 악을 견디는 것이 좋을 만큼 자유 의지는 고귀한 것이라고 말씀하신다.

이런 의문들은 좋은 질문이라 하겠는데 이런 질문에는 사실상 철학적인 논쟁이 따르게 된다. 가령, "하나님은 모든 사랑의 하나님이지만 모든 능력의 하나님은 아니다"라든가, 아니면 "전능하신 하나님이지만 사랑의 하나님은 아니다"라는 것이다. 말하자면 세상에 악이 존재하는 한 하나님의 전능과 사랑은 서로 양립할 수 없다는 말이다.

하나님께서 오류를 범하셨는가?

우리는 한편으로 이에 반박할 논증을 찾아보지만 그 말이 확실히 맞다고 생각하기에 이른다. 예를 들어 보자.

만일 내가 길모퉁이에 서 있는데 어떤 꼬마가 달려오는 버스에 정면으로 뛰어들었다고 할 때, 내가 그냥 보고만 있었다고 한다면 '살인방조'라는 죄책감에 빠질 수 있다. 내가 그 꼬마의 죽음을 막는 데 대한 어떤 지식이나 능력이 있었음에도 아무 일도 하지 않았다고 한다면 분명 죄책감을 느낄 것이다. 이제 그 사건이 수없이 반복된다고 하자. 하나님께서는 이 땅에서 일어나고 있는 참혹한 일에 대해 보고 계시며 또한 알고 계신다.

우리는 사실상 인간의 고통에 대해 납득되지 않는 것들이 많다.

그리고 하나님과 그분의 무한하신 지혜에 대해서 알지 못하는 것들이 많이 있다. 왜냐하면 하나님께서는 모든 것을 다 아시지만 우리는 극히 제한된 지식을 갖고 있기 때문이다. 나는 여기서 C.S. 루이스(C.S. Lewis)가 '고통스러운 문제'라고 일컫는 그런 문제들에 대해 모든 해답을 갖고 있다고 하는 말은 아니다. 그러나 나는 때때로 하나님의 성품을 의지하지 않고는 어떠한 일도 할 수 없다고 믿는다. 하나님의 성품을 이해하는 것으로 우리는 어떤 해답을 얻을 수 있다. 하나님께서는 전능하시지만 그와 동일하게 다른 중요한 요인들 때문에 그분의 전능하신 능력을 사용하지 않기로 결정하셨다. 우리는 이미 그와 같은 주요 요인 중의 하나를 살펴보았다. 그것은 하나님께서 우리 인간에게 주신 자유 의지다. 또 다른 요인들이 있는데 여기에는 공의에 대한 하나님의 역사 같은 것이 있다.

하나님께서는 공의로우시다. 그분의 공의는 타협이 없다. 하나님은 절대적으로 공정하시고 공평하신 분이다. 이랬다저랬다 하지 않으신다. 그러므로 하나님께서는 모든 전쟁을 종식시키지 않으시면서 한 가지 전쟁만 없애지는 않으신다. 또 모든 악을 제거하지 않으시고 하나만 없애는 분이 아니다. 만일 하나님께서 모든 악을 사라지게 하신다면 모든 사람의 자유 의지를 동결시키셔야 할 것이고, 그렇게 되면 자유 의지가 말살될 뿐만 아니라 하나님과 나누는 진정한 사귐의 기회 또한 갖지 못할 것이다.

그러면 어떤 사람은 말할 것이다. "그러면 전부 다 없애 버리시지 않고? 세상의 악을 없애버리는 것같은 가치가 있을 텐데." 예전에 하나님께서 이미 그렇게 하셨다. 하나님께서는 땅 위에 있는 모든 생물을 다 멸절시키시고 의롭지 않은 모든 인생을 없애버리셨다. 홍수로 쓸어버리신 것이었다. 그리고 여덟 명만 살아남았다. 그렇지만 이것도 하나님의 최종적인 해결책은 아니었다.

하나님께서는 세상의 모든 형편과 인간사에 깊이 관심을 가지시는 사랑의 하나님이시다. 실제로 하나님께서는 크게 탄식하신다. 모든 악, 모든 불의, 모든 고통, 모든 비애… 이 모든 것들이 하나님의 마음을 탄식케 하는 것들이다(사 63:10, 시 78:40). 그런 하나님께서 다만 뒤로 물러가셔서 악이 관영하도록 그냥 놔두실 수도 없고, 결코 그렇게 하신 적도 없다. 하나님의 사랑이 간섭하지 않으면 안 되도록 한다. 하나님께서는 지금까지 악을 저지하시는 역사를 멈추신 일이 없으시다. 하나님의 능력으로 무엇이나 필요한 것이라면 다 하신다. 하지만 공의라는 하나님의 성품으로 친히 인간에게 주신 자유 의지를 넘지 않는 선에서 그분의 능력을 제한하신다(마 23:37, 삼 1:24, 사 65:1-3).

하나님께서는 사랑의 하나님이실 뿐만 아니라 전능하시며 공의로우신 하나님이시다. 또 지혜로우신 하나님이시다. 하나님의 지혜로 인간에게 한 길이 마련되었다. 그것은 순전히 인간의 자유 의지로 이 세상의 속박과 고통으로부터 벗어나서 하나님과 사귐을 갖는 그 길을 선택하는 것이다. 하나님의 능력과 사랑과 공의와 지혜의 방법이 곧 예수 그리스도와 그분의 십자가였다(요 3:16).

악은 영원히 지속 되지 않는 다

우리의 고통이라는 것은 일시적인 것이다. 어느 누구도 오랫동안 악을 견디며 고통을 참을 수는 없다. 영원의 관점에서 보면 이 지상의 수명이란 아무 의미가 없다. 하나님과의 영원한 사귐이라는 관점에서 보면 인간의 고통이란 것도 별 의미가 없다. 하나님께서는 인간의 마음과 영혼 속에 자유와 평화와 생명을 알 수 있도록 한 가지 길을 제시하셨다. 이것은 고해와 같은 세상에서 신체적인 장애로 사람이 감내하는 그 어떠한 고통보다도 더 놀랍고 큰 것이다.

하나님께서는 사람의 이기심이 미치는 결과에서 벗어날 수 있는 길을 마련해 주셨는데, 그것은 사람이 자기 스스로 당하게 되는 악으로부터 벗어나는 것이다. 이제 사람은 생명과 죽음을 선택할 수 있게 되었다. 사람은 잠시 동안 받는 고난과 영원한 생명을 누리든지, 아니면 영원한 고통과 죽음 속에서 지내든지 할 수 있다. 만일 사람에게 선택권이 없다면 고통이란 것도 영원히 없어야 할 것이다.

우리는 지금 자유 의지라는 것이 악이 없는 것보다 더 소중하기 때문에 세상에 악이 존재한다는 것을 살펴보았다. 하나님께서는 사람의 자유 의지를 통해 악을 다루시기로 결정하셨다. 자유 의지에 상관없이 일하시는 법은 없다. 하나님께서는 계속해서 하나님과의 사귐을 회복시키는 방향에서 역사하시며 종국에는 이 세상에 악이 완전히 제거되도록 하신다.

패배자가 아니라 이기는 자가 되라

세상에 악이 존재하는 또 다른 이유가 있다. 그것은 인간의 성숙을 위한 것이다. 인간이 세상에 악을 가져왔다는 것은 부인할 수 없는 사실이다. 악이 존재하는 것은 인간의 선택으로 인한 것이다. 하지만 하나님께서는 사람을 한 차원 더 높이고 악과 싸울 수 있는 사람으로 성숙시키기 위해 타락한 세상과 이 땅에 존재하는 악을 얼마든지 사용하신다. 성경에서 '이긴다'는 말을 쓰는 것은 이러한 이유에서다. 우리는 이기는 자가 되어야 한다.

만일 우리가 이기는 자가 되려면 우리는 먼저 우리가 살고 있는 이 악하고 이기적인 세상이 어떤지 알아야 한다. 악과 이기심은 세계 도처에서 항상 움직이고 있다. 우리는 끊임없이 타락한 세상을 접하고 있고 또 그 결과 때문에 고통을 당한다. 하지만 사람들의 이기심

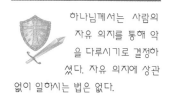

하나님께서는 사람의 자유 의지를 통해 악을 다루시기로 결정하셨다. 자유 의지에 상관없이 일하시는 법은 없다.

때문에 눌려서는 안 된다. 이 때문에 흔들려서도 안 된다. 오히려 악이 있는 것이 당연하다고 생각하고 태연한 마음을 갖는 것이 좋다. 죄악이 관영하다고 불안한 마음을 갖지 않는 것이다(히 11:24-26).

우리를 성숙시키기 위해 하나님께서 세상에 있는 악을 사용하시는 데는 두 가지 방법이 있다. 한 가지는 그것을 우리 삶의 격전장으로 사용하는 것이다. 하나님께서는 우리가 혼란과 분노와 원망 속에 빠져서 패배자로 남게 되기를 바라지 않으신다. 모래 속에 머리를 처박고 우리 주위에는 악이 없는 것처럼 시치미를 떼는 것도 원치 않으신다. 도리어 악이 우리를 압도하지 못하도록 하시면서 우리의 삶을 성숙시키기 위해 이 땅에서 일어나는 일들을 내버려두신다. 세상은 그 상태 그대로 존재하시만 선택은 우리가 하는 것이다. 세상에서 우리는 더욱 굳건해지고 세상에 변화를 주기 위한 각오를 더욱 결연하게 할 수 있는 반면 또한 우리는 세상에서 연약해질 수도 있고 전쟁에서 패잔병이 될 수도 있다.

하나님께서는 이 타락한 세상을 통해 우리를 성숙시키는 데 갖가지 시련과 고난과 역경을 사용하신다. 따라서 우리는 각종 시련과 고난과 역경이 있다는 것을 깨달을 필요가 있다. 마치 이런 것들이 존재하지 않는 것처럼 태연한 척할 수 있다. 어떤 종교는 이와 같은 악에 대해 환영(illusion)일 뿐이라고 가르친다. 심지어

어떤 그리스도인은 좋지 않은 일이 생기지 않으려면 그런 부정적인 말은 하지 말라고 한다. 그러나 좋지 않은 일은 실제로 존재하며 없어지지 않는다.

만일 우리가 기도했는데도 여전히 상황이 좋아지지 않는다면 우리는 이와 같은 상황을 우리가 성숙해질 수 있는 발판으로 삼을 수 있다. 우리가 그런 것들을 좋아해서도 안 되겠지만 또한 그것들이 우리에게서 승리를 앗아가도록 해서도 안 된다. 승리는 마음에 있는 것이다. 승리는 모든 상황에 있어서 이기는 자로 있는 것이다.

우리가 시련과 고난과 역경을 실감하고 이로써 무장되어 있다면 이런 일들을 만나도 압도되거나 눌리는 일은 없을 것이다. "왜 내게 이런 일이 생겼지?" 하고 고개를 저으며 말하지 말라. 대신에 조금 못한 상황을 발판으로 하여 성장하고 성숙하는 기회로 삼으라. 이것이 승리다.

들을 필요가 없는 패잔병의 이야기를 듣고 또 듣는다. 교회가 분열했다든지, 재정적인 압박으로 사역을 못하게 됐다든지, 목사가 젊은 여자와 바람을 피웠다든지, 이런 말들을 들으면 사람들은 충격을 받고 혼란에 빠진다. 그러면 다시 의심이 일기 시작하고 하나님까지 비난한다. 어떤 사람들은 떨어져 나가고 하나님을 섬기는 일을 그만 둔다. 이런 일들은 연약한 사람은 물론이고 기적을 본 사람에게도, 능력 있는 사역에 함께 참여한 사람에게도, 그리고 하나님의 엄청난 믿음의 증거를 받은 사람에게도 일어난다.

승리는 방탄 유리 속에서 안전하게 사는 것이 아니다
문제는 이런 사람들이 실제 우리가 살고 있는 타락한 세상의 피할 수 없는 문제들을 실제로 대면해본 적이 없다는 것이다. 이들은 승리를 각종 시련이나 고난, 유혹이 없는 상태라고 생각한다. 구원을 비참한 일이 없어진 것이라고 하면서 환상의 세계를 꾸며 놓고 지내는 것이다. 따라서 이들은 현실적인 문제가 들이닥치게 되면 속수무책이 된다.

따라서 우리가 타락한 세상의 현실을 인정하는 만큼 또한 그것을 우리의 성숙의 기회로 삼기로 결정한다면 우리는 승리의 생활을 할 수 있는 것이다. "사랑하는 자들아 너희를 시련하려고 오는 불시험을 이상한 일 당하는 것같이 이상히 여기지 말고 오직 너희가 그리스도의 고난에 참예하는 것으로 즐거워하라 이는 그의 영광을 나타내실 때에 너희로 즐거워하고 기뻐하게 하려 함이라"(벧전 4:12-13).

베드로는 매일 핍박과 죽음의 위협을 느끼며 사는 그리스도인을 위해서 서신을 보내고 있다. 당시 그리스도인들은 콜로세움에서 사자에게 찢김을 당하기 전에 대기하면서 이 서신을 읽었다. 어떤 그리스도인은 온몸이 기름에 적시워져 황제의 축제에 인간 횃불이 되기 전에 이 서신을 읽었다. 베드로는 권하기를, 우리가 그리스도인으로서 어떠한 일을 겪을지라도 하나님과의 관계에는 아무런 문제가 없다고 하면서 도리어 그런 참혹한 상황 속에서도 즐거워하라고 말한다.

우리가 미쳤거나 아니면 뭔가 정말 잘 아는 것이다

우리는 타락한 세상에서 살고 있다. 하나님께서는 갖가지 일들이 일어나게 하신다. 그렇다고 해서 놀라서는 안 된다. 우리가 역경 중에서도 즐거워할 수 있다고 한다면 그것은 우리가 미쳤기 때문이거나, 아니면 우리가 하나님에 대해 그리고 하나님의 말씀과 또 이 세상과 이 땅에 사는 사람들의 형편에 대해 잘 알고 있기 때문이다.

앞의 인용절 이전에 있는 말씀에서 베드로는 범사에 우리가 하는 일이나 말을 통해 하나님께 영광을 돌리라고 권한다. 우리의 행실과 반응을 통하여 어떤 상황에서도 우리는 주위 사람들에게 하나님의 영광—하나님의 성품—을 나타낼 수 있다. 우리가 하나님의 성품을 아는 사람이라면 우리가 접하는 그 어떤 것도 우리를 치우치게 할 수 없다는 것을 알기 때문에 그런 일을 겪은 다음 결국에는 즐거워할 수 있는 것이다. 우리가 하나님을 아는 사람이라면 우리에 대한 하나님의 사랑이 한결같다는 것을 우리는 알고 있다. 우리를 향한 인자하신 하나님의 섭리와 목적은 결단코 변함이 없다. 따라서 실망스러운 일이 닥칠 때마다 우리 안에 계신 하나님께서 승리하시는 분이기 때문에 우리는 기뻐할 수 있는 것이다. 그리고 시련 속에서도 하나님의 성품은 우리를 통해 다른 사람들에게 나타날 것이다. "내 형제들아 너희가 여러 가지 시험을 만나거든 온전히 기쁘게 여기라 이는 너희 믿음의 시련이 인내를 만들어 내는 줄 너희가 앎이라 인내를 온전히 이루라 이는 너희로 온전하고 구비하여 조금도 부족함이 없게 하려 함이라"(약 1:2-4).

여러 가지 시험, 너희 믿음의 시련, 이런 말들은 결코 즐거운 일들이 아니다. 그러나 우리는 기쁨으로 여겨야 한다. 우리는 혼란의 시기를 겪을 수 있는데 그 고통이 육체적·정신적·정서적으로 우리에게 힘겨운 것이라 해도 우리는 "이것이 기쁨이다"라고 말할 수 있다. 왜 그런가? 비참하고 혹독한 시련이라 해도 그것은 비교할 수 없는 소중한 어떤 것을 만들어 내기 때문이다. 그것은 인내다.

서양에서는 인내를 거의 알지 못하는 것 같다. 우리 사회는 편의와 안락에 대한 요구가 늘어만 간다. 우리가 좋아하지 않는 일이 있다면 바꿔버린다. 그런데도 대개의 사람들은 삶 속에서 자신들의 상황을 바꾸려들지 않는다. 인내를 알고 있는 것 같다.

어떠한 예외도 없이 모든 사람들은 시련을 겪는다. 인내를 알고 있는 사람이 승자다. 인내에 대해서는 어떠한 가치로도 평가할 수 없다. 이것은 우리가 가질 수 있는 가장 가치 있는 것 중 하나다.

인내는 우리에게 마음의 기쁨과 함께 생명의 역사를 일으킨다. 하나님께서 보시는 것을 우리도 볼 수 있다면 인내가 가져다 주는 부요함을 참으로 알 수 있을 것이다. 우리는 모든 상황 속에서 참된 기쁨으로 기뻐할 것이다.

예수님께서 십자가에서 죽으신 것은 우리로 현실을 도피하지 않고 극복하게 하기 위해서다. 예수님께서는 모든 형편에 맞는 은혜를 내려주신다. 예수님께서는 죄 없는 삶을 사셨으며, 십자가를 지시고 고통스러운 죽음을 당하셨으며 음부에 내려가셔서 사탄의 죄와 죽음의 권세와 능력을 파하셨다. 그리고 죽은 자 가운데서 살아나시고 하늘에 오르사 아버지 우편에 앉으셔서 우리를 위해 매순간마다 중보하고 계신다. 이것이 하나님께서 우리를 사랑하신다는 증거로 충분치 않다면, 또 이것이 어떤 상황이든 우리가 인내할 수 있도록 도움을 주지 못하고 우리가 필요로 하는 모든 것이 되지 못한다면, 우리는 보다 나은 종교를 찾아 다녀야 할 것이다.

어떻게 우리가 아무 일에도 부족함이 없이 온전하고 완벽한 사람이 될 수 있겠는가? 그것은 간단하다. 인내하면 된다. 그리고 인내하면서 "이것이 내게 기쁨이다"라고 고백하는 것이다. 이것은 스스로 최면을 거는 것도 아니며 마음을 속이는 것도 아니다. 다만 모든 힘든 상황을 우리에게 도움이 되는 성숙의 기회로 인식하는 것이다. 이것이야말로 인내하시며 기뻐하시는 예수님의 참된 모습을 닮아가는 것이라 하겠다.

하나님께서는 우리를 위해 언제나 이곳에 임재하여 계신다. 우리를 위해 축복되고 유익한 상황으로 변화시키는 분이다. 이것이 로마서 8장 28절의 말씀이 의미하는 바다. 우리에게 합력하여 선을 이루시도록 모든 상황 가운데 언제나 역사하시는 분이다. 우리는 그저 인내하면서 인내로 온전한 결과가 이루어지도록 하면 된다.

"그러므로 우리가 믿음으로 의롭다 하심을 얻었은즉 우리 주 예수 그리스도로 말미암아 하나님으로 더불어 화평을 누리자 또한 그로 말미암아 우리가 믿음으로 서 있는 이 은혜에 들어감을 얻었으며 하나님의 영광을 바라고 즐거워하느니라 다만 이뿐 아니라 우리가 환란 중에도 즐거워하나니 이는 환란은 인내를 인내는 연단을 연단은 소망을 이루는 줄 앎이로다 소망이 부끄럽게 아니함은 우리에게 주신 성령으로 말미암아 하나님의 사랑이 우리 마음에 부은 바 됨이니"(롬 5:1-5).

환란으로 인해 즐거워하라

"환란 중에도 즐거워하나니"라는 말씀이 의미하는 바는 무엇인가? 그것은 환란을 피하라는 말이 아니다. 환란이 존재하지 않는다는 말도 아니다. 또한 우리 삶 속에 찾아오는 모든 부정적인 일들에 대항하라는 말도 아니다. 묵묵히 상황을 감내하면서 이를 악물라는 말도 아니다. 환란 중에도 즐거워한다는 말은 우리가 원하지 않는 상황이나 견디기 어려운 일, 절망 등을 온 마음으로 받아들인다는 말이다. 여기서 즐거워한다는 말은 환란 중에도 온전히 기뻐한다는 뜻인데, "환란에도 불구하고"가 아니라 "바로 그 환란 때문"인 것이다. 세상에서는 정신 나간 것처럼 보일지 모르겠다.

그러나 환란이 우리에게 가져다 주는 측량할 수 없는 유익을 생각하면 우리가 그렇게 즐거워하는 것은 지극히 당연한 일일 것이다.

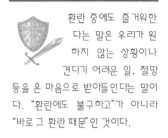

환란 중에도 즐거워한 다는 말은 우리가 원하지 않는 상황이나 견디기 어려운 일, 절망 등을 온 마음으로 받아들인다는 말이다. "환란에도 불구하고"가 아니라 "바로 그 환란 때문"인 것이다.

이 세상과 마귀가 몰아넣을 수 있는 모든 일들 가운데 서서 진심으로 기뻐하고 극복해나가며 인내하는 그리스도인…. 이보다 더한 증인이 세상에 어디 있겠는가. 이와 같은 일들을 우리에게 유익한 일로 바꾸고 우리에게 거치는 것이 되지 않게 하는 것이야말로 진정한 영적 전쟁이다.

또 로마서 5장 4-5절에 있는 말씀에서 인내가 '연단'을 이룬다는 것에 주목하라. 이것이 우리를 향한 하나님의 목표다. 하나님께서는 우리 모두가 연단된 사람이 되도록 이같은 시련을 겪게 하신다. 연단은 또 소망을 이룬다. 그리고 어떤 일에서든지 소망을 발견하기 때문에 '소망이 부끄럽게 아니하는'것이다. 따라서 우리는 담대함으로 어떤 상황에든지 처할 수 있는 것이다.

하나님께서는 우리에게 무관심하지 않으시다. 예수님처럼 상선하고 성숙한 사람이 되도록 우리를 세우고 계신다. 하나님께서 우리 안에서 일하지 않으시는 순간이란 절대로 없다. 이것이 우리가 환란 중에서도 즐거워하는 이유다.

"네 하나님 여호와께서 이 사십 년 동안에 너로 광야의 길을 걷게 하신 것을 기억하라 이는 너를 낮추시며 너를 시험하사 네 마음이 어떠한지 그 명령을 지키는지 아니 지키는지 알려 하심이라"(신 8:2).

하나님께서 이스라엘을 광야로 인도하신 것은 단순한 역사적 사실 그 이상이다. 거기에는 하나님께서 우리를 어떻게 다루시는지 가르치시는 많은 교훈들이 있다.

이스라엘에게 광야는 매우 실제적인 장소였다. 그곳은 매순간 위험이 도사리고 있는 곳이며 과거에 노예로 지내며 누리던, 아주 작은 안락함도 없는 곳이다. 광야는 결코 멋진 곳이 되지 못한다. 그곳은 안식과 휴식의 장소가 아니었다. 그곳은 뜨거운 태양빛으로 에너지를 고갈시키고 매서운 광야의 바람으로 고통을 당하는 그런 장소다. 먹을 것이나 물이 거의 없는 곳이었다.

태어나고 자라나는 곳, 광야

광야는 죽음의 장소였다. 한 세대 전체가 노쇠해지고 그곳에서 멸망하였다. 그들의 멸망과 동시에 원망과 쓴뿌리와 두려움과 연약함도 사라졌다. 또한 광야는 생명의 장소가 되었다. 세대가 이스라엘의 정복자들이 되었다. 이들에게는 강하고 용맹스러운 기질이 있었는데, 이러한 기질은 광야에서 닦여진 것들이었다. 척박한 광야는 편안한 생활을 전혀 할 수 없는 곳이었기 때문에 하나님의 약속을 의지할 수밖에 없었다.

그들을 광야로 보내셨을 때, 하나님께서는 하고자 하시는 바가 분명히 있었다. 우리의 광야는 모래언덕에 간혹 물웅덩이가 있는 그런 곳이 아니지만, 이와 똑같이 실제적이다. 우리의 광야 생활은 타락한 세상에서의 삶을 말한다. 어느 누구도 예외 없이 이곳을 통과한다.

실제로 생활 속에 많은 광야가 있다. 하지만 왜 하필이면 그 광야를 지나가도록 하시는지 우리가 알지 못한다면 우리는 절망하고 하나님을 원망할 수밖에 없다. 믿음이 충만하면 광야길을 지나가지 않을 것이라는 말씀을 들은 적이 있다면, 이것은 일부분만 맞는 말이다. 우리가 이런 사실을 믿는데도 광야를 통과하게 된다면 우리는 우리가 믿음이 없기 때문이라고 자책하거나, 아니면 하나님께서 약속을 깨뜨리셨다고 원망할 것이다. 예수님께서는 광야의 거친 상황 속에서 원수 마귀를 이기셨다. 우리도 만일 광야를 만나게 된다면 그것을 극복하고 실제 생활 속에서 그리스도의 승리를 나타내야 할 것이다.

그런데 하나님께서는 왜 우리를 광야로 인도하시는가? 첫째는 우리를 겸손케 하시기 위함이다. 광야 기간 동안 우리는 우리 자신이 어떠한 사람이며, 또 하나님께서는 어떠하신 분인지 알게 된다. 광야에서는 언제나 겸손할 수밖에 없다. 우리는 갈수록 의존적이 되어갈 것이며, 또 광야에 있다는 사실을 숨길 수 없을 것이다. 남들이 우리의 형편을 알아차리게 되고 그러면 우리는 어려운 시간을 맞이했다는 사실을 겸손하게 인정할 수밖에 없다. 그러면 아마 기분이 언짢을지도 모르겠다. 세상에서는 그런 초라한 모습은 피하라고 말한다. 그러나 우리가 얻을 수 있는 제일 위대한 것은 겸손이라는 사실을 기억해야 한다.

그러므로 광야를 피해 달아나려고 하거나 겸손을 회피하려고 노력해서는 안 된다. 겸손은 훌륭한 것이다. 우리가 두려워해야 하는 것은 바로 교만이다. 우리는 믿음을 지키며 하나님을 신뢰하고 겸손케 하신 삶에 대해 인내하며 감사해야 한다.

시험의 도상에 있는 것

하나님께서 우리를 광야로 인도하시는 두 번째 이유는 시험하시기 위한 것이다. 우리가 만일 자동차를 살 때는 그래도 어느 정도 장기적으로 쓸 수 있겠다고 믿고 사는데, 그것은 이미 충격이나 안전성, 주행성 등의 시험을 거쳤기 때문이다. 실제 차량에 대한 시험을 할 때는 일반 차량을 사용할 때 받을 수 있는 어떠한 환경보다도 훨씬 더 강도 높은 시험을 하게 된다.

하나님께서 우리를 시험하실 때도 이와 같다. 하나님께서는 우리의 성품이 다 드러나는 상황 속에 우리를 있게 하심으로써 우리 안에 있는 것이 밖으로 표출되게 하신다. 시험이란 하나님께 대해 우리가 지닌 좋은 점과 나쁜 점, 그리고 우리 자신에 대한 장·단점이 표출되도록 하는 것이다. 하나님께서는 우리가 사역의 길로 나아가기 전에 먼저 우리의 연약함이 다루어지길 바라신다.

광야에서만이 우리는 우리의 마음에 담긴 것을 알 수 있다. 40년 동안 우리는 주일예배만 드리고 찬양하고 기도하면서 지낼 수 있다. 그러나 우리가 광야를 지나가기를 꺼린다면 우리는 우리 안에 있는 것들을 전혀 알 수가 없다.

우리가 의도하지 않았던 상황을 만난다든지 뭔가 빼앗겼을 때, 혹은 손을 쓸 수 없게끔 상황이 복잡해졌을 때, 우리는 우리 안에서 표출되는 것을 보고 짐짓 놀라움을 금치 못할 것이다. 그때 우리는 여러 가지 반응을 할 수 있다. 언짢게 느낄 수도 있고, 분노가 치밀 수도 있고, 불평 불만이 생길 수도 있다. 또 남을 비난할 수도 있다. 우리가 교만한 만큼 우리 마음속에서 나오는 것을 보기가 더욱 힘들 것이다. 교만한 사람은 표출되는 모든 태도나 감정, 반응들을 부정하는 반면, 겸손한 사람은 보는 것을 그대로 인정하면서 책임있게 그것들을 다루려고 할 것이다.

광야에서 해야 하는 일

- 자신의 마음속에 있는 것들을 보여주신 주님께 진심으로 감사드리라.
- 어떤 죄나 잘못된 동기들을 용서해 주시도록 하나님께 기도하면

서 회개하라. 또한 필요하면 다른 사람을 찾아가 용서를 구해야
한다.

- 이를 극복할 수 있도록 하나님의 도움을 청하면서 새로운 습관과
  태도를 주시도록 기도하라.
- 생활 속에서 원수 마귀가 획책하지 못하도록 그를 대적하라.
- 광야 생활을 하는 것을 결코 거부하지 말라.
- 광야 생활을 하면서 자신 안에서 드러난 것에 대해 정죄하는 마
  음을 갖지 말라.
- 간단하게 이렇게 말하라. "내 마음속에 있는 것을 보여주셔서 하
  나님 감사합니다. 이제 그것을 고치도록 하겠습니다."

사탄의 정죄는 두리뭉실하고 모호하기 때문에 아무런 결실도
주지 못한다. 그러나 성령의 깨우치심은 구체적이고 또한 즉시 문
제를 다룰 수 있다. 우리가 회개하고 용서를 구한다면 성령의 깨
우치심은 우리가 자유케 되도록 인도한다.

어째서 그렇게 많은 지도자들이 타락하는가?

하나님께서는 지도자를 찾고 계신다. 그리스도의 몸에 무언가
부족한 것이 있다면, 그것은 안정감 있고 성숙하고 한결같은 지도
자일 것이다. 우리는 더이상 외부에 보여지는 직책들이 필요한 것
이 아니다. 다만 겸손과 능력으로 인도할 지도자가 필요한 것이다.

사탄은 모든 사회 계층의 지도자를 엄습하고 있다. 목사부터 시
작해서 정치가, 부모에 이르기까지 이들은 매일 타락한다. 지도자
가 타락하면 무서운 결과가 초래된다. 타락한 지도자라고 해서 이
들에게 꼭 성품상의 잘못이 있는 것은 아니다. 아마도 광야에서
알맞은 시험을 거치지 않았기 때문인 것 같다. 명성이나 재물 혹
은 자기 신학으로 광야의 시험을 받지 못하도록 막았기 때문에 자

신을 강건하게 하고 올바로 세워주며 혹은 미처 갖추지 못한 지도자의 자질을 갖추도록 하는 기회를 놓쳤던 것이 아닌가 생각한다.

수많은 사람들은 자신이 광야에서 도망칠 수 있다고 굳게 믿고 있기 때문에 어느 날 자신이 광야 한복판에 와 있는 것을 깨닫는 순간 그만 실족하고 만다. 하나님께서는 지도자라면 광야에 들어가 인내하며 시험받기를 원하신다. 지도자에 대한 잠재력이 큰 사람일수록 그가 당하는 시험은 더 클 것이다.

이 글을 읽는 사람이라면 나는 솔직히 당신에게 지도력을 약속할 수 있다. 직책은 말할 수 없겠지만 지도력은 약속할 수 있다. 만일 당신이 성숙한 그리스도인의 성품을 갖기 위해 헌신한다면, 또 시험을 거쳐 자신을 증명할 수 있다면, 은사나 배경이나 성격에 상관없이 세상은 당신에게 평탄 대로를 만들어 줄 것이다. 사람들은 당신이 지니고 있는 것을 원하기 때문이다.

따라서 당신이 모범을 보임으로써 사람들을 그리스도께로 인도할 수 있다. 교회는 바로 하나님께 자신을 발전시키시도록 자신을 내어맡긴 사람들을 필요로 한다. 이들은 전쟁의 열기 속에서도 우뚝 서 있으며 이들을 바라보고 있는 사람들을 결코 배반하거나 실망시키지 않기 때문이다.

우리는 우리가 하나님의 명령을 지키는지 그렇지 않은지 알기 위해서 광야를 통과한다. 광야에서는 거의 언제나 지치게 하는 일이 있다. 그곳은 우리가 타락하는 곳이기도 하다. 또한 어떤 죄들에 대해 특별한 성향을 갖는 곳이기도 한다. 따라서 잘못되기가 쉬운 곳이다. 당신이 정욕에 대한 성향이 있는 사람이라면 광야에서 정욕이라는 문제에 걸리고 만다. 낙담하여 그만 이 길을 중단하고 싶고 죄를 짓고 싶은 욕망이 생기고 하나님의 뜻을 벗어나려는 유혹을 받을 수 있다.

그러나 하나님께서는 우리가 이 시기를 지내되 결코 좌절하지 않고 극복하기를 바라신다. 만일 우리가 광야에서도 하나님의 명령을 지킴으로써 하나님께 순종하며 신실함을 나타낸다면 우리는 어떠한 상황을 만나더라도 넉넉히 극복할 수 있는 사람이 될 것이다.

　광야는 우리를 성숙시키기에 가장 좋은 장소다. 우리가 광야를 지나갈 때 죄를 거절하고 하나님께 순종하며 어떠한 유혹이라도 견디어 낸다면 우리는 참으로 잘 닦여진 성품을 갖게 될 것이며 또한 영적으로 성숙한 사람이 될 것이다. 그러므로 우리가 시험에 빠졌다 해도 결코 포기해서는 안 된다. 그럴 때에는 회개하고 겸손하게 하나님의 은혜를 구하며 극복할 수 있도록 해야 한다. 원수 미귀가 우리로 하여금 광야 학교를 빠져나오도록 허용해서는 안 된다.

제 10 장
〔악에서 구하소서〕

　젊은 선교사였던 나는 나이가 지긋한 어느 목사님이 내게 하는 말을 듣고 적잖이 놀란 적이 있었다. 높은 산정에 있는 어느 작은 도시에서 나는 그 목사님을 만났었다.

　"나는 내가 사역하던 큰 도시를 떠났었지, 딘."하며 말했다. 그 목사님은 계속해서 그전에 거기서 얼마나 선교사역을 열심히 했었는지 이야기했다. "하지만 도시가 얼마나 악하던지…. 글쎄, 주님을 위해서는 살 곳이 못되었다네. 그리고 죄의 압박이 너무나 심한 곳이었어"라고 말을 이었다.

　나는 그 말에 아연실색하고 말았다. 이 목사님은 많은 교인들을 데리고 유혹을 피해 이 산정으로 이주한 것이었다. 지금은 그 도시에서 작은 소금과 빛의 역할을 하고 있다. 나는 그리스도인이라면 죄를 뒤로 하고 떠날 수는 없다고 생각한다. 아마 떠난다면 새로운 유혹에 부딪칠 것이나. 유혹은 삶이 있는 곳이라면 어디든 존재하게 마련이다.

우리는 유혹으로 인해 우리 이웃이나 환경을 비난할 수 없다. 하나님도 비난할 수 없다. 야고보서 1장 13-15절의 말씀은 다음과 같다.

> "사람이 시험을 받을 때에 내가 하나님께 시험을 받는다 하지 말지니 하나님은 악에게 시험을 받지도 아니하시고 친히 아무도 시험하지 아니하시느니라 오직 각 사람이 시험을 받는 것은 자기 욕심에 끌려 미혹됨이니 욕심이 잉태한즉 죄를 낳고 죄가 장성한즉 사망을 낳느니라."

그렇지만 우리에게는 소망이 있다.

> "사람이 감당할 시험밖에는 너희에게 당한 것이 없나니 오직 하나님은 미쁘사 너희가 감당치 못할 시험 당함을 허락지 아니하시고 시험 당할 즈음에 또한 피할 길을 내사 너희로 능히 감당하게 하시느니라"(고전 10:13).

이 말씀은 우리에게 유혹에 관하여 많은 중요한 사실을 일러주고 있다. 성경은 유혹이 죄가 아니라고 밝혀준다. 많은 사람들은 유혹을 당했기 때문에 자기를 더럽다고 느끼고 엄청난 죄의식에 사로잡힌다. 하지만 유혹은 죄가 아니다. 히브리서 4장 15절은 예수님께서 "우리와 한결같이 시험을 받은 자로되 죄는 없으시니라"고 말씀한다. 유혹이 죄책감을 준다면 예수님도 죄책감을 가지셨을 것이다.

죄와 유혹의 차이는 이렇다. 유혹은 죄를 마음에 생각하는 것이다. 그리고 그 유혹을 따라 죄를 지었을 때 비로소 죄가 된다. 죄는 행위가 아닐 수도 있다. 그러므로 우리는 하나님께 우리가 크게 유혹받기 쉬운 것이 무엇인지 계시하여 주시도록 청함으로써 유혹 때문에 더러워졌다는 생각에 사로잡히지 않을 수 있다.

고린도전서 말씀에 따르면 우리가 유혹을 '당할 수 있다'고 한다. 이 말은 유혹이 우리 안에 있지 않고 바깥에 있다는 말이다. 우리는 그리스도 안에 있는 '새로운 피조물'이며 유혹은 외부에 존재하는 것이다.

고린도후서 5장 17절은 "그런즉 누구든지 그리스도 안에 있으면 새로운 피조물이라 이전 것은 지나갔으니 보라 새것이 되었도다"라고 말씀한다. 새로운 피조물이란 무슨 뜻인가? 그것은 죄가 이제는 우리의 일부가 아니라는 말이다. 만일 우리가 "나는 도둑이다"라든가 "나는 거짓말쟁이다"라고 말한다면 우리는 결코 그런 죄에서 승리할 수 없을 것이다. 죄가 우리의 일부라고 믿는다면 마귀는 필시 우리에게 와서 죄를 자극시킬 것이다. 사탄은 이렇게 말한다. "너도 별반 다를 게 없어. 넌 벌써 이 문제를 안고 있은 지 30년이 넘었어. 이게 너의 연약한 점이란 말이야." 우리는 마귀의 거짓말을 믿지 말고 새로운 피조물이 되었다고 말씀하시는 성경 말씀을 믿어야 한다.

모든 사람은 유혹을 받는다

또 다른 사실이 있다. 고린도전서 말씀에 따르면 유혹이란 모든 사람에게 있는 일반적인 것이라고 한다. 모든 사람이 다 유혹을 받는다. 유혹을 대항하는 데 나 혼자만 있다고 생각해서는 안 된다. 나만 이 악한 생각을 한다고 생각하는 사람들이 많다. 이렇게 말하는 사람들을 흔히 만나는데 "이런 문제를 나만이 갖고 있다고 믿어요. 경건의 시간을 갖기 시작했지만 그래도 문득 이런 끔찍한 생각들이 마음속에 꽉 차게 돼요!"라고 말할 때면 나는 "아니오.

당신만 그렇지 않아요. 당신같이 말하는 사람을 이번 주만 해도 벌써 여러 명 상담했답니다"라고 말해주는데 그러면 상대방은 안도감을 갖는다. 이렇게 공적인 고백과 자기를 낮추는 일이 있을 때, 그리스도의 몸은 큰 유익이 있게 된다.

어떤 형제가 자기 죄를 고백하면 많은 사람들은 자기만 그렇지 않다는 사실을 알고 용기를 얻게 된다. 우리는 서로 더욱 더 정직해야 한다. 그리고 곤경에 빠진 일과 우리의 유혹들에 대해 함께 짐을 나눠져야 할 것이다.

나는 예수전도단에서 함께 일하는 나의 진실한 친구들로 인해 감사드린다. 우리는 그동안 서로를 책임지면서 함께 싸움을 한 데 대해 서로 격려가 되었었다. 이런 그리스도의 몸 안에서의 도움이 우리를 많은 질곡에서 벗어나게 한 것이다.

영적인 사람은 유혹을 받지 않는다고 생각하는 사람도 있다. 그러나 이것은 사실이 아니다. 참으로 성숙한 하나님의 사람이라면 자기가 싸우고 있는 유혹에 대해 서슴지 않고 고백한다. 반면에 마귀는 우리가 아주 유별나고 심각한 사람이라고 말한다. 그런 짓을 하는 사람은 너밖에 없다고 속삭인다. 남들은 그리스도 안에서 죄로부터 자유함을 얻었는데 나만 유독 가망없는 사람이라고 생각하게 하는 것이다. 그러면 우리는 결코 자유케 될 수 없다. 이것역시 원수 마귀로부터 오는 거짓말이다. 우리가 당하는 유혹은 세상 어느 그리스도인이나 다 겪는 보편적인 일이다. 그런 사실을 알게 되면 유혹의 힘은 줄어들 수 있다.

죄라는 것은 단순히 그것만 있는 것이 아니다. 죄의 이면에는 어떤 충동적인 힘이 있어 계속해서 죄를 짓도록 우리를 자극시키고 부추긴다. 우리가 만약 이를 부정한다면 우리는 그러한 충동을 다룰 수 없다. 우리가 할 수 있는 것은 하나님과 사람 앞에 자기를 낮추며 마음을 열고 고백함으로써 유혹과 함께 충동적인 힘을 사그러 뜨릴 수 있다. 그리고 기도를 통하여 죄를 짓도록 충동질하는 힘을 꺾어버리는 것이다.

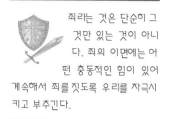
죄라는 것은 단순히 그 것만 있는 것이 아니다. 죄의 이면에는 어떤 충동적인 힘이 있어 계속해서 죄를 짓도록 우리를 자극시키고 부추긴다.

한 친구가 전임 사역을 하는 동안 농성애에 대한 강한 충동을 느꼈다. 수없이 물리쳤지만 그래도 충동은 여전히 남아있었다. 몇몇 믿을 수 있는 친구들만 있는 자리에서 자신의 고민을 고백할 때 비로소 승리를 경험하게 되었다. 나머지 친구들은 그를 위해 기도하면서 사랑으로 따뜻하게 감싸주었다. 이처럼 자기를 낮추자 그는 죄에 대한 강한 충동으로부터 사유케 될 수 있었다.

우리는 언젠가 유혹이 없는 경지에 이르러 승리의 삶을 살게 되는 때가 있겠지 하고 은근히 바란다. 하나님께서 원하시는 대로 우리가 되지 못하도록 막는 것은 유혹이라고 생각한다. 그러나 유혹이 없이는 보다 훌륭한 그리스도인이 될 수 없다. 유혹 가운데서 승리를 발견하지 못한다면 우리는 어디서도 승리를 맛볼 수 없는 것이다.

죄는 어쩔 수 없는 것이 아니다

유혹이 너무나 강하기 때문에 어쩔 수 없이 죄를 짓는 것이라고 말하는 사탄의 거짓말을 우리가 받아들인다면 우리는 결국 죄를 짓게 된다. 죄를 거절할 수 있는 틈도 없다는 말을 우리가 믿는다면 우리는 멸망 가운데 있는 것이다. 그러나 분명히 고린도전서 10장 13절에는 유혹은 우리가 당하기에 결코 큰 것이 아니라고 말씀하고 있다. 우리가 알아야 하는 것은 우리가 감당할 수 있는 시험밖에는 하나님께서 허락하지 않으신다는 하나님의 말씀이 의심의 여지가 없는 진실된 말씀이라는 것이다.

하나님의 은혜로 우리는 승리의 순간까지 유혹을 물리칠 수 있다. 수많은 그리스도인들이 연거푸 죄에 빠지고 있는데 그 이유는 자신이 그리스도 안에서 새로운 피조물이라는 사실을 깨닫지 못했기 때문이다. 따라서 우리는 마귀에게 이렇게 선포할 필요가 있다. "죄가 나를 주관치 못하리라"(롬 6:14).

성경은 우리가 승리의 삶을 살 수 있다고 명백히 선언하고 있다(계 12:11). 만일 이 말씀이 사실이 아니라면 우리를 죄로부터 자유케 하는 십자가와 부활의 능력은 어디에 있단 말인가? 죄가 정말로 어쩔 수 없는 것이라면 새로운 것이라곤 하나도 없기 때문에 새로운 피조물이라 할 때 그것은 말뿐인 것이다.

> "이와 같이 너희도 너희 자신을 죄에 대하여는 죽은 자요 그리스도 예수 안에서 하나님을 대하여는 산 자로 여길지어다 그러므로 너희는 죄로 너희 죽을 몸에 왕노릇 하지 못하게 하여 몸의 사욕을 순종치 말고 또한 너희 지체를 불의의 병기로 죄에게 드리지 말고 오직 너희 자신을 죽은 자 가운데서 다시 산 자같이 하나님께 드리며 너희 지체를 의의 병기로 하나님께 드리라 죄가 너희를 주관치 못하리니 이는 너희가 법 아래 있지 아니하고 은혜 아래 있음이니라"(롬 6:11-14).

이제 우리는 죄의 능력에 주목하기보다 우리 안에 있는 하나님의 의를 강조하도록 하자. 이것이 소위 말하는 무염(無染) 교리는 아니다. 세상에서 죄가 없는 사람은 예수님 외에 아무도 없다. 우리가 하늘 나라에 가기까지는 끊임없이 우리의 태도와 동기와 행실을 고치고 변화시켜야 한다. 그러나 우리는 성령의 도움으로만 날마다 예수님을 닮아가는 것이다. 그리고 예수님 안에서 성장하면 할수록 점점 더 죄는 사라지게 된다. 예수님은 능히 우리를 보호하사 거침이 없게 하시고 우리로 그 영광 앞에 흠이 없이 즐거움으로 서게 하실 것이다(유 24절).

탈출구는 있다

고린도전서 10장 13절 말씀은 하나님께서 우리에게 시험 당할 즈음에는 항상 피할 길을 내신다는 약속을 하고 계신다. 여기에서 피할 길은 무엇인가? 보다 쉽게 질문하면 누가 이런 피할 길이 된다는 말인가? 요셉의 생애를 연구하면 유혹을 극복하는 법에 대해 잘 배울 수 있을 것이다.

요셉의 생애를 살펴볼 때 요셉은 유혹을 당하였으나 이를 극복하였다. 구체적으로 유혹은 보디발 장군이 일 나간 사이에 있었다. 어느 날 시간이 조금 흘렀을까, 보디발 부인은 요셉이 마음에 들어 "들어가서 나와 동침하자"라고 말을 건넸다. 이것은 성적인 유혹 그 이상을 의미한다. 그것은 무엇을 해야하는지 너무나 명확했다. 나른 길이 있다면 그것은 자살 행위였다. 만일 요셉이 그 부인을 즐겁게 해 주지 못할 경우에는 자살이라노 해야 하는 그런 일이었다. 따라서 요셉이 자기 지위와 목숨을 부지하려면 체념하고 들어가야만 했다. 그렇지 않다면 보디발 부인의 제안을 거절할 때의 결과가 어떤 것인지 직시해야만 했다. 그럼에도 불구하고 요셉은 유혹에 빠지지 않았다.

요셉은 보디발 부인에게 말하였다. "내가 어찌 이 큰 악을 행하여 하나님께 득죄하겠습니까?" 요셉은 하나님을 경외하는 마음으로 살았다. 요셉은 그 상황 속에서 하나님을 의식하였기 때문에 유혹을 피할 수 있었다.

만일 우리가 자기 위신을 생각하고 남들이 어떻게 생각하나 염려한다면, 그리고 자신의 필요나 자기 권리, 욕망, 손해 등을 따지며 하나님에 대한 생각은 아랑곳하지 않는다면 우리는 유혹을 피할 수 없다. 우리는 하나님을 경외하는 마음으로 생활해야 한다. 하나님의 마음을 생각해 보라. "악을 미워하는 것"(잠 8:13)이 하나님을 경외하는 마음이라 하였는데, 이와 같은 하나님을 경외하는 마음을 구하라.

예수님께서는 우리에게 정기적으로 이렇게 기도할 것을 가르치셨다. "우리를 시험에 들게 하지 마옵시고 다만 악에서 구하옵소서." 하나님께서 우리의 삶을 인도하신다면 어떠한 심각한 유혹에서도 우리에게 피할 길을 주실 것이다.

직접적인 공격

하나님은 이따금씩 우리가 원수들로부터 공격받도록 내버려두신다. 이것이 마귀가 우리의 구원을 앗아간다든지, 우리로 하여금 죄를 짓게 한다든지, 아니면 우리의 의지를 누르고 귀신들게 하려 한다든지 하는 말은 아니다.

사도 바울이 하신 말씀을 생각해 보자. "너무 자고하지 않게 하시려고 내 육체에 가시 곧 사단의 사자를 주셨으니 이는 나를 쳐서 너무 자고하지 않게 하려 하심이니라"(고후 12:7). 여기에서 바울은 성령충만한 사람인데도 사탄의 사자에게 고통을 당했다. 그리스도인이라면 원수의 공격을 받기도 하며 또 앞으로도 받을 것이다. 그러나 대개의 경우 하나님께서는 대적하는 법을 가르치시기 원하시기 때문에 우리에게 이런 일을 허락하신다.

따라서 우리는 사탄의 공격에 대해 분연히 일어서서 대적하는 법을 알아야 한다. 대개의 경우 사탄의 공격은 욥의 경우와 같이 한때뿐이다. 그리고 바울의 경우와 같이 드문 경우이기는 하나 하나님의 은혜의 풍성함을 깨닫게 하기 위해 지속적인 공격을 허락하시는 일이 있다. 하지만 우리는 마귀가 우리 여정 가운데 던져주는 어떤 일이든지 그냥 수동적으로 받아들여서는 결코 안 된다. 우리가 마귀를 대적하는 법을 배우지 못한다면 우리가 맞서기 전까지 몇 년 동안이라도 마귀는 우리를 타고 오를 것이다.

> 만일 우리가 자기 위신을 생각하고 남들이 어떻게 생각하나 염려한다면, 그리고 자신의 필요나 자기 권리, 욕망, 손해 등을 따지며 하나님에 대한 생각은 아랑곳하지 않는다면 우리는 유혹을 피할 수 없다.

사탄이 공격하는 5가지 방법

"그러므로 내가 그리스도를 위하여 약한 것들과 능욕과 궁핍과 핍박과 곤란을 기뻐하노니 이는 내가 약할 그때에 곧 강함이니라"(고후 12:10).

마귀가 우리를 공격하는 방법은 무척 다양하다. 고린도후서 12장 10절에서는 그러한 방법 중 다섯 가지를 설명하고 있다. 곧 약한 것들, 능욕, 궁핍, 핍박, 곤란이다.

1. 약한 것들

이것은 마귀가 우리의 육체를 공격한다는 말이다. 우리가 이런 사실이 있다는 것을 알지 못한다면 마귀는 우리의 육체를 끊임없이 공격할 것이다.

그렇다고 해서 모든 육체의 질병이 다 마귀로부터 온다는 뜻은 아니다. 이와 같은 논점에 대해 그리스도의 몸 안에는 두 가지 양

극단이 존재한다. 하나는 모든 질병은 마귀로부터 오는 것이라고
하는 집단인데, 이 말이 인류의 타락으로 인해 세상의 모든 질병
이 발생한 것이라는 뜻이 아니라면 이것은 진리가 아니다. 또 다
른 극단은 질병은 마귀로 인한 것이 전혀 아니라고 믿는 것이다.
이것은 단지 과학적인 사실만을 가지고 하는 말인데 우리도 또한
다루어야 하는 분야다. 하지만 이것 역시 진리는 아니다.

질병의 원인이 병원체일 수 있다. 대개 마귀나 죄나 하나님의
심판 때문에 병에 걸리지는 않는다. 세균이나 바이러스, 혹은 생
리적인 이상 때문에 병에 걸리는 것이다. 이것이 우리가 사는 세
상이다. 우리는 선천적으로 약하기 때문에 병에 걸리기도 한다.
가령, 내가 안경을 쓴다 해서 그것이 귀신 때문은 아니다. 우리 육
체는 한계가 있고 부서지기 쉽다. 이와 같이 신체가 약한 것이 인
류의 타락 이후로 가계를 통해 흘러왔다.

또 몸을 무리하게 사용하면 질병이 오는 수가 있다. 불규칙한
식사라든가, 운동부족, 과로 등이 질병의 원인이 되기도 한다.

하지만 질병이 초자연적인 것으로부터 오는 경우도 있다. 그것
이 하나님의 역사인 경우가 있다. 나는 예전에 하나님께서는 자기
자녀들에게 결코 질병을 주시는 일이 없다고 가르쳤다. 그러나 성
경을 읽으면서 가끔 하나님께서 질병으로 역사하시는 것을 보게
되었다. 육체의 심판으로 질병을 사용하시는 경우가 있는 것이다.
하나님은 질병을 사용하심으로써 회개와 소생케 되는 역사로 이
끄시는데 이것은 하나님의 자비의 발로다. 하나님으로 인해 질병
이 온 것이고 그 사람이 회개만 하면 그 즉시 회복된다.

전에 뉴기니에서 사역할 때 우리와 함께 있던 젊은 형제가 원인
을 알 수 없는 열병이 나서 4주가 넘도록 고생한 적이 있었다. 우
리는 그 형제를 위해 매일 기도하고 진료도 받았으나 다른 사람은

치유되었는데 그 형제는 기도도 의술도 아무런 소용이 없었다.

그러던 어느 날 그 형제가 마음에 품고 있었던 아주 심각한 쓴 뿌리를 고백했을 때, 그 형제를 위해 아무 기도도 하지 않았는데 곧 치유가 되었다.

질병의 초자연적인 원인이 마귀인 경우가 있다. 우리는 마귀의 공격을 대적해야 한다. 그럴 때 우리는 이렇게 말한다.

"사탄아, 너의 공격을 받지 않고 거절한다. 예수님의 이름으로 명한다. 내게서 물러가라!"

만일 사탄의 공격인지 아닌지 확실하지 않다면 하나님께 구해야 한다. 그러면 하나님께서는 신실하셔서 우리에게 문제의 원인이 무엇인지 보여주신다.

우리는 어떤 원인이든 언제나 먼저 하나님께 문제에 대한 깨달음과 함께 치유를 청해야 한다.

2. 능욕

사탄은 능욕을 줌으로써 우리를 공격한다. 사탄은 우리를 나쁜 사람으로 보이도록 몰아세운다. 세계는 예수 그리스도의 교회에 시선을 맞추고 있다. 정죄할 만한 일이 생기면 사탄은 반드시 교회를 능욕한다.

슬픈 사실이지만 믿는다는 많은 사람들이 죄를 지음으로써, 또한 다른 그리스도인들을 끊임없이 의심하고 비난함으로써 사탄이 능욕하는 것을 도와주고 있다.

각종 매체들이 우리의 비리와 부정과 미덥지 못한 면을 먼저 보도한다. 그리고 세상은 그리스도인들에 대해 다른 모든 사이비 종교나 위선적인 종교 지도자들과 다름 없다고 말한다. 사탄이 능욕하는 이와 같은 공격에 대해 대적하고 거절하도록 하자.

마귀의 공격을 차단시키는 한 가지 방법은 본인 스스로 유혹에 대항하는 것이다. 유혹을 받아서 죄를 짓기 전에 사탄이 당신으로 하여금 능욕의 말을 하도록 한다는 것을 생각하라. 그리고 다른 사람을 비난하거나 험담하는 것을 거절함으로써 이들에 대한 사탄의 공격을 무력하게 만들어라.

혹시 당신이 책을 쓴다든지 잡지에 기고하는 일이 있을 때, 당신은 그리스도 안에 있는 다른 형제들을 공격하지 않도록 각별히 조심해야 한다.

3. 궁핍

어둠의 세력은 우리를 궁핍하게 만듦으로써 우리를 공격하기도 한다. 상황이나 관계에 문제가 생겨 궁지에 몰리게 되면 믿음으로 충만한 상태가 되기는커녕 궁핍하게 되기 쉽다. 원수 마귀는 우리를 항복시킬 목적으로 절망감을 주고 공포에 사로잡히게 한다. 더 이상 사역도 못하겠고 살고 싶지 않다고 느끼게 만들고, 그만두거나 빠지고 싶고, 소진되었다고 생각하도록 만든다.

4. 핍박

사탄은 우리를 핍박함으로써 공격하기도 한다. 복음을 전하는 사람들을 핍박하여 복음을 전하지 못하도록 막는다. 역사는 순교와 감금과 기타 방해할 만한 온갖 방법과 수단으로 가득 차 있다. 이 모두가 다 복음을 전파하지 못하도록 막는 것들이다. 사탄은 또한 우리가 헌신된 그리스도인이 되지 못하도록 핍박하기도 한다.

5. 곤란

마지막으로 사탄은 우리의 생활의 필요를 묶어두거나 고린도후서 12장 10절 말씀처럼 우리의 여정에 '곤란'을 보냄으로써 우리를 공격한다.

세상의 믿지 않는 사람들에게 복음을 전하는 데 있어서 필요한 재정을 구할 때 어둠의 세력은 이를 방해한다. 이것은 하나님을 불신하게 하고 그의 신실하심을 의지하지 못하도록 만들며 하나님의 사업이 확장되지 못하도록 막는 사탄의 주된 전략이기도 하다. 안타깝게도 이런 일은 성공을 거두고 있다. 여러 해 동안 심한 재정적인 압박을 견디지 못해 그만 중도에서 포기하는 선교사들과 목회자들이 얼마나 많은가? 우리는 원수 마귀를 대적하고 재정, 건물, 사람, 그리고 우리에게 필요한 모든 공급이 원활히 이루어지는 것을 보아야 한다. 우리는 마귀가 중단할 때까지 대적해야 한다. 마귀는 우리가 먼저 중단하기를 바라고 있다.

마귀를 저지할 때다

마귀가 도망하는 것은 우리가 하기 나름이다. 그렇다고 마귀가 쉽게 포기한다는 말이 아니다. 마귀는 우리의 본성을 알고 있고 인내가 부족하다는 것을 잘 알고 있어서 우리가 행동을 취한다 하더라도 먼저 포기하기를 바란다. 따라서 우리가 부단히 마귀를 대적한다면 마귀는 마침내 항복하고 말 것이다. 즉시 일어나지는 않는다 하더라도 반드시 그렇게 된다. 우리가 작정한 만큼 마귀는 약해진다. 우리가 지닌 권위에 대해 확신을 가지고 행한다면 마귀는 그것을 보고 결국 공격을 그칠 것이다. 그러므로 포기해서는 안 되며 낙담해서도 안 된다. 승리는 우리 것이다. 그러나 대가를 지불해야 한다. 그 대가는 우리의 믿음과 인내다.

우리는 타락한 세상에서 살고 있다. 악이 우리를 눌러싸고 있으나 그리스도께서는 우리 안에 계신다. 우리는 이 세상에서 회피하기 어려운 일들을 경험하며 산다. 그러나 이에 대해 올바른 방법으로 대응하면 이와 같은 상황은 도리어 우리를 성숙시키는 것이 될 것이다.

힘을 기르고 인품을 닦는 데는 지름길이 없다. 우리는 우리의 성품을 개발시키기 위해 단련을 받는 것이다. 악을 미워하고 제어하는 힘을 기르기 위해 우리에게 유혹이 있는 것이다. 우리가 사탄으로부터 공격을 받는 것은 하나님을 더욱 더 의지하도록 만들기 위한 것이며 영적인 근육을 단련시키기 위해 있는 것이다. 삶의 현실 속에서 모든 일에 강한 용사가 되도록 우리를 부르신다.

제 11 장
[기도에는 정말 변화시키는 능력이 있는가?]

　싸움이 계속되고 있다. 치열한 싸움이 벌어지고 있다. 그런데 이 전쟁의 무대가 우리들이다. 우리가 전쟁터인 것이다. 우리 개개인의 영혼을 놓고 어마어마한 세력들이 격돌하고 있고 싸움을 벌이고 있는 것이다. 그러는 가운데 우리도 역시 용사로서 훈련받는다. 그것은 우리 사신만을 위해 싸울 뿐 아니라 사탄의 공격으로 희생된 다른 많은 사람들을 위한 것이기도 하다. 우리가 하나님 나라의 영적인 용사가 되어야 하는 것이다.

　우리가 살고 있는 세상은 아주 심하게 죄악으로 오염되어 있다. 수도 워싱턴 내에 있는 범죄통계국의 발표에 따르면 1988년 한해 동안 미국에서는 25분마다 1명꼴로 살해된다고 하고, 5분에 한 명씩 미국 여성이 추행당하며, 60초마다 한 명의 태아가 낙태되고, 매년 2천 명의 어린아이들이 부모에 의해 죽임을 당한다. 매일 총기사고나 폭탄, 방화, 음주운전 등으로 부고한 생명이 죽어간다. 사람들은 훔치고, 거짓말하며, 사기 행각을 벌인다. 정부는

착취와 압제를 일삼고, 선출된 위원들과 신망을 지녀야 할 공직자들이 부정을 저지르고 있다. 우리의 자녀들은 마약과 포르노, 동성애, 자살, 점술 등의 포로가 되어 있다. 수백만의 사람들이 질병과 기아에 손을 쓰지도 못하고 앉아서 그냥 당하기만 한다.

두려워 숨거나, 격노하며 투쟁하는 것

이런 일들은 손쓰기에는 너무 많다. 어떤 사람은 세상사를 무시하고 단지 즐거움을 주는 생각만 하며 은둔해버린다. 이런 사람들은 현실 세계로부터 자신을 분리시키기 위해 생활 가운데 여러 가지 구실로 벽을 쌓는다. 세상에서 벌어지는 죽음과 파멸을 잊기 위해서라도 많은 사람들이 이런 방식을 선택하고 살고 있다. 우울해지는 것을 막기 위해 주변에서 일어나는 나쁜 소식이나 뉴스를 들으려 하지 않고 음악과 예술에 파묻혀 지내며 만족과 희열을 구한다.

한편, 이와 정반대로 충동적인 분노에 못이겨서 투쟁의 대열에 뛰어들고 악에 대해 격렬하게 대항하며 반응을 보이는 사람이 있다. 이런 사람들은 자신들의 진리에 대한 입장은 고려하지도 않고 거대한 불의가 난무하는 것을 보고 격분한다. 분노와 원한을 가지고 처절한 절망 속에서 뭔가 어떤 일을 벌여야 한다고 굳게 결심한다. 인본주의를 포용하고 뉴에이지 운동, 막시즘 등 세계의 현 상황을 과격하게 투쟁으로 맞설 수 있는 것이라면 그 어떤 것이라도 다 받아들인다.

그리스도인들도 이와 같은 오도된 방식으로 행동을 취할 수 있다. 많은 선의의 그리스도인들이 인간의 환경을 개선시키고자 기부금을 내며 시간과 노력을 기울인다. 그러나 악과 싸우는 영적인 방법은 무시한다. 이들은 하나님의 마음에 관심을 기울이기보다 인간의 환경에 더 관심이 많다. 반대 시위에 참가하고 파업을 선동하며 계몽 활동을 펴기도 하지만 기도나 영적 전쟁이나 전도에는 거의, 아니 전혀 시간을 내지 않는다.

이러한 양극단 사이에 중간 지대가 존재한다. 우리는 두려움 속에서 뒤로 물러나 은둔하지도 않으며 과격한 투쟁 노선을 취하지도 않는다. 우리는 현재 우리가 살고 있는 세상의 현실에 압도 당하지 않고 세상에 있는 죄를 깨닫고 죄를 단절시킬 수 있는 참으로 효과적인 어떤 일을 할 수 있다. 우리야말로 하나님 나라를 확장시키는 용사로 훈련될 수 있다. 하나님께서 우리를 이곳에 남겨 두신 이유가 바로 이것이다.

성숙한 기독교 정신은 하나님께서 우리를 위해 이루어 놓으신 일이 무엇인지, 그리고 그리스도 안에서 우리가 어떠한 사람으로 존재하는지 앎으로써 시작된다. 이것이 바탕이 되는 것이지만 이것만으로는 충분하지 않다. 하나님의 나라를 확장시키는 데 대한 우리의 임무가 무엇인지 파악하고 인정하지 않는다면 우리는 결코 성숙한 그리스도인이 될 수 없다. 우리는 바로 이곳에서 싸운다. 그리고 버지않아 그것을 배울 것이다. 곧, 우리는 성숙한 기독교 정신으로 진군할 것이다. 하나님께서 우리를 위해 이루신 것만이 아니라 우리 또한 용사로서 하나님으로 말미암아 그렇게 하는 것이다.

방어와 공격

우리는 용사로서 방어와 공격을 다 취하게 된다. 축구팀에는 언제나 수비진이 있다. 수비진이 하는 일은 자기편 진영을 뚫고 늘어오는 상대방 팀을 들어오지 못하도록 막는 일이다. 따라서 훌륭한 수비진은 상대편이 자기 진영으로 밀고 들어오지 못하게 하는 것이다. 이것은 영적 전쟁에도 마찬가지로 적용된다.

에베소서 6장 10-11절은 말씀한다. "종말로 너희가 주 안에서와 그 힘의 능력으로 강건하여지고 마귀의 궤계를 능히 대적하기 위하여 하나님의 전신갑주를 입으라."

여기에서 능히 대적한다는 것은 의와 진리로 방어하는 것을 말한다. 우리가 의와 진리의 헌신된 삶을 산다면 우리의 삶에서 그리고 보다 넓은 영역에서, 사회 속에서 마귀의 궤계를 방어해야 한다.

한편, 수비진과 함께 공격진도 있다. 우리는 우리편 진영을 지켜야 하지만 또한 공격진과 같이 상대편 골대까지 밀고 들어가야 한다. 우리는 상대편의 수비를 뚫고 들어가야 하나 불행히도 많은 사람들이 영적으로 수비진에 남아 있으려 한다. 이들이 최상의 경기로 생각하는 것은 동점을 기록하고 비기는 것이다. 하나님을 위해 새로운 진영을 개척하려 하지 않는다. 다만 마귀가 더 이상의 점수를 내지 않기만을 바랄 뿐이다.

음부의 권세가 이기고 있다

우리는 교회에서 그리고 집회에서 계속해서 하나님이 그의 교회를 짓고 계신다는 말씀을 듣는다. 교회가 권능이 있으며 "음부의 권세가 이기지 못하리라"는 말씀을 듣곤 한다. 그러면 우리는 "아멘, 믿습니다" 하고 응답한다. 그러나 슬픈 사실은 음부의 권세가 지금도 이기고 있다는 것이다. 도시, 대학, 고등학교, 동우회, 가정, 결혼, 개개인들에게까지 음부의 권세가 미치고 있다. 성경은 음부의 권세가 자동적으로 무너진다고 말하고 있지 않다. 여기에서 권세라고 말하는 대문은 방어용 무기다. 아무런 공격도 감행하지 않는다면 대문, 곧 권세는 굳건히 서 있을 것이다. 음부의 권세는 스스로 붕괴되지 않는다. 강력하고 성숙한 그리스도의 몸이 공격을 감행해야 하는 것이다. 그 권세를 대항하여 움직여야 한다. 우리가 음부의 권세를 대항하며 나아갈수록 그 권세는 이기지 못한다(마 16:18). 마귀의 궤계를 능히 대적하기 위하여 하나님의 전신갑주를 입고 계속 공격해야 한다.

성경은 우리로 하여금 영적인 진리를 배우도록 하기 위해 이스라엘 역사를 정확하게 기록하고 있다. 약속된 땅을 위해 싸웠던 이스라엘의 경험을 통해 마귀를 공격하는 법을 배울 수 있다.

"여호와께 가나안 전쟁을 알지 못한 이스라엘을 시험하려 하시며
이스라엘 자손의 세대 중에 아직 전쟁을 알지 못하는 자에게 그것
을 가르쳐 알게 하려 하사"(삿 3:1).

하나님께서는 애굽의 속박에서 이스라엘을 구원하셨다. 실제 역사적인 사건인 이것은 우리의 구원과 동일한 면을 가지고 있다. 우리가 구원받을 때 우리는 속박에서 건짐을 받은 것이다. 하나님께서 홍해를 건너게 하신 것은 마치 우리가 세례를 받는 사건과 같다. 하나님께서 광야로 데리고 가신 것은 이스라엘로 하여금 시험을 받고, 유혹을 당하며, 공격을 받아 마침내 새롭게 되고, 강하게 연단되며, 정결케 되도록 하신 것이었다. 이러한 일들 역시 그리스도인의 신앙 생활의 단면을 잘 표현하는 것이 된다.

하나님께서 광야로 이스라엘 민족을 이끄셨던 것은 하나님의 백성으로서 합당한지 알아보시기 위한 것이었다. 그러나 그들은 그렇지 못했다. 그리하여 마침내 40년 후에 백성들은 약속된 땅에 들어가도 좋을 만큼 충분히 성숙하고, 헌신되고, 강건한 민족

이 되었다.

약속된 땅에 있는 적들

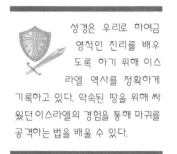
성경은 우리로 하여금 영적인 진리를 배우도록 하기 위해 이스라엘 역사를 정확하게 기록하고 있다. 약속된 땅을 위해 싸웠던 이스라엘의 경험을 통해 마귀를 공격하는 법을 배울 수 있다.

하나님께서 또 한번의 초자연적인 역사를 베푸셔서 이스라엘 민족은 요단강을 건너 약속된 땅에 들어가게 되었다. 하나님께서 아브라함에게 약속하신 지 거의 500년이 지난 후에 이들은 자기 고향에 돌아온 것이다. 그곳은 젖과 꿀이 흐르는 곳이었다.

축제를 벌일 만한 놀라운 순간이었을 것이다. 이제 평화와 번영과 안녕의 시대를 맞이할 수 있었다. 그러나 환성은 사라졌고 주위를 둘러봤을 때 약속된 땅에는 자기들만 있는 것이 아니라는 것을 깨닫게 되었다. 약속된 땅은 호전적이고 포악한 민족들이 이방신을 섬기며 이미 그곳에서 살고 있었던 것이다. 이들이 순순히 이스라엘 민족에게 자기들의 성문 열쇠를 넘겨주리라고는 상상조차 할 수 없는 일이었다.

이스라엘은 자기들이 제대로 와 있는지 의심이 생겼을지도 모른다. 하나님께서 자기들에게 하신 약속을 지키지 않았단 말인가? 고생하며 여기까지 오지 않았는가? 그런데 안식처는 어디 갔는가? 여기 이방 민족들은 무엇이란 말인가? 어째서 하나님께선 이방 민족들을 약속의 땅에 남겨두셨냐는 말이다.

그러나 하나님께서 실수하신 것이 아니다. 약속의 땅은 말씀하신 대로 바로 그 땅이었다. 사사기 3장 1절은 이스라엘 민족을 용사로 키우기 위해 의도적으로 호전적인 민족들을 그곳에 두셨다고 말씀한다. 또한 하나님께서는 이들 이방 민족을 동네북으로 그곳에 놓아두신 것이 아니다. 물론 이들 민족들은 처벌 받을 만한 민족이었다. 그러나 하나님께서는 소돔과 고모라에게 하셨듯이 초자연적인 방법으로 이들을 심판하지는 않으셨다. 대신에 이스라엘로 하여금 이들을 처치하도록 하신 것이었다. 따라서 이스라엘은 싸움하는 법을 배울 필요가 있었다.

우리는 싸워야 한다

그리스도인이라면 다들 반드시 싸워야 한다. 구원받고 약속의 땅으로 들어가지만 영적인 용사가 되는 법을 배워야 한다는 것이다. 우리가 직접 '호전적인 민족'을 처치해야만 한다.

성경은 우리가 그 민족들을 몰아내지 않으면 그들은 물러가지 않는다고 가르친다. 그리고 우리가 하나님을 의지하지 않는다면 우리는 그 민족들을 물리칠 수 없다. 따라서 이러한 민족들의 존재는 하나님의 백성으로 하여금 하나님을 전적으로 의지하게 하는 것이었다. 하나님께서는 이스라엘에게 말씀하셨으며 오늘날도 우리에게 계속해서 말씀하신다.

만일 우리가 따지지 않고 순전한 마음으로 하나님께 순종하면 우리는 싸움에 지는 일이 결코 없을 것이며 그분 안에서 우리의 안식처를 잃는 일도 없을 것이다.

이스라엘 자손에게와 같이 우리의 약속의 땅은 완전한 것이다. 하나님께서는 이 땅에서 하고자 하신 일은 이미 마귀에게 다 행하셨다. 이제 나머지가 우리에게 맡겨졌다. 우리는 어둠의 권세를 몰아내기만 하면 되는 것이다. 그러나 하나님이 없이는 그렇게 할 수 없다. 그리고 하나님께서도 우리를 떠나지 않으실 것이다. 이것이 이 땅에 행하는 하나님의 방법이다. 우리는 반드시 용사가 되는 법을 배워야 한다. 하나님을 의지하는 법을 배워야만 한다.

우리가 하나님 앞에 순종하는 생활로 꾸준히 행한다면 싸움에

질 염려는 전혀 없다. 하지만 우리는 실제로 싸워야 한다.

자식들이 집안을 난장판이 되게 한 것을 보고 아버지인 내가 아이들을 위해 몸소 청소를 깨끗이 하였다면 아이들에게는 별로 도움이 되지 못한다. 하지만 만일 아이들이 직접 청소하도록 한다면 책임감을 길러주는 좋은 기회가 될 것이다. 우리는 우리 죄로 말미암아 이 땅을 난장판으로 만들었다. 그러나 하늘에 계신 우리 아버지는 지혜로 말씀하셨다. 친히 우리를 도와주실 수 있지만 우리가 직접 치워야 한다고 하신 것이다.

하나님께서는 우리에게 책임감 있는 사람이 되라고 말씀하신다. 우리를 통해서 하시는 것이다. 우리와 아무 상관없이 하시는 것이 아니다. 우리가 전도하는 것이다. 우리가 기도한다. 우리가 마귀를 대적하는 것이다. 우리가 마귀를 대적하지 않는다면 마귀는 대적받는 일이 없다. 하나님이 성령으로 충만케 되어서 예수 그리스도의 이름으로, 그의 무한하신 은혜를 따라 능력으로 강한 용사가 되는 것이다.

우리가 하나님께서 모든 것을 다 하실 때까지 기다린다면 우리는 헛것을 기다리는 것이다. 이런 방식으로는 하나님께서 이 땅에 역사하시지 않는다. 하나님께서 하시는 많은 일들은 그의 백성을 통해 일어난다. 하나님께서는 우리가 무엇을 해야 하는지 말씀하시며 또 사용해야 하는 무기까지도 우리에게 주셨다.

하나님께서 주신 무기들

우리는 어떻게 영적 전쟁에 임하는가? 가장 기본적인 방법은 중보기도를 통한 방법이다. "그러므로 내가 첫째로 권하노니 모든 사람을 위하여 간구와 기도와 도고와 감사를 하되"(딤전 2:1).

바울은 디모데에게 편지를 썼다. 첫째로 교회를 위해 기도하라고 말씀하고 있다. 기도는 하나님과의 교통을 말한다. 하나님과 대화하며 하나님의 격려의 말씀과 지시를 듣는 것이다.

교회사에서 모든 중요한 사건과 운동들은 모두 기도에서 비롯되었다. 사도 바울에서부터 존 웨슬리, 빌리 그레함까지 이들이 세상에 미친 영향력은 교회가 무릎으로 행한 것과 비례한다. 모든 그리스도인들을 위한 기도는 최우선으로 해야 할 것이다.

간구

바울이 디모데전서 2장에서 언급하고 있는 기도의 형태 중에 간구가 있다. 간구는 단지 하나님께 요청하는 것을 말한다. 기도는 간구의 연속선상에 있다. 어떤 이들이 이렇게 말하는 것을 들은 적이 있을 것이다. "하나님께서 우리의 기도 때문에 몸살나신다." 그러나 성경에는 하나님께서 우리의 간구를 귀찮아하신다는 표현이 한번도 나오지 않는다. 기도는 하나님의 명령이며, 하나님은 오히려 우리가 기도하도록 격려하신다.

하나님께서는 우리에게 가장 좋은 것을 주고 싶어하시는 분이다. 올바른 동기를 가지고 언제든지 하나님께 구해야 한다.

감사

바울은 또한 감사의 기도를 기도의 한 형태로 꼽고 있다. 이것은 믿음으로 하나님이 하나님 되심을 고백하는 기도며, 하나님께서 우리 안에서 우리를 통하여 우리를 위해 역사하신다고 인정하는 기도다. 우리는 하나님께서 우리의 간구를 들어주신다고 확신 있게 선포해야 한다. "주님, 감사합니다. 주님께서 하실 것입니다. 주님, 감사합니다. 하나님은 공의로운 분이십니다. 주님, 감사

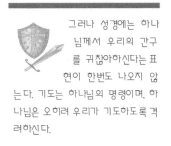
그러나 성경에는 하나님께서 우리의 간구를 귀찮아하신다는 표현이 한번도 나오지 않는다. 기도는 하나님의 명령이며, 하나님은 오히려 우리가 기도하도록 격려하신다.

합니다. 우리의 온갖 구하는 것이나 생각하는 것에 더 넘치도록 능히 하시는 분입니다."

우리가 하나님께 받는 요구가 있다면 그것은 항상 감사하는 것이다. 우리가 드리는 모든 감사의 기도는 사탄의 진영에 쏘아올리는 화살과도 같다. 그러나 이와는 반대로 모든 불평과 믿음이 없이 하는 말들은 우리 자신을 찌르는 화살이 된다.

도고

바울이 기도의 한 형태로 도고, 혹은 중보기도를 말했을 때는 두 가지 의미를 가지고 있다. 첫째는 '대신하여' 사역하고 기도한다는 뜻이 있다. 예수님은 우리의 위대한 중보자시며 중보기도에 있어서 우리의 모본이 되신다. 예수님께서는 우리를 대신하여 죄 없는 삶을 사셨다. 그리고 우리를 대신하여 십자가에서 죽으셨다. 예수님께서는 우리를 대신하여 날마다 중보기도를 하신다(히 7:25). 예수님의 삶과 죽음, 부활은 중보의 행위였다. 예수님께서는 우리를 위해 바로 이 순간에도 아버지 하나님 앞에서 중보하고 계시다.

둘째는 도고 또는 중보기도라는 말로 '~사이에 있다' 라는 뜻을 갖는다. 항상 중보기도의 대상은 외부에 있다. 자기 자신이 중보기도의 대상이 아니다. 우리는 다른 사람을 위해, 도시나 나라, 사업체, 집단, 상황을 놓고 중보기도할 수 있다. 이런 것들이 중보기도의 대상이 되는 것이다.

중보기도는 이와 같이 두 가지 대상 사이에 들어가 있는 것이다. 우리는 하나님과 중보하는 대상 사이에 서 있다. 또 마귀와 중보하는 대상 사이에 서 있다. 이것이 중보다.

우리가 하나님과 중보하는 대상 사이에 서 있을 때에는 우리가 기도하는 사람이나 장소, 혹은 상황들을 위해 하나님께 필요한 것이나 보호, 인도하심, 축복 등을 구체적으로 청하는 것이다. 또한 하나님의 심판을 막아서거나 보류시키기 위해 하나님과 중보하는 대상 사이에 서 있을 수도 있다. 실제로 많은 경우 하나님께서 심판하지 않으시는 한 가지 이유가 있다면 우리가 세상과 거기에 거하는 사람들을 위해 중보자로 있기 때문이다. 그렇다고 우리가 하나님보다 더 자비로울 수는 없다. 하나님께서는 어느 곳이든지 항상 자비를 베풀기 위하신다. 단지 우리가 기도하는 것은 심판을 늦춰주서서 사람들로 하여금 회개에 이르도록 기회를 달라고 청하는 것이다(출 32:32, 벧후 2:9, 창 18:16-33).

우리는 마귀의 위협적인 상대다

중보자로서 우리의 또 하나의 임무는 마귀와 중보하는 대상 사이에 서 있는 것이다. 이것은 사탄이 지상에서 획책하는 모든 시도를 제어하는 것이다. 우리는 마귀의 공격을 무력화시킬 수 있으며 그의 궤계를 파하고 모든 영향력을 제거할 수 있다.

따라서 마귀는 우리 자신을 먼저 **빼앗**으려고 안간힘을 쓴다. 어둠의 권세는 우리가 다른 사람을 위해 중보기도하지 못하도록 자신의 문제에만 골몰하게 만든다. 그리고 두려움과 절망과 정욕과 물질주의에 속박되도록 한다. 그래서 자기 중심적인 사람이 되게 함으로써 자기만을 위해 기도하도록 놔둔다. 어떻게 해서라도 사탄은 우리가 중보기도하며 세상에서 자기 일을 방해하는 모든 사역을 저지하려고 애쓸 것이다. 그러므로 우리는 우리 자신이 중보자로 나서며 하나님의 대행자로 이 세상에 있다는 것을 인식함으로써 우리가 마귀의 위협적인 대상임을 알 필요가 있다.

우리가 마귀와 중보하는 대상 사이에 서 있을 때 하는 일은 어둠의 세력을 강력히 대적하는 것이다. 개인을 위한 중보기도의 보기가 있다.

> "아버지 하나님, 예수그리스도의 이름으로 아버지 앞에 나아갑니다. 이 사람에게 확신을 주시고 회개하는 삶을 살도록 인도해 주시옵소서. 사탄아, 예수 그리스도의 이름으로 너를 대적한다. 이 사람의 생활에서 너의 세력을 끊어버린다."

우리가 선언한 실제 말들은 그 말대로 행하는 것만큼 중요한 것은 아니다. 그러나 우리는 사탄의 역사를 저지하기 위해 예수 그리스도의 이름으로 사탄에 대항하여 서 있고 보이지 않는 세계에서 행하고 있다는 것을 명심할 필요가 있다.

묶고 푸는 것

예수님께서는 "네가 땅에서 무엇이든지 매면 하늘에서도 매일 것이요 네가 땅에서 무엇이든지 풀면 하늘에서도 풀리리라"(마 16:19)고 말씀하셨다. 우리는 우리가 기도하는 대상으로부터 원수 마귀를 끊어버린다(묶음). 그리고 기도의 대상 위에 하나님의 나라가 임하도록 기도한다. 하나님의 나라는 왕이신 예수님께서 다스리시는 곳을 말한다. 우리는 하나님의 나라가 임하여 믿음과 은혜와 사랑과 계시를 주시도록 구체적으로 기도함으로써 푸는 것이다. 마귀의 세력이 활동하고 그 힘을 뻗치는 것에 대해 우리는 묶는다. 그리고 하나님의 천사와 하나님의 영이 역사하시고 활동하시도록 우리는 천사들과 하나님의 영을 풀어 놓는다.

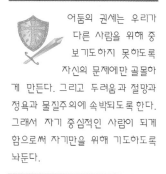

하나님이 그냥 넘어가신다고 생각하는가?

하나님께서는 예수 그리스도의 이름으로 우리를 용사로서 택하셨다. 만일 우리가 이 세상에서 미미한 존재로밖에 생각되지 않는다면 이사야 59장 말씀을 한번 보라. 이사야 59장의 첫 부분은 오늘날 우리의 사회를 연상케 한다. 사회에 불의와 부정과 죄악이 만연하고 있음을 보여준다.

세상에 있는 죄악을 기술하면서 이사야는 하나님의 반응을 기록한다. "여호와께서 이를 감찰하시고 그 공평이 없은 것을 기뻐 아니하시고 사람이 없음을 보시며 중재자 없음을 이상히 여기셨으므로"(사 59:15-16).

이사야는 여호와께서 세상의 죄악을 감찰하시고 이를 기뻐하지 아니하신다고 말씀한다. 하나님께서는 만유를 감찰하신다는 사실을 상기할 필요가 있다. 하나님에게서 피할 수 있는 것은 아무것도 없다. 우리도 세상에 있는 악을 볼 때는 의분이 솟는다. 그러나 하나님께서는 어떠한 죄라도 놓치시는 법이 없으신데 한 마디 말도, 한 편의 생각도, 하나의 부정한 일이라도 결코 지나치시는 법이 없다.

하나님께서는 그 하나하나를 무한하신 지각으로 파악하고 계시며 각자의 상처 하나하나를 광대하신 아버지 하나님의 마음속에 담고 함께 연민하신다. 하나님께서는 보시는 것마다 정서적으로 반응을 보이신다. 어떠한 것도 하나님께서 모르시는 것이 없는데,

이 모든 것에 대해 하나님께서는 탄식하시며 크게 상심하신다. 하나님께서는 이런 일들을 기뻐하지 않으신다. 그리고 그냥 넘어가지도 않으신다.

어느 정도는 하나님께서 무관심하셔서 그냥 지나치신다고 생각하는 사람들이 너무나 많다. 앞에서도 언급했지만 이것은 기독교적인 개념이 아니다. 이슬람에서는 무슨 일이 일어나든지 그것은 다 알라의 뜻이라고 말한다.

만일 어떤 참혹한 일이 생겼는데 그것을 하나님의 뜻이라고 생각한다면 우리는 어떻게 세상을 변화시키기 위해 중보기도를 하겠는가 말이다. 성경은 명백하다. 하나님께서는 모든 악을 미워하시며 인간의 모든 이기적인 행위를 가증히 여기신다.

하나님의 감정은 중보기도에 있어서 우리의 지렛대다. 다시 말해서 하나님께서 기뻐하지 않으시는 것을 바꾸신다는 것을 우리가 알기 때문에 우리는 중보기도할 수 있는 것이다.

이사야 59장 16절은 하나님께서 사람이 없음을 보시며 중재자 없음을 이상히 여기셨다고 말씀하신다. 어째서 영원하시고 전지전능하신 주재자 하나님께서 사람을 찾으시는가? 하나님께서 하실 수 없는 어떤 일이라도 있단 말인가? 이미 일어난 사건을 중단시킬 수는 없단 말인가? 왜 전능하신 하나님께서 사람을 필요로 하시는가?

하나님께서 물으신다

사람들은—물론 그리스도인들도 있다—참혹한 일들이 계속해서 일어나는 것을 보고 이렇게 말한다. "왜 하나님께서는 아무 일도 안 하시는가? 도대체 어디 계시는가?"

성경에서는 하나님 자신도 질문하고 계신다고 말씀하신다. 하나님께서는 죄악을 보시고 거기에 중보자가 없는 것을 이상히 여기시며 물으신다. "그리스도인들은 어디 있지? 어떻게 아무 일도 하지 않지?"

왜 하나님께서 사람을 찾으시는가? 중보자가 없음을 보시고 어째서 놀라시는가? 그것은 하나님께서 중보자의 중요성을 알고 계실 뿐만 아니라 그들의 역할이 이 땅에서 어떠한지 알고 계셨기 때문이다.

하나님께서는 온 우주에 변할 수 없는 어떤 원칙을 정하셨다. 곧 하나님께서는 우리가 특별히 기도하는 것에 따라 인간사에 역사하시기로 결정하신 것이다. 이것이 하나님께서 중보자를 찾으시는 이유다. 그래서 찾다가 아무도 없음을 보시고 이상히 여기셨던 것이다.

하나님께서는 모든 능력의 하나님이시다. 또한 사랑의 하나님이시며 능히 세상을 변화시키실 수 있는 분이다. 그런 하나님이기 때문에 우리가 기도하지 않을 때 그분은 충격을 받으시고 놀라움을 금치 못하신다. 하나님께서는 자기 백성들에게 이렇게 소리치신다. "내가 역사하고 싶다. 축복하길 원한다. 내가 친히 보호하며 쓸 것을 공급해 주고 불의를 막아주고 싶다. 그런데 왜 중보기도를 하지 않느냐?"

우리는 기도로 변화시킨다는 사실에 대해서는 의심의 여지가 없다. 우리가 얼마든지 할 수 있는 일과는 질적으로 차이가 있다. 우리가 기도하면 힘이 있는 것은 하나님께서 응답하시기 때문이다. 우리가 기도하면 하나님께서 움직이신다. 하나님께서는 이 땅에서 역사하시며 우리 주위의 사람들에게 찾아가길 원하신다. 따라서 하나님은 원하시는 일에 대해서 우리에게 계시해 주실 뿐만 아니라 아주 구체적으로 알려주신다. 하나님께서는 그분의 뜻대로 기도하기를 원하신다. 무엇을 구해야 하는지까지도 우리에게 알려주신다. 우리가 하나님을 기다리면 하나님께서는 우리에게 말씀하신다. 그리고 하나님의 뜻대로 기도하면 직접 움직이시며 역사하신다.

하나님께서는 제한이 없으시며 사람의 기도가 없이는 아무 일도 못하시는 그런 분이 아니다. 하나님께서 원하시는 것은 무엇이나 하실 수 있다. 하나님께서는 대주재자가 되신다. 인간에게 얽매여 있어야 하는 그런 분이 아니다. 그러나 하나님께서는 이 세상에 대한 책임과 권세를 인간과 함께 하기로 선택하신 것이다. 우리가 기도하는 만큼 인간사를 움직이시기로 결정하신 것이다. 하나님께서는 이와 같은 중재자를 불필요하다고 여기지 않으신다. 우리가 기도하지 않으면 하나님의 아무런 역사도 일어나지 않는 영역들이 존재한다. 그래서 우리가 기도하지 않을 때 하나님께서 이상하게 여기시는 것이다.

그런데 우리는 왜 더 기도하지 않는 것일까? 그것은 우리의 기도가 변화를 일으킨다는 믿음이 없기 때문이라고 생각한다. 그리고 우리는 기도할때 중언부언하고 남들로부터 들은 말들을 너무나 자주 반복한다. 먼저 우리 안에 기도로 변화된다는 굳은 믿음이 있어야 하겠다.

기도 지침

예수님의 제자들이 예수님께 기도하는 법에 대해 여쭈어보았을 때 예수님께서는 우리가 주기도문이라고 부르는 기도를 가르쳐주셨다. 주기도문은 어떻게 땅에 있는 것이 하늘에 있는 것에 관계되는지 또는 어떻게 하늘과 땅이 교통하는지 설명하기 위한 기도문이 아니다. 주기도문은 바로 역동적인 기도는 어떻게 하는지 그 지침을 주는 것이다.

마태복음 6장 9-13절의 주기도
문은 이렇게 시작된다. "하늘에 계
신 우리 아버지여." 예수님께서는
우리가 하나님과 아버지와 아들의
친밀하고 열려 있는 관계로 하나

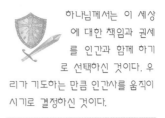

님 앞에 담대히 나아가도록 허락하고 있다. 그리고 계속해서 기
도한다. "나라이 임하옵시며", 그리고 "뜻이 … 땅에서도 이루어
지이다."

예수님께서는 말을 반복하기보다 짤막하게 전심으로 기도하도
록 의도하신 것이라고 확신한다. 예수님께서는 하나님의 뜻이 이
루어지도록 기도하기를 원하시며 하나님의 나라가 확장되기를 바
라셨다. 말하자면 우리의 모든 삶, 우리의 가정, 친구들과 이웃들
의 삶, 도시들, 나라들, 그리고 모든 상황 속에서 하나님의 뜻이
이루어지기를 기도하라신 것이다.

주의 나라가 임하소서

우리는 하나님의 나라가 이 땅에 세워지도록 기도할 수 있는
가? 요한계시록은 하나님께서 언젠가 이 땅에 하나님의 나라를
세우실 것이라고 말씀하고 있다. 우리가 기도하든지 안 하든지 이
것은 진리며 모든 말씀은 다 이루어지고 말 것이다. 하나님께서
하시기로 약속하신 것은 반드시 이루신다.

그러나 하나님의 나라에는 또 다른 면이 있다. 곧 모든 믿는 자
들 안에 있는 하나님의 나라다(눅 17:21). 이것이 예수님께서 이
루어지도록 기도하라고 말씀하신 하나님의 나라다.

만약 예수님께서 아무런 변화도 일으키지 못하는 기도라는 것

을 아시면서 "주의 나라가 임하소서"라고 기도하라고 우리에게 가르친다면 어처구니없는 일일 것이다. 그러나 우리의 기도는 그만한 가치가 있는 것이다. 우리가 기도하지 않는다면 하나님의 나라는 오지 않는다. 우리가 충분히 기도하지 않았기 때문에 하나님의 나라가 이 땅 가운데 20억의 사람들밖에는 임하지 않았다.

주의 뜻이 이루어지이다

하나님의 뜻이 이 땅에 이루어지고 있는가? 어려운 질문이다. 우리가 "예"라고 말한다면 죄와 악도 하나님의 뜻이냐고 반문할 수 있다. 또 우리가 "아니오"라고 말한다면 이 지상에서 일어나고 있는 일을 하나님께서는 통제하지 않으신다는 말이냐고 반문할 수 있다. 대답은 "예, 그리고 아니오"다.

하나님께서는 이 땅에 죄악과 죽음, 파멸을 의도하지 않으셨다. 또 사탄의 통치나 역사하는 것도 하나님께서 뜻하신 바가 아니다. 하나님께서는 하시겠다고 말씀하신 것은 반드시 하신다. 하나님께서는 이 땅에 대한 영원하신 섭리대로 일하시며 모든 일을 주관하시고 다스리신다. 하나님께서는 사람을 통해 그 기도대로 사람의 행사에 역사하시기로 결정하셨다.

하나님께서는 죄를 미워하신다. 하나님께서는 불의에 대항하신다. 사람들은 날마다 멸망당하지만 하나님께서는 "아무도 멸망치 않기를"(벧후 3:9) 바라신다. 모든 사람이 다 구원얻기를 바라고 계신다(딤전 2:4). 우리는 그들이 다 구원받으리라고는 생각지 않지만 그래도 하나님의 마음은 여전하시다. 하나님께서는 하나님께 응답하는 모든 사람들 안에서 하나님의 뜻을 이루시기를 간절히 바라고 계신다. 하지만 아직도 하나님의 뜻이 이루어지지 않는 많은 지역과 상황들이 있다. 그래서 예수님께서는 우리가 "나라이 임하옵시며 뜻이 하늘에서 이룬 것같이 땅에서도 이루어지이다"라고 기도하라고 가르치신 것이다. 주님께서는 우리에게 파수꾼의 임무를 주셨다.

> "예루살렘이여 내가 너의 성벽 위에 파수꾼을 세우고 그들로 종일
> 종야에 잠잠치 않게 하였느니라 너희 여호와로 기억하시게 하는
> 자들아 너희는 쉬지 말며 또 여호와께서 예루살렘을 세워 세상에
> 서 찬송을 받게 하시기까지 그로 쉬지 못하시게 하라" (사 62:6-7).

이사야 62장 말씀은 시대가 다른 때에 예루살렘에 관하여 하신 말씀이지만 그 원리는 오늘날도 동일하게 적용할 수 있다. 우리는 어떤 사람이 이런 말을 하는 것을 들었으리라고 생각한다. "기도할 때에는 딱 한 번만 기도하십시오. 만일 두 번씩 기도한다면 그 것은 믿음이 없다는 소리입니다."

그러나 이런 말은 성경에 있지도 않다. 도리어 그 반대가 참된 말이다. 우리는 하나님께서 응답하실 때까지 아니면 하나님께서 그만하면 충분히 기도했다고 하실 때까지 기도하고 또 기도해야 한다.

이사야서 말씀에는 하나님께서 파수꾼 또는 중보자를 세우셨는데 종일 종야로 기도하면서 하나님께 구하고 또 구하도록 한 것이다. 우리는 '여호와로 기억하시게 하는 자들'이다. 하나님께서 쉬지 못하실 정도로 기도의 응답이 될 때까지 기도하는 사람들이다.

하나님께서는 우리가 쉬지 않고 계속해서 구할 것을 말씀하신다. 기도의 결과가 나타날 때까지 포기하지 않는 것이다.

기도의 사람들은 담대했다

사람들은 하나님께 너무 많은 요구를 하면 하나님을 번거롭게 해드리는 일이 아니냐며 걱정한다. 그래서 막연하게 어떤 것을 제안하는 식으로 기도한다. "하나님, 번거롭게 해드려서 죄송합니다. 바쁘신 줄 알지만 원하신다면⋯별 문제가 없으시다면⋯하나님의 뜻이라면⋯하지만 그렇지 않으시다면, 이해하겠습니다. 아마도⋯혹시⋯그러시겠지요."

성경에서 볼 수 있는 기도는 이런 것이 아니다. 성경에 나오는 인물들은 하나님을 알았고 자신들이 하나님 안에서 어떠한 존재인지 알고 있었다. 그들은 또한 자신의 기도가 세상을 변화시킨다는 것을 알고 있었다. 그들은 강력하게 직설적으로 기도하되 담대하고 역동적인 기도를 하였다. 하나님께서는 담대함을 가지고 하나님께 나아가 기도하도록 허용하셨을 뿐만 아니라 하나님께서 응답하실 때까지 힘을 다해 매달리도록 하셨다.

하나님께서는 "나로 쉬지 못하게 하라"고 말씀하신 분이다. 우리가 담대함을 가지고 나아간다고 해서 하나님께 피해될 것은 하나도 없다. 우리가 잘못된 동기로 기도한다 해도 하나님께서는 우리를 바로 잡아주시며 듣고 응답하시고자 힘쓰시는 분이다. 느헤미야와 다윗, 그리고 다른 많은 사람들이 하나님께서 들으실 것을 요구하였다. 이들은 하나님께 말씀드리고 하나님과 씨름하기도 하였다. 이것은 교만이나 거만한 행위가 아니었다. 이들은 단순하게 하나님께 나아가 그로 쉬지 못하시게 하기를 원하신다는 것을 알고 있었다. 담대하게 기도하고 구체적으로 구하는 것은 불경건한 일이 절대 아니다. 그것은 하나님의 성품을 아는 데서 비롯되며 하나님의 자녀가 어떻게 되어야 하는지 깨닫는 데서 나오는 것이다.

하나님께서는 우리에게 독촉하신다. "자, 와서 나로 쉬지 못하게 하라! 나는 구원하며 축복하고 치유하며 움직이기를 원한다. 와서 쉬지 말고 기도하라!"

여인의 믿음에 대한 도전

성경의 어떤 이야기는 상황에 대한 이해가 없기 때문에 이야기 자체가 듣기 거북한 것일 수 있다. 그런 이야기 가운데 하나가 마태복음 15장에 나오는 가나안 여인에 관한 이야기다.

> "가나안 여자 하나가 그 지경에서 나와서 소리질러 가로되 주 다윗의 자손이여 나를 불쌍히 여기소서 내 딸이 흉악히 귀신들렸나이다 하되 예수는 한 말씀도 대답지 아니하시니"(마 15:22-23).

왜 예수님께서 그렇게 하셨을까? 예수님은 죄 없는 삶을 사신 분이다. 이기적인 행동은 한번도 하신 적이 없다. 항상 긍휼히 여기셨으며 공평을 행하셨다. 그런데 가나안 여인에게 행하는 태도가 무례해 보이지 않는가? 왜 응답하지 않으셨는가? 그 여인은 절망 가운데 부르짖었는데 하나님께서는 응답지 않으셨다.

우리가 많이 기도했지만 하나님께서는 응답지 않으실 때, 이것은 힘든 일일 것이다. 그러나 성경은 이따금씩 하나님께서 기도 응답을 더디하시는 것을 보여주고 있다. 하나님께서 응답하지 않으시면 우리는 초조해지고 불안해진다. 그리고 말한다. "내게는 역사하시지 않나봐. 하나님은 나를 사랑하지 않으셔. 그만 체념해야 할까봐." 그러면서 기도한 것에 대한 믿음을 갖기보다 믿음이 떨어진 상태에서 돌아서 버린다.

예수님께서는 그 여인에게 대답하지 않으셨다. 그러나 이 사실을 알라. 그 여인은 다시 청했다. 낙담한 채로 물러서지 않았다. 그 여인은 끈질기게 청했다. 마침내 예수님께서 반응을 보이셨다. 하지만 그 여인이 개라고 하는 말씀이었다. 이것은 이스라엘 민족이 수로보니게 족속들을 볼 때 하는 특유의 욕이었다. 예수님이 잔인한 분이었던가? 인종편견주의자였던가? 아니다. 예수님께서는 당시 사회에서 그 여인이 차지하는 사회적인 신분이 어떤 것인지 상기시켜주기 위한 말씀일 뿐이었다. 예수님께서는 그 여인의 중심과 믿음을 아셨고 그 믿음에 도전을 주기 위한 것이었다. 어떤 반응을 요구하는 유도성 발언인 것이다.

그러자 여인은 대답하였다. "주여 옳소이다마는 개들도 제 주인의 상에서 떨어지는 부스러기를 먹나이다"(27절). 이 여인은 유대인이라는 배경이 없었다. 성경에 나오는 인물들이나 줄거리도 알지 못했다. 그러나 분명하게 아는 한 가지는 자기가 바라는 것이 무엇이라는 것과 예수님께서 자기의 구함을 들으시고 응답하실 것이라는 사실이었다.

예수님께서는 그 여인의 반응을 보고 그녀의 믿음이 크다고 칭찬해 주셨다. 그녀는 한 번만 구한 것이 아니다. 예수님께서 자기 딸을 치유해 주실 수 있으며 또 하실 것이라는 믿음으로 계속해서 구한 것이었다. 그리고 예수님께서는 그렇게 해주셨다.

참된 믿음은 체념하지 않는다. 끈기를 가지고 인내한다. 믿음의 기도는 한 번만 기도하는 것이 아니라 이루어질 때까지 기도하는 것이다. 이따금 하나님께서는 우리로 더욱 더 기도하게 하기 위해 응답을 늦추시기도 한다. 우리가 기도하는 만큼 하나님께서 응답하시기 때문이다.

하나님께서는 상황에 관계없이, 응답이 늦는 것도 상관없이 더욱 더 부지런히 하나님을 찾기 원하신다.

인습을 뛰어넘고 창피를 무릅쓰라

누가복음 11장 5-9절 말씀에는 예수님께서 이런 비유를 말씀하신다.

> "또 이르시되 너희 중에 누가 벗이 있는데 밤중에 그에게 가서 말하기를 벗이여 떡 세 덩이를 내게 빌리라 내 벗이 여행 중에 내게 왔으나 내가 먹일 것이 없노라 하면 저가 안에서 대답하여 이르되 나를 괴롭게 하지 말라 문이 이미 닫혔고 아이들이 나와 함께 침소에 누웠으니 일어나 네게 줄 수가 없노라 하겠느냐 내가 너희에게 말하노니 비록 벗 됨을 인하여서는 일어나 주지 아니할지라도 그 강청함을 인하여 일어나 그 소용대로 주리라 내가 또 너희에게 이르노니 구하라 그러면 너희에게 주실 것이요 찾으라 그러면 찾을 것이요 문을 두드리라 그러면 너희에게 열릴 것이니."

예수님께서는 정교한 짜임새를 지닌 비유를 들어 말씀하셨다. 하지만 이 이야기의 불합리성을 우선 살펴보자. 보통 우리들은 이웃집이 이미 잠자리에 들었을 때 찾아가서 먹을 것을 얻어본 적이 없을 것이다. 이것은 실례되는 일이다. 주인이 돌아가라고 했는데도 끈질기게 부탁하는 것 역시 무례한 행동이다. 이 사람은 창피를 무릅쓰고 수많은 사회적인 인습을 깨뜨리는 행동을 하였다. 하지만 결국 그의 끈기로 그 사람의 필요한 것을 얻게 되었다.

대개 우리들은 이런 식으로 행동하려 하지 않는다. 그러나 하나님께서는 이를 너그러이 여기시고 기도하도록 격려하신다. 이 말씀의 마지막 구절의 의미를 파악하기 위해 헬라어를 번역하면 그 의미 전달이 잘될 것 같다. "구하라 계속해서 구하라…찾으라 계속해서 찾으라 문을 두드리라 계속해서 두드리라." 예수님께서는 우리를 가로막는 장벽을 뛰어넘어서 가도록 비유를 들어 말씀하신 것이다.

창피를 무릅쓰고 우리의 기도를 가로막는 어떤 인습에도 굴하지 않고 나아가야 하는 것이다.

계속 나아가라!

누가복음 18장 1-8절에 예수님께서는 또 다른 비유를 말씀하신다.

> "항상 기도하고 낙망치 말아야 될 것을 저희에게 비유로 하여 가라사대 어떤 도시에 하나님을 두려워 아니하고 사람을 무시하는 한 재판관이 있는데 그 도시에 한 과부가 있어 자주 그에게 가서 내 원수에 대한 나의 원한을 풀어 주소서 하되 그가 얼마 동안 듣지 아니하다가 후에 속으로 생각하되 내가 하나님을 두려워 아니하고 사람을 무시하나 이 과부가 나를 번거롭게 하니 내가 그 원한을 풀어 주리라 그렇지 않으면 늘 와서 나를 괴롭게 하리라 하였느니라 주께서 또 가라사대 불의한 재판관의 말한 것을 들으라 하물며 하나님께서 그 밤낮 부르짖는 택하신 자들의 원한을 풀어 주지 아니하시겠느냐 저희에게 오래 참으시겠느냐 내가 너희에게 이르노니 속히 그 원한을 풀어주시리라 그러나 인자가 올 때에 세상에서 믿음을 보겠느냐."

자기 백성들이 인내로 기도하지 않는다면 예수님께서 오실 때에 과연 세상에서 믿음을 보시겠는가? 예수님께서 이 비유를 말씀하실 때는 지속적인 기도가 중요하다는 것을 깨닫게 하기 위해 말씀하신 것이다.

우리는 기도로 하나님께 매달려야 한다. 결실을 보기 전까지는 나아가는 것을 멈춰서는 안 된다. 우리가 기도하되 계속해서 기도하고 기도의 응답을 보기까지 하늘을 흔들어야 한다.

우리가 열심히 기도하는 것은 하나님을 깨우는 그런 것은 아니다. 또 하나님께 구걸하는 것도 아니다. 하나님과 흥정을 벌이는 것도 아니다. 하나님이 미덥지 못하기 때문도 아니다. 하나님께서는 이미 우리를 아시며 얼마든지 도와주고 축복하며 구원하고자 하신다. 이것이 하나님의 성품이다. 도리어 하나님께서 우리를 깨우시며 확신 가운데 서도록 하신다.

원하는 것을 정확히 구하라

우리는 지속적으로 기도할 뿐만 아니라 강하고도 구체적으로 기도해야 한다. 마가복음 10장 46-52절에서 소경 바디매오의 이야기를 볼 수 있다.

예수님께서는 이제 막 여리고 성을 나오시는 중이었고 소경 바디매오는 예수님께서 오신다는 소리를 듣게 되었다. 바디매오는 있는 힘껏 소리쳤다. "다윗의 자손 예수여, 나를 불쌍히 여기소서!"

주위에 있는 사람들은 그에게 윽박지르며 조용히 시키려 하였다. 바디매오가 임숙한 분위기를 깨뜨렸기 때문이었다. 그러나 바디매오는 '더욱 소리지르며' 외쳤다. 도저히 잠잠히 있을 수 없어서 더 큰소리로 몇 번이고 외쳤다. "다윗의 자손 예수여, 나를 불쌍히 여기소서!" 마침내 예수님께서 바디매오에게 가까이 오셔서 물어보셨다. "네게 무엇을 하여 주기를 원하느냐?"

예수님께서는 우리가 즉각적으로 응답을 받지 못하였다 하더라도 끈기를 가지고 그냥 주님께서 지나치지 않도록 하는 것을 기뻐하신다. 그리고 우리가 밀고 들어가 끈덕지게 기도하는 것을 원하신다.

또한 우리가 구체적으로 기도하길 원하신다. 지금도 예수님께서는 우리에게 이렇게 물으신다. "네게 무엇을 해주기를 원하느냐?" 우리는 구체적으로 자세히 기도할 필요가 있다. 실제로 원하는 것은 하나님께 말씀드리지 않고 막연하고 종교적인 분위기만 내는 기도는 할 필요가 없다. 하나님께서 구체적으로 응답하시도록 우리의 기도도 구체적일 필요가 있는 것이다. 우리가 언제나 모든 것을 자세히 알고 있는 것은 아니지만 가능한 한 구체적으로 기도하는 것이 좋다.

모든 그리스도인들은 기도할 때마다 하나님께서 응답하실 것을 기대하고 담대하게 나아가야 한다. 우리의 기도가 응답되기까지 하나님으로 하여금 쉬지 못하시게 해야 한다. 우리가 종교적인 전통과 제약들을 고수하지 않기로 할 때 우리는 서슴지 않고 얼마든지 자유롭게 기도를 통해 하나님께 나아갈 수 있다. 하나님께서 인간사의 모든 일 가운데 역사하신다는 온전한 믿음이 있다면 우리는 그와 같이 기도할 것이다. 우리가 기도하면 하나님의 손이 움직이는 것을 볼 것이다. 그러면 우리 주위의 모든 것들이 변화되는 것을 보게 될 것이다.

기도는 우리의 삶을 가장 박진감 넘치게 하는 것 중에 하나다. 우리는 우리의 세계를 흔들기 시작할 것이다. 사회가 그 강도를 느낄 것이다. 우리 주위에 있는 사람들이 변화될 것이다. 우리는 능력 있는 기도의 용사들이 될 것이다.

제 12 장
〔영적 전쟁에 임하는 방법〕

　　영적 전쟁은 기도나 마귀를 꾸짖는 것만이 아니다. 그것은 삶이다. 우리는 앞장에서 기도가 얼마나 중요한지를 알게 되었다. 그러나 야고보서 5장 16절은 말씀한다. "의인의 간구는 역사하는 힘이 많으니라." 하나님께서는 기도를 우리가 살아야 하는 방식인 거룩한 삶과 연결시켜 놓으셨다. 우리가 하는 일은 어둠의 세력을 이롭게 하든지 아니면 어둠의 세력을 물리치는 일이다. 앞서 말한 바와 같이 이미 패배한 마귀는 사람들이 죄를 짓고 이기적으로 살 때만 기승을 부린다. 꼭 그만큼만 그렇다. 더도 덜도 아니다. 죄는 마귀에게 문을 개방하는 것이다. 에베소서 4장 27절은 "마귀로 틈을 타지 못하게 하라"고 말씀한다.

　　예레미야 5장 1절 말씀은 하나님의 자비의 마음과 의인 한 사람의 능력을 동시에 보여주고 있다. 하나님께서는 예레미야에게 말씀하셨다. "너희는 예루살렘 거리로 빨리 왕래하며 그 넓은 거리에서 찾아보고 알라 너희가 만일 공의를 행하며 진리를 구하는 자를 한 사람이라도 찾으면 내가 이 성을 사하리라." 하나님께서는 단 한 사람 의인을 위해 성 전체를 심판하지 않으시기로 작정하셨다.

창세기 18장 20-33절 말씀을 보면 소돔과 고모라도 이와 유사한 상황이었다. 아브라함은 하나님께서 이들 성읍을 멸하시지 말도록 간청하였다. 만일 의인 50명만 있으면 그 성들을 그대로 두시도록 청하였다. 하나님께서는 동의하셨고 아브라함은 의인 50명을 찾아보았다. 다시 하나님의 동의를 얻어 아브라함은 그보다 적은 수의 의인을 찾아보았다. 마지막으로 하나님께서는 의인 10명만 있다면 그 성들을 남겨두시겠다 하셨다. 하나님께서 아브라함과 흥정하신 것이 아니다. 하나님께서는 이미 그곳에 의인이 몇명이 되는지 알고 계셨기 때문이다. 그러나 그 일로 인해 아브라함은 하나님께서 자비하시되 그 자비가 얼마나 놀라운지 깨닫게 되었다. 하나님께서는 언제나 기꺼이 응해주시며 그분의 자비는 변함이 없으시다. 그리고 또한 그 일로 인해 아브라함과 더불어 우리는 의인 한 명의 중요성을 실감하게 된 것이다.

사회에 미치는 영향

역사를 살펴보면 부흥 운동이 사회 전체에 일어났던 기록들을 여러 가지 찾아볼 수 있다. 우리는 부흥 운동이라 하면 일련의 집회로 생각하기 쉬운데 진정한 부흥 운동은 전 국민에게 파급되어 영향을 미쳤을 때를 말한다.

예를 들어 1900년대에 일어난 웨일즈의 부흥 운동을 보면 2년 사이에 10만 명이 넘는 사람들이 회심하였는데 당시 술집은 파산하고 경찰은 실직되는 일이 생길 정도로 도덕적인 분위기가 크게 변화되었다. 그때 회심하였던 사람들 중 적어도 80%가 5년이 지난 후에도 계속 교회에 남아있었다고 한다.

그런데 이런 영적 각성 운동들이 어째서 세계 도처에서 일어나고 있지 않는가? 하나님께서는 다른 곳보다 특정 마을을 선호하시기 때문에 그러한 곳에서만 부흥 운동이 일어나는 것인가? 성경은 하나님께서 사람의 외모를 취하지 않으신다고 말씀한다(행 10:34). 하나님께서는 어느 특정인이나 마을, 도시 혹은 국가를 선호하시는 일이 없으시다. 그렇다면 왜 어느 마을은 마을 전체가 구원을 받는데 어느 마을은 그렇지 못한가? 그 이유가 무엇인가?

부흥 운동에는 어떤 양식이 존재한다. 하나님의 은혜와 주권적인 역사로 볼 때 언제나 주도권은 하나님께 있으며 하나님께서 먼저 믿음을 주신다. 여기에 몇몇 사람이 하나님의 움직임에 반응하게 되나 그것은 극히 소수에 지나지 않는다.

그 지역에서 하나님의 백성이 충분히 많은 수에 이르러 하나님과 올바른 관계에 있고 더불어 이웃과도 올바른 관계가 되었을 때 하나님께서는 그 지역에 축복을 부으실 만한 여건이 마련되었음을 지혜로 아신다. 그러면 하나님의 축복이 교회에서 퍼져나가 잃어버린 영혼들에게 미치게 될 것이다. 그때 의의 능력과 하나님의 영이 임함으로 말미암아 마귀는 쫓겨나가고 거의 모든 사람들이 믿음을 갖기에 이른다. 사람들의 마음과 생각이 열려져 복음을 듣게 된다. 심지어는 아무도 전도하지 않았는데도 구원받는 사람이 생긴다.

이러한 일들은 역사상 셀 수 없을 만큼 많이 발생하였다. 이것이 거룩한 삶의 능력으로 발생하는 부흥 운동인 것이다.

영적 선생으로서 회개하는 것
예수님께서는 우리가 '세상의 소금'이요, '세상의 빛'이라고 말씀하셨다. 그리고 또한 소금이 그 맛을 잃을 수 있으며 빛을 말 속에 감추어 둘 수 있다고 일깨워 주셨다. 우리는 능력 있는 사람이 되든지 아니면 무능한 사람이 되든지 한다. 우리의 빛은 세상의 횃불이 될 수 있다. 우리는 소금으로서 세상의 맛을 바꿔놓을 수 있다. 하지만 또 우리는 무의미한 삶과 전혀 다를 바 없는 사람이 될 수도 있다.

예를 들어, 우리가 죄 문제로 고심하는 어떤 사람을 위해 기도하는데 그 삶의 죄가 현재 나의 삶 가운데도 있고 또 한번도 고백하지 않은 죄라면 우리의 기도는 무력해지고 말 것이다. 그러나 우리가 회개하고 기도하면 우리는 사람들을 거머쥐고 있던 원수 마귀를 강타하여 부흥 운동의 새바람을 일으키며 하나님 나라의 확장을 앞당기게 된다.

아르헨티나에서 월드컵 축구 경기가 있었을 때, 나는 영적 전쟁의 하나로서 회개의 능력을 맛보는 경험을 했다. 존 도우슨(John Dawson)과 위크 니즈(Wick Nease), 그리고 나는 월드컵 대회 기간 동안 이루어지는 범국가적인 전도여행의 일부로서 코르도바 지역 200명의 사역자들의 지도자로 있었다. 그때 200명의 전도자들이 독일계와 이태리계 사람들로 이루어진 코르도바 거리를 누비고 다니며 전도하였지만 영적으로 어떤 막힘이 있는 것 같았다. 우리는 날마다 노방전도를 하며 예수님을 증거하였다. 그러나 아무 일도 일어나지 않았다.

존과 위크와 나는 만나서 함께 기도하였다. 우리가 함께 기도하자 하나님께서는 교만의 진을 대하여 분연히 일어날 것을 보여주셨다. 이와 동시에 성령께서는 각자 마음속에 있는 교만을 지적하시기 시작하셨다. 우리 세 사람은 서로 자기의 교만했던 마음을 고백하면서 자기를 낮추고 하나님께서 이를 깨끗이 씻어주시도록 구하였다. 그리고 우리는 코르도바의 전도가 왜 능력이 없었는지 그 이유를 깨닫게 되었다.

그런 다음 우리 세 사람은 200명의 사역자들 앞에 나아갔다. 그리고 그들 앞에 우리 자신을 낮추는 고백을 하였다. 이에 모든 사람들이 반응을 보였고, 그 후에 주님께서는 우리에게 코르도바를 위한 전략을 보여주셨다.

우리는 30개 그룹으로 나뉘어서 사거리와 주요 도로로 나갔다. 우리는 거만한 도시를 돌아다니며 화려한 상점과 카페, 그리고 금융가 앞에서 하나님의 말씀에 순종하여 무릎을 꿇고 하나님께 용서를 청하였다. 우리 자신의 죄와 그 도시의 죄로 인해 하나님 앞에 엎드렸던 것이다.

하나님께서 그렇게 하라고 말씀하시지 않는다면 거리에서 무릎을 꿇는 등의 일은 있을 수 없는 일이다. 어리석게 느껴졌지만 우리는 그대로 순종하였다. 그러자 우리는 변화가 일어나는 것을 보게 되었다. 코르도바 사람들이 우리의 메시지를 듣기 시작하였고 복음에 대한 관심을 보이기 시작하였다. 몇 주 지나지 않았는데 사람들이 우리에게 접근하여 어떻게 구원을 얻는지 알고 싶어하였다. 전도지를 나누는데 줄을 서서 기다리기까지 하였고, 심지어는 자기가 받은 전도지에 우리의 서명을 부탁하는 사람도 있었다.

회개는 사탄의 대항하는 주요한 무기가 된다. 그것은 단순하다. 내가 회개하면 어둠의 세력은 무너진다. 그러나 불순종하면 원수 마귀가 활동하도록 내버려두는 것이 된다. 우리가 하나님께 순종하면 마귀를 쫓아내는 것이다. 하지만 불신앙으로 행동하면 마귀에게 몸을 주는 것이다. 믿음을 사용하면 마귀는 물러간다.

직접 가서 하나님의 주권을 주장하기

우리가 지역으로 파견되어 하나님의 땅임을 선포하면 뭔가 일이 일어난다. 여행을 하거나 비행기를 타고 다니거나 휴가차 지방을 내려가는 경우에는 영적인 어떤 변화가 일어나지는 않는다. 하지만 우리가 하나님의 말씀에 순종하여 성령충만한 상태에서 의의 행실을 나타내며 어느 지역을 다닌다면 분명히 어떤 변화가 일어난다. 도심의 불의한 곳을 통과한다든지 영적으로 어둠이 깔린 나라에 가면 비행기에서 내리는 순간부터 영적 전쟁을 할 수 있다.

여호수아 6장 1-15절 말씀에 여호수아와 이스라엘 자손은 7일 동안 여리고 성을 돌았는데 6일 동안은 매일 한 번씩, 그리고 7일째 되는 날은 7번을 돌았다. 인간적인 생각에서는 며칠이 지나도 아무런 반응이 없으면 많은 사람들이 투덜대고 하나님께서 정말로 성을 무너뜨리실까 하는 의심마저 들게 된다. 그러나 이들은 매일매일 하나님께 순종하여 한 발을 내딛고 또 한 발을 내디뎠다. 몸으로 순종하던 7일째에 드디어 성벽은 무너졌다. 이스라엘 자손들이 성 주위를 돌았기 때문에 성벽이 무너졌다고 생각하는가?

하나님께서는 언제라도 성벽을 무너뜨리실 수 있었다. 그러나 하나님께서는 보다 큰 계획을 마음에 품고 계셨다. 이스라엘은 7일째 되는 날 전투에서 승리의 개가를 울렸다. 순종으로 말미암아 하나님의 백성인 이스라엘은 보이지 않는 세계에서 어둠의 세력을 물리쳤던 것이다. 하나님께서는 가라고 하는 곳에 정확히 가고, 하라고 하는 것을 정확히 하는 것에 대한 중요성을 이스라엘에게 일깨워주셨다. 여리고 성이 무너지기 전에 이미 영적인 세계에서 승리가 있었던 것이다.

사람은 빛과 어둠의 싸움에서 그저 수동적인 방관자로 있을 수 없다. 하나님께서는 권세와 임무를 우리에게 맡기셨다. 우리가 전진하고 나아가 하나님의 말씀을 전파한다면 하나님께서 움직이실 것이다. 하나님께서 여리고 성을 무너뜨리신 것은 그의 백성들이 전진하고 나아간 후에 있었던 일이다.

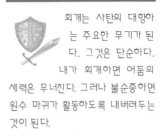

회개는 사탄의 대항하는 주요한 무기가 된다. 그것은 단순하다. 내가 회개하면 어둠의 세력은 무너진다. 그러나 불순종하면 원수 마귀가 활동하도록 내버려두는 것이 된다.

앞에서 우리가 배운 대로 사탄은 자기 세력을 지역적으로 배치시켜 놓았다. 따라서 우리는 어떤 지역을 장악하고 있는 권세들에 대해 다른 어떤 장소에 있는 것보다 바로 그곳에 가 있음으로써 보다 큰 힘을 발휘할 수 있다. 이것이 선교가 갖는 의미며 단시간일지라도 왜 하나님이 가라고 하셨는지에 대한 이유가 되는 것이나.

나는 여러 해 동안 수많은 단기 선교사들을 이끌고 여러 나라로 들어갔었다. 이들 팀들은 세상에 변화를 주길 원하는 평범한 그리스도인들로 구성되었다. 그러나 어떤 사람들은 여행 비용에 불만을 나타내고 그렇게 대가를 지불하는 것을 의문시하였다. 그래서 나는 그만한 진가가 있는 일임을 입증하기 위해 여러 번 하나님 앞에 나아갔었다.

그때 주님께서 내게 보여주신 것이라고 믿는 것은 집을 떠나서 다른 형제들과 함께 연합하여 나갈 때 분명히 보이지 않는 세계에 무슨 일이 벌어진다는 것이다. 이들이 서로 사랑으로 섬기고 복음을 전파하고 찬양하고 경배하며 노래하고 행진할 때 그 지역을 장악하고 있는 어둠의 세력은 예전과는 정말 다르게 몸을 움츠리고 벌벌 떤다. 단지 여행하는 것이 아니다. 어둠의 세력을 깨뜨리기 위해 하나님께 순종하며 나아가는 것이다.

지역을 위해 기도하기

하나님께서는 교회들이 영적 전쟁을 함으로써 지역을 위해 더욱더 기도하도록 인도하신다. 특별히 중요한 결의가 이루어지는 지역에 멈추어서 하나님의 인도하심을 따라 기도하고 또 도심의 거리를 오가며 기도하는 사람들이 많다. 어떤 사람들은 영적으로 '산당'(high place)이라는 개념을 갖고 있는데, 어느 지역에는 구약시대와 같이 글자 그대로 그 도시 내에 산당이 있는 경우가 있다. 그러나 다른 곳에서는 '산당'은 없지만 악이 집약되어 있는 특정 장소들이 존재한다.

따라서 우리는 예전에 해왔던 대로 하기보다 그 상황과 지역에 따른 하나님의 전략을 가지고 있지 않으면 안 된다. 어떤 경우는 우선 그 중심부터 강타할 수 있고 아니면 조금씩 단계를 밟아나갈 수 있다. 구약 시대에는 열왕기상 18장에서 보듯이 갈멜산에서 직접 악과 정면 대결하도록 하나님께서 인도하신 일이 있었다. 그러나 다른 경우를 보면 한 번에 조금씩 적들을 쫓아내도록 말씀하신 일이 있었다(출 23:29-30).

과거의 죄와 습관들이 악의 잔재물로 남아있는 곳에서는 그 지역이나 건물에 대한 영적인 씻음이 필요하다. 유령이 나오는 집이라는 말은 그저 상상이 아니다. 실제로 예수님의 이름으로 악령을 몰아내야 하는 곳들이 많이 있다.

태국의 치앙마이라는 곳에 우리 예수전도단 팀이 있었을 때, 우리는 아주 헐값으로 집 한 채를 구했다. 그 지역 주민들이 그 집은 귀신이 나온다고 믿었기 때문에 그렇게 싸게 구할 수 있었다. 그러나 우리 팀은 예수님의 이름으로 그 귀신을 몰아내고 그 후 몇 해 동안 그 집에서 재미있게 지냈다.

어떤 지역에서는 그 땅을 숭배하고 그곳에 저주가 임한 곳이 있는데, 과거에 초혼(招魂)을 하던 그런 곳이 세상에는 많다. 이런 곳이 악의 견고한 진이 되고 있다. 또 현대적인 도시에서는 악이 집약되어 있는 그런 악의 견고한 진이 많다. 하나님께서는 그리스도인들로 하여금 기도로 이러한 특수한 지역을 구속하도록 인도하셨다.

우리는 하나님께 구하고 또 하나님의 인도하심 속에 어떤 특별한 행동을 취하는 것에 대한 중요성을 인식해야 한다. 모든 땅과 건물이 다 씻음받을 필요는 없다. 바위나 나무에 대한 전반적인 신학을 마련할 필요도 없으며 예수님께서 구원하시고자 하는 깃이 바로 사람이라는 것을 절대로 잊어서는 안 된다. 우리가 해야 할 일은 그 장소에 대한 속박을 깨뜨리고 그 지역에 사는 사람들에게 미치는 부정적인 영향을 차단시키는 것이다. 우리가 살고 있는 도시나 나라, 제도들을 위해 파수꾼으로 있으면서 우리는 사회 내에 작용하는 악의 세력을 매일매일 끊어야 한다. "아침마다 내가 이 땅의 모든 악인을 멸하리니 죄악 행하는 자는 여호와의 성에서 다 끊어지리로다"(시 101:8).

전도하는 것은 영적 전쟁이다

전도는 영적 전쟁과 분리될 수 없다. 어둠을 몰아내는 한 가지 확실한 방법은 불을 켜는 것이다. 복음을 전파하는 것이 바로 어둠 가운데 불을 켜는 것과 같다. 교회가 받은 부르심이 있다면 그 것은 복음을 전파하는 것이다. 우리는 온갖 다양한 형태와 다양한 방법을 통해 복음을 전파해야 한다. 복음을 전하는 방식이 구식이 됐건 신식이 됐건 간에 진리 가운데 행해지고 예수님의 사랑 가운데 이루어지는 것이라면 우리는 해야 한다. 어떤 사람들은 몇몇 전도 방법에 대해서는 거부감을 갖는다. 즉, 펑크족같이 머리를 기르고 록그룹을 조직하여 전도하는 젊은이들이나 메가폰을 가지고 거리에 서서 외치는 사람들에 대해 그런 반응을 보인다. 그러나 그런 방법 때문에 들을 수 있는 사람이 있다면 우리는 그렇게 해야 한다. 물론 우리는 복음 전파에 도움이 되는 것과 저해하는 것을 고려하여 선택할 수 있다. 그러나 어떠한 방법도 도외시해서는 안 된다. 마귀는 복음 전파가 어둠의 세력을 몰아낸다는 것을 알고 있기 때문에 전도는 도외시하고 복음 전파하는 것에 대해 이러쿵저러쿵 얘기만 하도록 온갖 일을 다 꾸밀 것이다.

의로운 마음으로 반응하는 것이 영적 전쟁이다

우리가 영적 전쟁에 임하는 또 다른 방법은 의로운 행위를 함으로 말미암는 것이다. 성경이 말씀하고 있는 바와 같이 그리스도인들에게는 참혹스런 일들이 생긴다. "의인은 고난이 많으나 여호와께서 그 모든 고난에서 건지시는도다"(시 34:19). 역경을 만나는 것은 타락한 세상에서는 언제나 있을 수 있는 일이며 어느 누구도 예외는 없다.

욥기에는 믿음이 있는 사람의 생애 가운데 닥친 재난이 묘사되어 있다. 그러나 욥의 이야기는 우리가 의로운 행동과 반응을 하기만 한다면 얼마든지 마귀를 이길 수 있다는 것을 보여주고 있다. 욥은 모든 것을 잃어버리고 영적으로나 육체적으로 겪을 만한 고통은 다 당했다. 그러나 욥은 마귀를 패배시켰다. 원수 마귀의 공격이 무색했던 것이다. 욥은 자기가 겪는 고통과 혼돈 속에서도 이해할 수 없는 상황이었지만 믿음으로 이렇게 말하였다. "내가 알기에는 나의 구속자가 살아계시니."

크든 작든 재난이 닥치면 우리는 모든 일을 다 알지 못한다는 사실을 인정해야 한다. 어째서 우리에게 이런 일이 닥치는지 그 이유를 알지 못한다. 하지만 무슨 일이든 상관없이 우리는 이렇게 말할 수 있다. "하나님은 좋으신 분입니다"(살후 5:18, 잠 3:5-6). 사탄은 우리의 형편이 생각했던 것보다 좋지 못하고 고통스럽기까지 할 때 하나님께서 그만 나를 저버리셨나보다 하는 생각을 주려고 애쓴다. 그러면 우리는 하나님에 대해 상처와 쓴 뿌리를 가지고 대하거나 아니면 반대로 하나님의 성품에 대한 절대적인 신뢰를 가시고 대할 수 있다. 우리 형편으로 인해 하나님의 놀라우신 성품이 변하는 일이 없다. 하나님을 원망하며 입술로 범죄하는 어리석은 짓을 하지 않도록 해야 한다. 하나님을 비난하거나 불평하고 그 성품을 욕하며 불만을 토로하고 하나님의 탓으로 돌리는 일은 결코 없어야 하겠다. 우리가 하나님을 원망하기 시작하면 그 순간부터 우리는 사탄에게 승리를 넘겨주는 것이다.

모든 역경을 겪을 때마다 그리스도인들은 도리어 의로운 행위로 반응하며 하나님께 영광을 돌리고 하나님의 성품을 찬양하고 마귀를 격퇴시키는 기회로 삼아야 한다. 우리는 아무 고통 없이 안락한 삶을 영위하기 위해 부르심을 받은 것이 아니다. 영적 전쟁으로 부르심을 받은 것이다. 우리의 안정감은 하나님이 어떠하신 분인지 아는 것에서 비롯된다.

우리는 도피자로 부름받은 것이 아니라 승리자로 부름받았다. 하나님의 나라를 건설하고 어둠의 세력을 저지하기 위해 부르심을 받은 것이다. 하나님께서는 우리를 구원하시는 그 즉시 이 땅에서 데려가실 수 있지만 영적 전쟁의 용사가 되기 위해 우리를 이곳에 남겨두셨다. 따라서 우리는 의로운 마음으로 반응하며 고통을 이겨나가야 한다. 원수 마귀의 공격을 무력화시키기 위해 닥치는 역경에 대해 의로운 마음으로 이를 악물고 견디어 나가야 한다.

포로를 자유케 하는 것

영적 전쟁에는 때때로 귀신들린 사람과 정면 대치하는 것이 있다. 예수님께서 모든 족속에게 가서 복음을 전파하라고 하실 때 예수님의 이름으로 귀신을 쫓아내라고 말씀하셨다.

사람들이 자신의 삶에서 더 많은 속박을 만들어 가는데 이들은 자유케 될 필요가 있다. 우리가 바로 이런 일을 하도록 권세가 주어졌으며 어디서든지 그렇게 할 수 있다. 하지만 모든 사람의 문제를 다 귀신 때문이라고 간주해서는 안 된다. 초자연적인 속박 가운데 있는 것이라면 오로지 하나님께 청할 수밖에 없다.

그러나 초자연적인 것과 자연적인 요인들이 복합되어 있는 경우가 흔히 있다. 가령, 귀신의 세력이 들어와서 고질적인 질병에 걸리는 수가 있다. 그런 경우에는 악령들을 쫓아내기도 하지만 예수님의 이름으로 질병도 고쳐야 한다. 하지만 그보다 근본적인 문제는 사람의 의지 문제다. 진정으로 자유케 되길 원하는가? 회개하고 다른 사람을 용서하며 죄를 대항하고 진리에 헌신하려는 마음이 있는가?

구원은 언제나 회개와 치유와 함께 연결되어 있다. 귀신은 마치 파리와 같다. 상처난 부위에 몰려와서 부패시킨다. 우리는 이런 파리를 쫓아내기만 하든지, 아니면 부패한 삶을 회개하고 상처를 치유받든지 할 수 있다. 새로 구원받은 사람이 계속해서 자유를 누리기 위해서는 하나님의 말씀으로 양육받아야 한다. 그래야만 어려움이 닥치더라도 이겨나갈 수 있는 힘을 얻을 수 있으며 승리의 생활을 할 수 있다.

어떤 사람은 영적 전쟁이라면 단지 구원만 생각한다. 또 어떤 사람들은 영적 전쟁이란 예수님의 사역—전파하고 가르치며 진리대로 사는 것—을 계속해서 수행하는 것이라고 한다.

또 다른 사람들은 이런 것들은 비실제적이라고 하면서 가난한 자를 먹이고 인종차별주의와 싸우며 사회 불의를 대항하며 외치는 것이라고 주장한다. 나는 우리가 이 모든 것을 다해야 한다고 생각한다.

공중권세 잡은 자를 끌어내리는 것의 결과로 사람들이 그리스도께로 나아가게 된다면 이것은 중요하다. 하지만 어떤 사람들은 우리가 방해하는 세력들을 다루기 전까지는 복음에 대해 듣지 못한다. 또 어떤 이들은 자신의 삶 속에 있는 속박이 끊어질 때까지는 승리 가운데로 박차고 나올 수 없다. 그러므로 우리는 모든 일을 알맞게 하나님께서 인도하시는 대로 해야 한다.

하나님께서는 구약시대의 여러 전투 때마다 각각 다른 전략을 갖고 계셨다. 예수님께서도 사람들을 치유하시는 데 똑같은 방법을 두 번 이상 사용하신 적이 없다. 따라서 고정관념을 벗어나 사람들의 필요를 채우기 위해 어떠한 일이든 성령께서 인도하시는 대로 하면 된다.

금식을 통한 영적 전쟁

금식은 원수 마귀를 대항하는 데 강력한 무기가 된다. 이사야 58장 6절은 말씀한다. "나의 기뻐하는 금식은 흉악의 결박을 풀어주며 멍에의 줄을 끌러주며 압제당하는 자를 자유케 하며 모든 멍에를 꺾는 것이 아니겠느냐."

이 책의 맨 앞장에서 나는 파퓨아뉴기니의 영적인 진을 깨뜨리는데 하나님께서 어떤 단계를 밟게 하셨는지 설명하였다. 그때 그 계시는 금식하며 기도하는 중에 왔었다. 오스트레일리아의 시드니에서 예수전도단 사역을 개시하러 갔을 때 나는 농부 지역으로 인도받았다. 그곳은 거의 전도하지 않은 지역이었다. 나는 30일

동안 금식하고 기도하면서 거리를 걸어다니며 영적 전쟁을 하였다. 현재 그곳에는 열정적인 교회들이 많아졌다. 내가 동부 시드니를 위해 기도하는 유일한 사람이라고는 할 수 없지만 금식하고 기도한 후로 견고한 진들은 틀림없이 파하여진 것이다.

1967년 국제 예수전도단에 합류하기 전, 나는 워싱턴 주에서 제임스 니콜슨 목사님이 시무하시는 교회의 부목사로 섬겼다. 그때 목사님과 나는 한 소녀의 구마 장면을 테이프로 들었다. 그것은 매우 극적인 장면이었는데, 그러나 한 가지 일만큼은 나의 뇌리에 항상 남아있었다. 그 테이프에서 한 그리스도인이 말하기를 그 소녀가 구원받을 때까지 금식기도하자고 하였다. 그러자 귀신이 "안돼, 금식하지마!" 하고 소리쳤다. 그리스도인이 "왜 안되지?" 하고 묻자 귀신은 "그건 우리를 약하게 만들기 때문이야"라고 대답하였다.

우리가 이 귀신의 말을 하나의 교리로 사용할 수 있는 것은 아니지만 그 사실을 알리는 것조차 두려워해서는 또한 안 될 것이다. 성경은 하나님의 아들이신 예수 그리스도 앞에서 귀신이 소리치며 나갔다고 기록하고 있다. 금식은 영적 전쟁의 효과적인 무기가 된다.

영적 전쟁으로서 나누어주기

나누어주는 것이 영적 전쟁과 관련이 있다고 한다면 의아하게 여길 것이다. 말라기 3장 10-11절은 말씀한다.

> "만군의 여호와가 이르노라 너희의 온전한 십일조를 창고에 들여 나의 집에 양식이 있게 하고 그것으로 나를 시험하여 내가 하늘 문을 열고 너희에게 복을 쌓을 곳이 없도록 붓지 아니하나 보라

만군의 여호와가 이르노라 내가 너희를 위하여 황충을 금하여 너
희 토지 소산을 멸하지 않게 하며 너희 밭에 포도나무의 과실로
기한 전에 떨어지지 않게 하리니."

마귀는 지금도 경제에 관여하고 있다. 그리고 그 세력을 넓히고
있다. 요한계시록에서 육화한 마귀, 곧 적그리스도가 임할 때에는
경제에 대한 절대적인 통제권을 가지고 있을 것이라는 사실을 우
리는 알고 있다. 전세계적으로 금권을 행사할 것이다. "짐승의
표"(계 13:17)라고 하는 것은 사고 파는 것에 관계된 것이다.

사탄은 재정에 관심이 많다. 사탄은 사람의 이기심이 돈에 의해
조장된다는 것을 잘 알고 있다. 성경에 의히면 돈을 사랑하는 것
이 일만 악의 뿌리(딤전 6:10)라고 한다. 돈을 사랑하는 것은 인간
실존의 모든 영역에 미치는 것이다. 탐욕은 바로 사단의 경제적인
궤계의 근간이 되고 있다. 그러므로 이 근간이 되는 것을 대항하
는 가장 강력한 무기가 나눠주는 정신인 것이다.

사람이 나눠주면 이기심으로 사람을 옭아매려는 사탄의 시도가
완전히 좌절되고 만다. 주는 것은 쉽게 파급된다. 단지 한 사람의
주는 행위 이상으로 마귀의 역사를 꼼짝 못하게 만든다. 그것은
점점 밖으로 번져나간다. 모든 선물과 함께 감사의 마음이 오면
더 감사한 마음을 가지고 주고자 하는 마음이 생긴다. 나눠주는
것은 많은 사람들에게 영향을 끼치는 하나의 순환고리를 만들어
준다.

하나님께서는 우리가 얼마나 많이 가졌는지는 관심이 없으시
다. 대신에 재물이 당신의 마음을 다스리고 있는지 아닌지에 관심
이 있으시다. 당신이 얼마나 많이 모았는지에 신경쓰지 않으신다.
그러나 당신이 얼마나 많이 주었는지는 알고 싶어하신다.

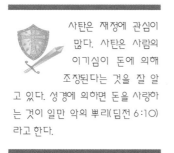

사탄은 재정에 관심이 많다. 사탄은 사람의 이기심이 돈에 의해 조장된다는 것을 잘 알고 있다. 성경에 의하면 돈을 사랑하는 것이 일만 악의 뿌리(딤전 6:10)라고 한다.

하나님의 관심의 초점은 부가 아니다. 바로 당신의 마음이다. 당신은 억만장자가 될 수 있겠지만 그것은 하나님께서 기뻐하시는 바가 아니다. 하나님께서는 자기 백성이 가난한 것을 원치 않으신다. 손을 펴서 자기의 것을 나눠주며, 받기보다 주는 것을 더 좋아하는 사람을 원하신다.

재정적인 압박으로 인해 매주 선교지를 떠나는 선교사들이 생긴다. 반면에, 어느 교회나 사역 단체들은 이와는 비교도 안 될 정도로 수억의 예산을 지출하고 있다. 하지만 우리는 다른 사람에게 나눠주지 않는다는 사례로 어느 특정 기독교 사역자를 지목해서는 안 되겠다. 하나님께 순종하여 나눠주는 것이 성경적이며 어둠의 세력을 타파하는 영적 전쟁인 것이다.

연합하여 영적 전쟁하기

연합은 영적 전쟁의 강력한 무기며 보이지 않는 세계의 가장 큰 요인 중 하나다. "너희 중에 두 사람이 땅에서 합심하여 무엇이든지 구하면 하늘에 계신 내 아버지께서 저희를 위하여 이루게 하시리라"(마 18:19). 여기에서 주님께서는 기도 응답에 대하여 영향을 주는 것이 무엇인지 말씀하고자 하신 것이 아니다. 어둠의 세력을 물리치는 데 있어야 하는 것을 보여주고자 하신 것이다. 마귀는 연합을 싫어한다. 분열과 배반과 분쟁과 분파주의가 얼마나 많이 일어나고 있는지 보면 분명히 알 수 있는 일이다. 마귀는 끊임없이 하나님의 백성들 가운데 분열의 씨를 뿌리고 있다.

만일 우리가 분쟁을 일으키고 깨어진 관계로 떨어져 나가게 되면, 그리고 그것이 결혼이나 교회나 아니면 그리스도의 몸의 어느한 부분에서 벌어질 경우, 우리는 마귀를 크게 유리하게 만들어주는 것이다. 이리는 양을 잡아먹기 위해서 언제나 양떼를 흩어놓는다. 우리는 어떠한 분열도 허용해서는 안 된다. 우리는 자신을 낮추고 옳은 일을 행하며 사람들을 용서하고 함께 걸어가 주고 인내심을 가져야 한다. 우리가 일치를 위해 일한다면 마귀에게는 문을굳게 닫아놓는 것이 된다.

예수님께서는 큰 대제사장으로서 우리가 하나 되도록 요한복음 17장에서 기도하신다. 예수님께서는 영적 전쟁에서 일치의 중요성을 명확히 아셨다. 그래서 15절을 보면 악한 자에게서 우리를보호해 주시도록 아버지께 간구하고 있다. 나는 우리가 만일 연합하지 않으면 악한 자의 공격—질병이나 죽음까지도—에 더욱 많이 노출되리라고 생각한다.

그러나 우리가 일치단결하고 서로 존경하며 서로 낮게 여기고함께 서 있다면 누구도 우리를 이길 수 없을 것이다. 이럴 때 세력이 증가되고 확장된다. "한 사람이 천을 쫓으며 두 사람이 만을도망케 하는 것"은 하늘에서 일치의 역사가 어떻게 일어나고 있는지 보여주고 있는 말씀이다(신 32:30).

기사와 표적의 무기

우리가 마귀의 세력을 다룰 때 초자연적인 세계에 대해 언급하지 않을 수 없다. 우리는 우리의 삶 속에 하나님의 성령의 초자연적인 능력들을 구해야 한다. 이것은 특히 고린도전서 12장에 나오는 성령의 은사들을 말한다. 예수님께서는 성령에 대해 말씀하실때 마치 우리 속에서 흘러나오는 강물과 같은 능력이 있다고 말씀하셨다.

예수님께서는 이러한 능력이 극히 드물며 얼마 안 되는 몇몇 영적인 거물들에게나 주어지는 것이라고 말씀하지 않으셨다. 이것은 모든 그리스도인들이 영적 전쟁을 위해 무장해야 하는 것이다. 성령 안에서 기도하라고 에베소서 6장 18절에서 권하는 이유가 이것이다. 왜냐하면 어둠의 세력에게 효과가 있기 때문이다. 모든 기도는 영적 전쟁의 한 요소가 된다. 성령께서 우리를 통해 흘러나와 어둠의 세력을 물리치기 때문이다.

몇 해 전 오스트레일리아 시드니의 한 해변에서 전도하던 때가 생각한다. 우리는 그때 12살짜리 소녀를 만났는데 그 아이는 우리를 대적하며 행동하였다. 그 소녀는 어린 나이에 거리의 불량배 노릇을 하였는데 두목으로 보이는 다른 아이들이 그 아이 주변에 있었다. 우리가 매일 마로우브라 해변으로 나가 전도할 때마다 그 아이는 우리를 따라다니며 음담을 늘어놓으면서 우리의 대화를 방해하였다. "이 사람들의 말을 듣지마. 이 사람들은 …로 가득 찬 사람들이야!"

이런 일이 며칠 계속되자 우리는 그 아이를 위해 특별히 기도하였다. 다음에 우리가 해변으로 나갔을 때 그 아이는 또 거기 있었다. 줄담배를 피우며 벽에 기대어 서 있었다. 우리가 기도하러 자동차 옆으로 모이자 그 아이도 우리 뒤를 따라와서는 귀신이 역사하는 듯한 조롱의 말과 욕을 해댔다. 그러나 이때 아이에린 맥로버트가 그 아이의 말을 막고 말했다. "네 문제가 무엇인 줄 아니? 네가 3살 때 네게는 이런 일이 있었어…."

아이에린은 그 아이의 삶에 대해 자세한 내용을 말해주었다. 그 아이가 3살 때, 6살 때, 그리고 지금, 가정 문제와 성적인 타락의 문제까지 자세히 말해주었다.

그러자 그 아이는 입을 벌린 채 울기 시작하였다. "어떻게 그런 사실을 알지요?" 그 아이는 물었다. 그날 그 아이와 다른 아이들이 주님을 영접하였다. 성령의 은사 가운데 하나를 사용함으로써 마귀의 권세는 깨뜨려졌다. 그것은 지식의 말씀의 은사였다.

우리는 성령의 놀라운 권능의 역사가 일어나도록 구하는 것을 주저해서는 안 된다. 이와 같은 성령의 나타남은 우리의 영적 전쟁을 도와줄 뿐 아니라 어둠의 세력을 물리친다.

섬기는 것이 영적 전쟁이다

영적 전쟁에 임하는 또 하나의 놀라운 무기는 사랑의 섬김을 통한 것이다. 마귀의 본성은 도적질하고 죽이고 멸망시키는 것이다 (요 10:10). 만일 우리가 전쟁과 재난과 다른 비극적인 일로 재산과 건강과 집을 잃은 사람의 필요를 채워주려고 와 있다면 우리는 마귀의 일을 꼼짝못하게 하는 것이다. 물질적인 방법으로 사람들을 섬기는 것은 단지 사회적 복음(Social Gospel)이 아니다. 그것은 하나님께로부터 온 명령이며 영적 전쟁과 직결되는 것이다. 사랑으로 섬기는 것은 절망 속에 빠지게 하고 마침내 죽음으로 몰아넣는 멸망시키는 자를 물리치는 것이다.

원수 마귀는 파멸의 궤술을 가지고 매일 수없이 성공적으로 일하고 있다. 이 지상에서 하나님의 대리자로서 교회는 인간의 기본적인 필요를 충족시킴으로써 마귀의 일을 현격히 감소시킬 수 있다. 우리는 굶주린 자를 먹이고 집 없는 사람들에게 집을 주며 난민촌을 방문하고 재난을 당한 사람들을 지원해야 한다. 이것이 역공을 통해 유리한 고지를 차지하려고 노력하는 원수 마귀와 대항하는 효과적인 영적 전쟁이다.

레마의 말씀에 근거한 믿음의 행동

영적 전쟁에 임하는 또 다른 방법은 믿음의 단계를 밟음으로 말미암는다. 믿음은 하나님께서 우리의 소원을 들어주신다는 소망 속에 잔뜩 기대를 품고 있는 그런 감정적인 힘이 아니다. 믿음은 하나님께서 어떠한 분인지를 믿는 것이며, 또 하나님께서 하신 말씀을 신뢰하는 것이다. 믿음은 레마(rhema), 곧 특정한 때에 우리에게 주시는 하나님의 특별하고 생생한 말씀 위에 근거하고 또 로고스(logos), 곧 씌어진 하나님의 말씀 안에 계시된 하나님의 성품을 기초로 한다.

히브리서 12장 2절은 예수님을 우리 믿음의 주요 또 온전케 하시는 이라고 말씀한다. 하나님께서 시작하신 것은 하나님께서 끝맺으신다. 하나님께서 어떤 일이 일어날 것에 대해 말씀하시면 반드시 그 일은 일어난다.

하지만 어둠의 세력을 물리치기 위해서 우리에게는 믿음의 단계가 필요하다. 즉, 하나님께서 우리에게 말씀하신 것에 대해 행함으로 순종하는 것이 필요한 것이다.

나는 하와이 코나에 있는 국제 예수전도단(YWAM)의 열방대학(University of the Nations) 근처에 살고 있다. 그곳은 짙푸른 태평양이 내려다 보이는 아름다운 곳이다. 이곳을 매입하였을 당시의 이야기는 영적 전쟁의 실제였다. 많은 믿음의 단계가 필요하였던 것이다. 어떤 사람들에게는 상식적으로 도저히 이해가 되지 않는 것이었다.

하나님께서는 이곳 부동산을 매입하려고 경쟁에 붙은 사람들 사이에 있는 탐심의 영을 깨뜨리도록 말씀하시면서 예수전도단 사람들이 개인적으로 애지중지했던 것들을 다른 사람에게 나눠주라고 말씀하셨다.

사역자들은 가족과 함께 밖에서 지내면서 돌아가며 땅바닥에서 자고 나머지는 찬양으로 불침번을 서도록 인도하심을 받았다. 그럼으로써 주님께서 언제나 우리의 집을 마련해 주시는 유일하신 분임을 기억하였다.

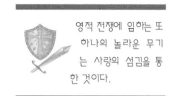

영적 전쟁에 임하는 또 하나의 놀라운 무기는 사랑의 섬김을 통한 것이다.

국제 예수전도단의 지도자인 로렌 커닝햄은 재산입찰 기간 중에 담당 심사관에게 어떤 고백서를 작성하여 보냈다. 그 고백서는 하나님께서 로렌에게 말씀하신 것이었는데 그것은 상식적으로 생각하기에는 아주 어리석어 보이는 것이었다.

그리고 3년이 흘렀다. 마침내 매매 대리인이 와서 최종적으로 동의서를 작성하러 왔다. 그는 "자, 당신의 하나님이 당신에게 그 땅을 주셨소이다!" 하고 말하였다. 하나님께서 하신 것이었다. 그리고 예수전도단 형제들이 믿음으로 순종히는 특별한 행동이 뒤따랐던 것이다.

요한일서 5장 4절에는 믿음의 능력에 대해 말씀하신다. "세상을 이긴 이김은 이것이니 우리의 믿음이니라." 우리는 온전히 하나님을 의지하는 사람들이 되어야 한다. 하나님의 말씀을 구하고 하나님께서 계시하시는 레마의 말씀을 주시도록 기다리는 사람들이 되어야 한다. 그리고 하나님의 말씀을 들었으면 즉시 믿음으로 실행하는 사람이 되어야 한다.

우리가 그렇게 하면 무지와 불신앙 가운데 역사하는 어둠의 세력을 깨뜨리게 될 것이다.

우리는 우리의 종교적인 전통만 고수하며 안이한 상태로 남아 있는 것을 경계해야만 한다. 성경도 보고 교회도 다니며 기도하고 교제하는 시간을 갖지만 그러면서도 하나님을 청종치 않고 믿음으로 나아가고 싶어하지 않는다. 우리의 믿음과 믿음의 실천이 없다면 우리가 세상을 이기기보다 세상이 우리를 이길 것이다.

우리가 하는 모든 일은 하나님의 말씀(레마)을 근거로 해야 한다. "믿음은 들음에서 나며 들음은 그리스도의 말씀으로 말미암았느니라"(롬 10:17)고 말씀하였기 때문이다.

우리가 이렇게 행동한다면 우리 믿음의 줄은 견고하게 유지될 것이다. 그래서 기대를 가지고 믿음으로 힘껏 잡아당긴다면 대적 마귀는 궁지에 몰리고 말 것이다. 우리가 주님께로부터 말씀받았으면 우리는 믿음의 고백으로써 말씀하신 하나님께 계속해서 감사드려야 한다.

골로새서 4장 2절은 "기도를 항상 힘쓰고 기도에 감사함으로 깨어 있으라"고 말씀한다.

우리는 다 믿음으로 생활해야 한다. 우리에게 백만 달러가 있든지 아니면 한푼도 없더라도 우리는 온전히 하나님을 의지하고 살아야 한다. 아마존 밀림의 선교사가 믿음으로 사는 것처럼 뉴욕 은행장도 믿음으로 살 수 있다. 믿음으로 산다는 것은 하나님을 의지하는 것이다. 기다리고 경청하며 듣고 행동하는 것이다. "사람이 떡으로만 살 것이 아니요 하나님의 입으로 나오는 모든 말씀으로" 살고 있는가?(마 4:4). 우리는 주님의 말씀으로 살고 있는가? 또 믿음으로 살고 있는가? 만일 우리가 그렇다면 우리는 어둠의 세력을 저지하고 있는 것이다.

찬양을 통한 영적 전쟁

성경은 어둠의 세력을 무찌르는 찬양의 역사에 대해 많은 곳에서 말씀하고 있다. 역대하 20장에는 여호사밧 왕의 이야기가 나오는데 당시 상황은 적이 쳐들어오는 중이었다. 그때 여호사밧 왕은 칼과 창으로 무장한 병사들을 내보내지 않고 노래하는 자를 택하여 거룩한 예복을 입히고 군대 앞에서 행하며 "여호와께 감사하세 그 자비하심이 영원하도다" 하게 하였더니 그 노래와 찬송이 시작될 때에 여호와께서 복병을 두어 유다를 치러 온 암몬 자손과 모압과 세일 산 사람을 치게 하시므로 저희가 패하였다(대하 20:21-22). 여호사밧 왕의 찬양하는 용사들이 하나님께 소리를 높이자 천사들이 이스라엘을 치러온 적들을 무찌르기 위해 파견되었다.

찬양의 능력으로 보이지 않는 적들이 사기를 잃고 흩어졌기 때문에 실제로 이스라엘을 치러 온 물리적인 적들이 패배하였던 것이다.

찬양은 단지 집회를 훌륭하게 시작하는 순서로만 있는 것이 아니다. 찬양은 분위기를 잡기 위한 것도, 막간을 채우기 위한 것도, 기독교 전통도 아니다. 찬양은 손을 들고 노래하는 등의 활동이 아니다. 찬양은 마음에서 나오는 것이다. 결코 감상적으로 하는 것이 아니다. 찬양을 기계적으로 한다면 의미가 없는 것이다. 성경적인 찬양은 어둠의 세력을 물리치며 우리를 위해 하나님의 천사들이 전투를 벌이고 매상황마다 하나님의 놀라우신 임재가 있는 것이다.

시편 149장 5-6절은 선포한다. "성도들은 영광 중에 즐거워하며 저희 침상에서 기쁨으로 노래할지어다 그 입에는 하나님의 존영이요 그 수중에는 두 날 가진 칼이로다." 이 말씀은 최근에 교회 안에서 또 교회를 통하여 성령께서 역사하시는 것을 정확하게 묘사하고 있다. 오늘날 전세계적으로 살펴볼 때 성장하는 교회, 활력 있는 교회의 특징은 찬양과 예배와 성경의 가르침—두 날 가진 칼—이 새롭게 일어나고 있는 것이다.

그러나 문제는 이것이 목적이 되고, 이것을 끝이라고 본다는 것이다. 강건하고 성숙한 그리스도인의 삶의 본질이라고 하면 우리는 예배와 설교를 꼽는다. 우리는 예배드리고 설교를 듣기 위해 교회에 가고 또 예배와 설교 때문에 신학교나 수련회나 각종 집회에 나간다. 그러나 성경에서 말하고 있는 것은 예배와 설교가 결코 목적이 아니라는 것이다. 이것들은 목적을 위한 수단이다. 우리는 보다 큰 것을 이루기 위해 예배와 설교에 참여하는 것이다. 만일 그것이 목적이 된다면 우리는 초점을 상실하고 자기 위안만 구하는 위험한 상태에 빠질 것이다.

우리가 예배와 설교에 헌신하는 이유는 축복을 받는다거나 충족감을 얻기 위한 것이 아니다. "이것으로 열방에 보수하며 민족들을 벌하며 저희 왕들은 사슬로, 저희 귀인은 철고랑으로 결박하고 기록한 판단대로 저희에게 시행할지로다"(시 149:7-9). 예배와 하나님의 말씀 선포를 통해 우리는 어둠의 왕들에게 하나님의 심판을 내리며 쇠고랑으로 결박한다.

예배를 드리는 것과 말씀을 가르치는 것은 원수 마귀를 쫓아내고 하나님의 나라를 건설하기 위해 세상에 빛의 세력을 풀어놓는 영적 전쟁인 것이다. 우리가 존재하는 이유는 크고 축복받는 교회를 세우는 것이 아니다. 세상에 있는 나라들과 민족들에게 하나님의 말씀을 선포하고 함께 예배드리며 더불어 살기 위해 있는 것이다. 이것이 어둠의 세력을 물리치며 하나님의 모든 섭리를 이루는 것이다.

입술로 마귀를 대적하기

앞에서 언급한 바와 같이 영적 전쟁에 임하는 또 다른 방법은 직접 마귀를 꾸짖는 것이다. "그런즉 너희는 하나님께 순복할지어다 마귀를 대적하라 그리하면 너희를 피하리라"(약 4:7).

우리는 적극적으로 마귀를 공략하되 광야에서 예수님께서 하신 것처럼 입술로 마귀를 대적하고 하나님의 말씀으로 마귀의 공격을 받아친다. 예수님께서는 우리가 먼저 강한 자를 결박한 후에야 그 집을 늑탈할 수 있다고 말씀하셨다(마 12:29). 여기서 '강한 자'는 상황을 주관하는 마귀의 세력이며 우리는 그 세력을 결박하는 것이다. 이것은 생명과 죽음의 차이를 의미할 수도 있다.

몇 년 전 국제 예수전도단의 설립자 로렌 커닝햄의 부인인 달린 커닝햄은 이것이 얼마나 중요한지 깨닫게 되는 체험을 하였다. 스위스에 국제 예수전도단 본부가 처음으로 생겼을 때 그곳에서 살았던 때의 일이다. 그때 달린은 세탁실에서 물 묻은 콘크리트 벽에 기대고 있었는데 아직 옷을 세탁기에서 꺼내 탈수기로 넣지 않았다. 세탁기와 탈수기는 모두 산업용 규격인데 그때만 해도 유럽에서 그런 기계는 350볼트의 전압을 사용하는 것이었다.

탈수기 뒤로 논문이 떨어지자 달린은 무심코 그것을 집으려고 하였다. 달린은 얼마 전에 그 탈수기를 고치면서 수리하는 사람이 보호막을 제거한 것을 미처 알지 못했다. 달린이 손으로 벗겨진 선을 잡자 온몸이 경련을 일으켰다. 달린은 자신이 350볼트에 감전되어 손을 뗄 수 없는 것을 알게 되었다. "하나님 도와주세요! 예수님 도와주세요!" 그녀는 외쳤다. 그러나 경련은 멈추지 않고 온몸을 휘감았다.

이제 죽음이 다가오는 것을 알고 달린은 다시 기도하였다. "하나님, 왜 역사하시지 않습니까?" 그 즉시 주님께서 응답하셨다. "달린, 마귀를 결박하라." 달린이 사탄을 대적하여 말하는 순간 그 벗겨진 진선에서 튕겨져나와 맞은편 벽에 털썩 주저앉았다. 달린의 맥박이 정상으로 돌아오기까지는 며칠이 걸렸지만 그래도

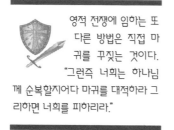
영적 전쟁에 임하는 또 다른 방법은 직접 마귀를 꾸짖는 것이다. "그런즉 너희는 하나님께 순복할지어다 마귀를 대적하라 그리하면 너희를 피하리라."

그녀는 매우 건강하였다. 그 벗겨진 전선 때문에 손바닥에는 일인치 넓이로 길게 화상을 입었지만 아무 흉터도 남지 않고 회복이 되었다. 달린은 그 후로 그 세탁실의 교훈을 잊지 못한다.

마지막 무기

우리는 포기한 사람들이다. 우리는 지도자의 자리도 포기했다. 우리는 결혼도 포기했다. 우리는 교회도 그만두었다. 우리는 상처와 절망과 체념 속에 있다. 이것이 영적 전쟁이라는 것을 깨닫지 못하는가? "너희에게 인내가 필요함은 너희가 하나님의 뜻을 행한 후에 약속을 받기 위함이라"(히 10:36). 사탄은 하나님의 백성들이 포기하기를 항상 바라고 있다. 처한 상황이나 자기들 앞에 놓인 과제, 일상 생활 속에서 닥치는 불행한 일들, 이 모든 일들이 견디기에는 너무나 막중하다고 생각하게끔 한다.

그러나 언제나 포기하지 않는 사람이 승리자다. 우리가 끈기를 가지고 견디어 내면 마귀는 꼼짝 못한다. 이렇게 우리가 인내하는 사람인 줄 마귀가 알면 이내 자기가 포기하고 만다. 때로는 한 가지 유일하게 효과적인 무기가 있는데 흔히 마지막으로 쓰는 것으로 이렇게 말하는 것이다. "이 일이 지나가기 전까지 나는 죽어 있겠다" 혹은 성경말씀대로 하는 것이다. "저를 이기었으니 그들은 죽기까지 자기 생명을 아끼지 아니하였도다"(계 12:11).

지금까지 영적 전쟁에 관한 여러 가지 방법들을 살펴보면서 우리는 성경 전체의 메시지와 그리스도인의 삶을 전반적으로 볼 수 있었다. 완전케 된 우주 안에서 하나님과 우리가 함께 지내는 것이 기독교라면 이 얼마나 놀라운 일인가? 우리의 결점에도 불구하고 그리스도의 형상을 닮아가는 삶은 하나님 앞에 앉아 있는 것만으로도 가능하다. 죄나 귀신, 세상의 악, 역경 등을 이제는 결코 생각지 않아도 된다면 이 얼마나 놀라운 일인가? 이와 같은 삶이 우리에게 그리 멀지는 않다.

하나님은 모든 그리스도인들의 미래를 약속하셨다. 하늘에 올라가면 그것은 우리의 현실로 다가올 것이다. 그러나 이것이 오늘의 기독교이며 현세에 이루어지는 이 땅의 삶이라고 주장하는 것은 파괴적인 도피주의다. 우리는 타락한 세상에 살고 있다. 우리는 말할 수 없는 죄악과 간계한 원수 마귀와 대치하고 있다. 우리는 시련과 환란과 유혹과 갖가지 형태의 역경을 겪는다. 우리 주위의 세계에서는 독재 정권 아래 인권이 유린당하며 기아와 학대가 끊임없이 벌어지고 있다. 우리는 이런 상황을 피해 달아날 수도 없고 부인할 수도 없다.

그러나 이것은 잠깐이다. 이 세상의 삶은 영원 속에서 한번 반짝거리는 것에 지나지 않는다. 시간의 한 정점에 불과한 것이다. 그러나 이 시간이 하나님과 그의 모든 피조물에게는 매우 중요한 정점이 된다. 짧은 인생이지만 인간세계 속에서 벌어지는 영적 전쟁은 미래를 결정하는 것이 된다. 승리는 문제가 아니다. 누가 그 승리를 차지하느냐가 문제다.

우리는 미래를 바라보는 신병들이다. 이것은 하나님을 배제시키는 것이 아니다. 하나님께서는 우리의 창조주시며 우리의 주님 되시고 우리의 영예로운 구원자가 되신다. 하나님께서는 우리의 능력이요 소망이시다. 어둠의 세력에 대한 완전한 승리를 확신하신다. 그러나 우리를 이 땅에서 떠나도록 하지 않으셨다. 우리에게 임무를 부여하셨다. 하나님 나라를 건설하고 동시에 어둠의 왕국을 깨뜨리는 데 우리를 협력자로 삼으시기로 결정하셨다. 하나님께서는 자기 백성이 일어나 이미 하나님께서 십자가에서 이루어 놓으신 승리를 쟁취하기를 기다리신다. 하나님께서는 우리가 예수님의 이름으로 기도하여 시공간을 초월한 어느 상황이든지 그와 같은 온전한 승리를 가져옴으로써 십자가로 나아가기를 원하신다.

영적 전쟁은 삶이다. 그것은 진리를 품으면서 원수를 분별하고 하나님께 헌신하는 매일의 삶이다. 그것은 하나님께서 우리 손에 처분을 맡기셨다는 사실을 아는 것이다. 우리가 어둠의 세력을 몰아내지 않는다면 어둠의 세력은 물러가지 않는다. 우리가 원수 마귀를 질책하지 않는다면 마귀는 질책당하지 않는다. 만일 우리가 세상에 있는 악을 제거하지 않는다면 악은 계속 성장할 것이다.

영적 전쟁은 기독교의 어느 한 부분이 아니다. 그것은 그리스도인의 모든 경험 가운데 있다. 우리가 하는 모든 일을 다 포괄한다. 그리스도인이 되는 것은 곧 영적 전쟁의 용사가 된다는 말이다. 영적 전쟁의 용사가 된다는 것은 그리스도와 더불어 지속적인 승리의 삶을 사는 것이다.

모든 그리스도인을 위한 영적 전쟁

지은이   딘 셔만
옮긴이   이상신

1992년 9월 10일 1판 1쇄 펴냄
2002년 5월 25일 개정판 1쇄 펴냄
2008년 7월 25일 개정판 54쇄 펴냄

펴낸이   이장기
펴낸곳   도서출판 예수전도단
출판 등록   1989년 2월 24일(제2-761호)
주소   경기도 고양시 일산동구 백석2동 1329 성지 밀레니엄리젠시 301호
전화   031-901-9812 · **팩스** 031-901-9851
전자우편   publ@ywam.co.kr
홈페이지   www.ywam.co.kr

조판출력   경운프린테크
인쇄   서정문화인쇄사
주문   전화 031-908-9987 · **팩스** 031-908-9986

ISBN 89-5536-119-X
책값은 뒤표지에 있습니다.